IMITATION DU CRIME

Du même auteur
aux Éditions J'ai lu

Les illusionnistes (n° 3608)
Un secret trop précieux (n° 3932)
Ennemies (n° 4080)
L'impossible mensonge (n° 4275)
Meurtres au Montana (n° 4374)
Comme une ombre dans la nuit (n° 6224)
La villa (n°6449)
Par une nuit sans mémoire (n°6640)
La fortune de Sullivan (n° 6664)
Bayou (n° 7394)
Les trois sœurs:
Maggie la rebelle (n° 4102)
Douce Brianna (n° 4147)
Shannon apprivoisée (n° 4371)
Trois rêves:
Orgueilleuse Margo (n° 4560)
Kate l'indomptable (n° 4584)
La blessure de Laura (n° 4585)
Lieutenant Eve Dallas:
Lieutenant Eve Dallas (n° 4428)
Crimes pour l'exemple (n° 4454)
Au bénéfice du crime (n° 4481)
Crimes en cascade (n° 4711)
Cérémonie du crime (n° 4756)
Au cœur du crime (n° 4918)
Les bijoux du crime (n° 5981)
Conspiration du crime (n° 6027)
Candidat au crime (n° 6855)
Témoin du crime (n° 7323)
La loi du crime (n°7334)
Au nom du crime (n° 7393)
Fascination du crime (n° 7575)
Réunion du crime (n° 7606)
Pureté du crime (n° 7797)
Portrait du crime (n° 7953)
Les frères Quinn:
Dans l'océan de tes yeux (n° 5106)
Sables mouvants (n° 5215)
À l'abri des tempêtes (n° 5306)
Les rivages de l'amour (n° 6444)
Magie irlandaise:
Les joyaux du soleil (n° 6144)
Les larmes de la lune (n° 6232)
Le cœur de la mer (n° 6357)
Les trois clés:
La quête de Malory (n° 7535)
La quête de Dana (n° 7617)
La quête de Zoé (n° 7855)

NORA ROBERTS

LIEUTENANT EVE DALLAS - 17

IMITATION DU CRIME

Traduit de l'américain
par Sophie Dalle

Titre original :
IMITATION IN DEATH
A Berkley Book, published
by arrangement with the author

Nul homme n'est encore devenu
grand par mimétisme.
Samuel JOHNSON

Et le Démon dit à Simon Legrée :
« J'aime votre style, si vicieux et aisé. »
Vachel LINDSAY

Prologue

L'été 2059 n'en finissait pas. Août, déjà pénible, avait cédé la place à un mois de septembre tout aussi féroce, écrasant la ville de New York sous une chape de chaleur, de moiteur et de mauvaises odeurs.

Cet été était en train de tuer son business, se disait Jacie Wooton.

Il était tout juste 2 heures du matin, « l'heure de pointe », quand les bars crachent les clients à la recherche d'une petite distraction supplémentaire avant de rentrer à la maison. Le cœur de la nuit, comme elle se plaisait à le penser, le moment où ceux qui en avaient l'envie et l'argent erraient en quête d'une compagne.

Une brève incursion dans le monde de la drogue l'avait condamnée à travailler dans la rue. Mais elle n'avait plus rien à se reprocher, à présent, et avait la ferme intention de remonter l'échelle de la prostitution pour retrouver le confort auprès des riches solitaires.

Pour l'heure, elle était bien obligée de gagner sa vie. Et par cette chaleur, personne n'avait envie de payer pour baiser.

Apparemment, ses associées n'étaient pas plus nombreuses à vouloir se faire payer pour baiser : elle n'en avait croisé que deux en deux heures.

Mais Jacie était une professionnelle et se considérait comme telle depuis le premier soir, plus de vingt ans auparavant, où elle avait inauguré sa licence.

Elle avait beau transpirer, elle ne se laissait pas aller. Elle résisterait. Elle tiendrait le coup.

Elle ferait son boulot. Elle empocherait son argent, elle patienterait. Dans quelques mois, elle réintégrerait un duplex sur Park Avenue. Rien de moins.

S'il lui venait parfois à l'esprit qu'elle était un peu âgée ou ramollie pour ce métier, elle s'empressait de chasser ces pensées négatives et se concentrait sur l'essentiel : faire une passe de plus.

Si elle n'y arrivait pas ce soir, elle n'aurait pas de quoi s'offrir une séance de remise en beauté. Et elle en avait bien besoin.

Elle était encore un morceau de choix, se rassura-t-elle, tout en se rapprochant d'un lampadaire dans le secteur de trois blocs qu'elle s'était approprié. Elle se maintenait en forme. Elle avait peut-être troqué le Push pour la vodka – et Dieu sait qu'elle en aurait volontiers bu un verre maintenant –, mais elle était encore pas mal. Pas mal du tout, même.

Elle affichait sa marchandise en débardeur et minijupe rouge vif. En attendant un face-à-face avec le body-sculpteur, un soutien-gorge pour lui rehausser les seins n'aurait pas été un luxe. Ses jambes, en revanche, étaient irréprochables. Longues, galbées, elles étaient mises en valeur par les sandales argent à talons aiguilles et lanières croisées jusqu'aux genoux sur lesquelles elle était juchée.

Elle avait horriblement mal aux pieds. Elle s'adossa contre le lampadaire en se déhanchant et scruta la rue pratiquement déserte. Elle aurait dû mettre sa perruque à cheveux longs. Les mecs avaient un faible pour les crinières de lionne. Mais elle avait reculé devant la perspective de porter une perruque par cette chaleur.

Un taxi passa, suivi de deux ou trois voitures. Elle eut beau se pencher, leur faire signe, personne ne s'arrêta.

Encore dix minutes, et elle abandonnerait. Si elle était à court de fric pour son loyer, elle proposerait à son propriétaire une pipe gratuite.

Elle se remit à marcher, lentement, en direction du studio dont elle était obligée de se contenter. Autrefois, elle avait vécu dans un bel appartement de l'Upper West Side. Sa garde-robe était pleine à craquer de vêtements de marque, et son carnet de rendez-vous, bien rempli.

Comme le lui avait expliqué sa thérapeute, la drogue vous propulse dans une spirale infernale qui se termine souvent par une mort abominable.

Jacie avait survécu, mais à quel prix ?

Encore six mois, se promit-elle. Dans six mois, elle serait de nouveau au sommet.

Elle le vit venir vers elle. Riche, excentrique, pas du tout à sa place. Dans ce quartier, les hommes se promenaient rarement en tenue de soirée. Cape et haut-de-forme, rien que ça ! Et une serviette noire à la main.

Jacie s'arma d'un sourire et suivit de la main les courbes de son corps.

— Salut, beau gosse ! Puisque tu es habillé pour la circonstance, on pourrait faire la fête, tous les deux !

Il lui sourit à son tour, révélant une rangée de dents étincelantes.

— À quoi pensez-vous ?

Sa voix correspondait à son allure. Classe supérieure, songea-t-elle avec un mélange de plaisir et de nostalgie. Du style, de la culture.

— Comme vous voudrez. C'est vous le chef.

— Une soirée privée, alors, pas trop loin d'ici.

Il jeta un coup d'œil autour de lui, puis indiqua une allée étroite.

— Je suis un peu pressé, ajouta-t-il.

Ce serait donc rapide, ce qui convenait parfaitement à Jacie. Ce serait vite fait, bien fait, et avec un peu de chance, il lui donnerait en plus un joli pourboire. Plus qu'il n'en fallait pour régler son loyer et s'offrir sa séance de beauté.

— Vous n'êtes pas du coin, pas vrai ?

— Pourquoi dites-vous cela ?

— Vous n'en avez pas l'air, en tout cas, marmonna-t-elle avec un léger haussement d'épaules. Dis-moi ce que tu veux, bébé, et débarrassons-nous de l'aspect financier.

— Oh, je veux tout !

Elle rit, glissa la main sur son sexe.

— Mmm. En effet. Tu as tout ce qu'il faut.

« Vivement que je puisse enlever ces fichues sandales et m'offrir une boisson fraîche ! » songea-t-elle. Elle lui communiqua son tarif, l'élevant au maximum. Comme il opinait sans protester, elle s'en voulut de ne pas avoir demandé davantage.

— C'est payable d'avance, précisa-t-elle.

— Entendu. Payable d'avance.

Sans se départir de son sourire, il la fit pivoter face au mur, l'attrapa par les cheveux et lui tira la tête en arrière. Il lui trancha la gorge pour l'empêcher de crier. D'un geste preste, à l'aide du couteau qu'il dissimulait sous sa cape. Elle ouvrit la bouche, les yeux exorbités, émit une sorte de gargouillis et s'effondra.

— À présent, on va s'amuser, murmura-t-il.

1

On n'avait jamais tout vu. Peu importait le nombre de fois où l'on avait été confronté au sang et à la monstruosité, le nombre de fois où l'on avait constaté l'horreur que l'homme pouvait infliger à l'homme, on n'avait jamais tout vu.

Il y avait toujours plus malfaisant, plus fou, plus vicieux ou plus cruel.

Penchée sur ce qui avait été une femme, le lieutenant Eve Dallas se demandait quand elle verrait le pire.

Deux des flics en uniforme continuaient de vomir au bout de l'allée. Elle les entendait. Mains et bottines enduites de Seal-It, elle demeura figée un instant, ravalant sa propre nausée.

S'était-elle jamais trouvée en présence d'une telle quantité de sang ? Elle ne s'en souvenait pas. Mieux valait ne pas y penser.

Elle s'accroupit, ouvrit son kit de terrain, en extirpa son révélateur d'identité pour scanner les empreintes de la victime. Impossible d'éviter le sang. Soulevant une main inerte, elle appuya le pouce sur son écran.

— La victime est de sexe féminin, race blanche. Le corps a été découvert aux alentours de 3 h 30 par des officiers répondant à un appel au secours anonyme. Identification : Wooton, Jacie, quarante et un ans, compagne licenciée, domiciliée au 375, Doyers Street.

Elle reprit son souffle.

— La gorge est tranchée. D'après les éclaboussures, il semblerait que la blessure a été infligée alors que la victime se tenait contre le mur nord de l'allée. Elle serait ensuite tombée, ou aurait été poussée par son agresseur qui, ensuite…

Seigneur !

— … son agresseur qui, ensuite, l'a mutilée en ôtant la région pelvienne. Les plaies à la gorge et au bas-ventre indiquent l'utilisation d'un instrument aiguisé, et une certaine précision.

Ignorant la sueur glacée qui ruisselait sur son corps, elle poursuivit sa tâche, prit des mesures, enregistra ses commentaires.

— Je suis désolée, dit Peabody, son assistante, juste derrière elle.

Eve n'avait pas besoin de se retourner pour savoir que le visage de Peabody était encore pâle et luisant après le choc et les haut-le-cœur.

— Je suis désolée, lieutenant. Je n'ai pas pu me retenir.

— Ne vous inquiétez pas. Ça va mieux ?

— Je… Oui, lieutenant.

Eve hocha la tête et poursuivit son travail.

— Je l'ai identifiée. Il s'agit de Jacie Wooton. Compagne licenciée. Domiciliée à Doyers Street. Procédez aux vérifications d'usage.

— Je n'ai jamais rien vu de pareil. Jamais…

— Procurez-vous les données. Faites-le un peu plus loin. Vous me gênez.

Peabody savait pertinemment qu'elle ne gênait nullement son lieutenant. Dallas lui fournissait juste un prétexte pour s'éloigner, et comme elle recommençait à avoir le tournis, elle en profita.

Son chemisier était trempé de sueur, et ses cheveux humides sous sa casquette. La gorge lui brûlait, elle n'avait plus de voix, mais elle entama sa recherche. Tout en observant Eve à l'ouvrage.

Efficace, méticuleuse. D'aucuns auraient dit: froide. Mais Peabody avait vu son regard hanté. Froide, Eve Dallas ? Non. Déterminée.

Elle était blême, remarqua Peabody, et ce n'était pas uniquement les projecteurs qui blanchissaient son visage étroit. Ses yeux noisette étaient rivés sur le cadavre, son expression concentrée, ses mains, fermes. Ses bottines étaient maculées de sang.

Un filet de transpiration était visible le long de son dos, mais elle ne renoncerait pas. Elle irait jusqu'au bout de sa mission.

Quand Eve se redressa enfin, Peabody vit une femme grande et mince en jean usé et veste de lin ; les traits fins, de courts cheveux châtains en bataille.

Mais surtout, elle vit un flic qui ne se détournait jamais devant la mort.

— Dallas...

— Peabody, vous pouvez vomir tant que vous voulez, à condition de ne pas contaminer la scène. Alors, ces données ?

— La victime vit à New York depuis vingt-deux ans. Auparavant, elle habitait sur Central Park West. Elle loge à Doyers Street depuis dix-huit mois seulement.

— Sacrée chute. Qu'est-ce qui lui est arrivé ?

— Elle a été condamnée pour usage de stupéfiants. Trois fois de suite. Elle a perdu sa licence de call-girl de luxe, passé six mois en cure de désintoxication, puis récupéré une autorisation probatoire pour exercer dans la rue, il y a environ un an.

— Elle a dénoncé son dealer ?

— Non, lieutenant.

— Nous verrons ce que révéleront les analyses toxicologiques. Je ne pense pas que son dealer soit notre ami Jack.

Eve souleva l'enveloppe trouvée sur le corps – dans un sachet scellé pour éviter les taches de sang.

Lieutenant Eve Dallas, NYPSD

Tapé à l'ordinateur. Une police de caractères alambiquée, sur un élégant papier blanc cassé. Le genre de support que l'on réservait aux invitations chics. Elle s'y connaissait : son mari aimait autant les envoyer que les recevoir.

Elle s'empara du deuxième sachet en plastique destiné aux preuves, relut le mot qui s'y trouvait.

Bonjour, lieutenant Dallas,

Quelle chaleur, n'est-ce pas ? Je sais combien vous avez été occupée tout au long de l'été. J'admire votre travail. Parmi tous les membres des forces de police de notre chère ville, vous êtes celle que je choisis pour une relation que j'espère très intime.

Voici un échantillon de mon travail. Qu'en pensez-vous ?

Dans l'espoir d'une étroite collaboration…

Jack

— Je vais vous dire ce que j'en pense, Jack. Vous êtes un salaud très malade. Étiquetez et emballez ! commanda-t-elle en jetant un dernier coup d'œil dans l'allée. Homicide.

L'appartement de Wooton était situé au quatrième étage d'un de ces immeubles construits à la hâte pour abriter provisoirement les victimes et les réfugiés des guerres urbaines. La plupart d'entre eux étaient regroupés dans les quartiers pauvres, et il était sans cesse question de les raser.

La municipalité tergiversait indéfiniment. Fallait-il jeter dehors les prostitués, junkies, dealers et autres miséreux, et tout détruire, ou réhabiliter les bâtiments ?

Pendant qu'ils discutaient, les immeubles se dégradaient.

Personne ne bougerait tant que ces taudis ne se seraient pas effondrés sur leurs habitants et que les grosses légumes ne se retrouveraient pas assaillies par les procès.

C'était le refuge typique d'une pute en situation difficile.

Le studio se composait d'une pièce en forme de boîte à chaussures, équipée d'une minuscule kitchenette et d'une salle d'eau. La fenêtre donnait sur le mur d'une bâtisse identique, à l'ouest.

À travers les parois trop minces, Eve entendait parfaitement les ronflements sonores en provenance de l'appartement voisin.

En dépit de sa situation, Jacie avait entretenu les lieux et tenté d'y apporter une touche personnelle. Les meubles étaient de mauvaise qualité, mais colorés. Elle avait posé des rideaux à froufrous. Le canapé était déplié, mais le lit était fait, et les draps, en coton de qualité. Rescapés d'une vie antérieure, sans doute.

Un communicateur trônait sur une table, et la commode croulait sous les accessoires indispensables au métier : cosmétiques, parfums, perruques, bijoux de pacotille, tatouages éphémères. Les tiroirs et l'armoire contenaient essentiellement des tenues de travail, mais aussi quelques tailleurs classiques.

Dans la salle d'eau, Eve découvrit une collection de médicaments vendus sans ordonnance, notamment deux flacons de Sober-Up, dont un à moitié entamé. Logique, vu les deux bouteilles de vodka sur le comptoir de la kitchenette.

Apparemment, Jacie était passée des stupéfiants à l'alcool.

Eve démarra le communicateur pour recenser toutes les transmissions reçues ou effectuées au cours des trois derniers jours. Un appel à sa thérapeute pour solliciter une revalorisation de sa licence. Un coup de fil de son gérant réclamant le loyer – en retard. Un deuxième appel à une clinique de chirurgie esthétique.

Pas d'échanges avec des amis, nota Eve.

Elle poursuivit ses recherches, tomba sur les relevés bancaires. Jacie Wooton tenait ses comptes scrupuleusement. Elle était économe. Elle satisfaisait ses clients, mettait l'argent à la banque, en réinvestissait la plus grande partie. Les frais étaient élevés : garde-robe, soins de beauté, coiffeur…

Elle soignait son apparence.

— Elle s'est fait un joli nid dans un arbre affreux, commenta Eve. Je ne relève aucune correspondance avec un Jack, pas plus qu'avec un autre homme, d'ailleurs. Elle a été mariée ?

— Non, lieutenant.

— Nous interrogerons sa thérapeute, mais je crains qu'elle ne nous apprenne pas grand-chose.

— Dallas… il me semble… ce qu'il lui a fait… j'ai l'impression que c'est très personnel.

— En effet…

Eve pivota sur elle-même, parcourut de nouveau la pièce du regard. Nette, féminine.

— Je crois que c'était très personnel, mais sans aucun rapport avec la victime. Il a tué une femme, une femme qui gagnait sa vie en vendant son corps. Ça, c'est l'aspect personnel. Non seulement il l'a assassinée, mais en plus, il lui a arraché cette partie d'elle-même avec laquelle elle exerçait son métier. Ce n'est pas difficile de dégoter une compagne licenciée dans ce quartier en pleine nuit. Il suffit de choisir l'heure et le lieu. Un échantillon de son travail, murmura Eve. C'est tout ce qu'elle était pour lui.

Elle s'approcha de la fenêtre, plissa les yeux, étudia la rue, l'allée, le bâtiment tout près de là.

— Peut-être la connaissait-il, ou l'avait-il repérée. Peut-être l'a-t-il choisie au hasard. En tout cas, il était prêt à agir si l'occasion se présentait. Il avait l'arme, le mot dans son enveloppe cachetée et quelque chose – une petite valise, un sac ou une mallette – avec des vêtements de rechange. Il devait être couvert de sang.

Elle marqua une pause, puis enchaîna :

— Elle le suit dans l'allée. Il fait chaud, les affaires tournent au ralenti. Mais c'est son boulot. Probablement sa dernière passe avant de rentrer chez elle. Elle a de l'expérience, elle est dans le milieu depuis vingt ans. Pourtant, elle ne flaire pas le danger. Soit elle avait bu, soit il inspirait confiance. N'oublions pas qu'elle était peu accoutumée à la rue. Elle manquait sans doute d'instinct.

Trop habituée à la grande vie, songea Eve, aux frasques sexuelles des hommes riches et discrets.

— Elle est plaquée contre le mur, reprit Eve, qui l'imaginait sans peine, avec ses cheveux dressés, scintillants de mèches argentées, et son débardeur rouge.

— Elle se dit qu'elle a besoin de fric pour payer son loyer. Vivement que ça soit fini, parce qu'elle a mal aux pieds… Elle est fatiguée, mais bientôt, elle pourra aller se coucher. Quand il lui tranche la gorge, elle est davantage surprise qu'effrayée. Il a dû agir très vite. Un coup de lame, de gauche à droite, sur la jugulaire. Le sang jaillit comme une fontaine. Elle est morte avant d'avoir pu se rendre compte de ce qui se passait. Pour lui, ce n'est que le début.

Eve se retourna, inspecta la commode. Bijoux en toc, tubes de rouge à lèvres. Parfums de couturiers, histoire de se rappeler qu'on a vécu dans le luxe et qu'on a bien l'intention de recommencer.

— Il l'allonge par terre, découpe ce qui représentait sa féminité. Il avait sûrement prévu un sac pour ça. Il se nettoie les mains.

Elle le voyait sans peine, lui aussi, accroupi dans l'allée sombre, les doigts collants de sang.

— Je parie qu'il a aussi pris le temps de nettoyer ses outils. Il sort la lettre qu'il avait préparée, la pose sur ses seins. Il a dû changer de chemise, ou revêtir une veste. Pour cacher le sang. Ensuite ?

Peabody cligna des yeux.

— Euh… il s'éloigne en se félicitant. Il rentre chez lui.

— Comment ?

— Eh bien… à pied, s'il n'habite pas trop loin.

Peabody se ressaisit, s'obligea à pénétrer dans l'esprit de son lieutenant. Dans celui du meurtrier.

— Il est euphorique. Il n'a pas peur d'être agressé. S'il vient de plus loin, il a prévu une voiture. En admettant qu'il se soit changé, il reste l'odeur. Monter dans un taxi ou le métro, ce serait prendre un risque stupide.

— Excellent. Nous contacterons les compagnies de taxis, au cas où un chauffeur aurait pris quelqu'un dans les parages aux alentours de l'heure du crime. On met un scellé sur la porte, et on passe l'immeuble au peigne fin.

Comme on pouvait s'y attendre, les voisins ne savaient rien, n'avaient rien vu ni entendu. Le gérant avait son bureau dans une vitrine de magasin de Chinatown, entre un marché vantant une promotion sur les pattes de canard et un cabinet de médecine alternative promettant santé, bien-être et équilibre spirituel, contre remboursement.

Eve connaissait bien les types du genre de Piers Chan, les manches remontées sur ses avant-bras musclés, la moustache fine. L'environnement sobre, le diamant étincelant au petit doigt.

Métis, il avait hérité de traits suffisamment asiatiques pour s'installer en plein Chinatown. Il n'avait sûrement jamais mis les pieds à Pékin.

Comme elle s'en doutait, il vivait avec sa famille dans un quartier résidentiel du New Jersey.

— Wooton, Wooton…

Tandis que deux employés silencieux s'affairaient dans son dos, Chan feuilletait son registre.

— Voilà… Studio de luxe, Doyers Street.

— De luxe ? répéta Eve, sidérée.

— Il est équipé d'une kitchenette avec mini-frigo et AutoChef. Elle a du retard. Elle aurait dû payer son loyer la semaine dernière. Je l'ai relancée par téléphone il y a deux jours. Je la rappellerai aujourd'hui. Puis elle aura droit à l'avis officiel d'éviction, la semaine prochaine.

— C'est inutile. Elle a changé d'adresse. Désormais, elle habite à la morgue. Elle a été assassinée tôt ce matin.

— Assassinée.

Il arqua les sourcils, plus irrité qu'apitoyé.

— Merde, alors ! Vous avez mis un scellé ?

Eve inclina la tête.

— Pourquoi cette question ?

— Écoutez, je gère six immeubles, soixante-douze appartements. Quand on a autant de locataires, forcément, il y en a un ou deux qui vont casser leur pipe un jour ou l'autre. Mort naturelle, mort suspecte, mort accidentelle, suicide, énuméra-t-il sur ses doigts. Et homicide, conclut-il avec le pouce. Ensuite, vous, vous débarquez, vous mettez votre scellé, vous avertissez les proches. Avant que j'aie pu dire ouf ! un oncle ou un copain a tout débarrassé. Et moi, je peux m'asseoir sur mon fric.

Il haussa les épaules, l'air dépité.

— Il faut bien que je gagne ma vie !

— Elle aussi, elle gagnait sa vie, quand un malade a décidé de la découper en morceaux.

Il gonfla les joues.

— Dans ce genre de métier, il faut s'attendre à prendre des coups.

— Taisez-vous, vous allez me faire pleurer. Revenons à nos moutons. Connaissiez-vous Jacie Wooton ?

— Seulement ses formulaires et ses chèques. Je ne l'ai jamais vue de mes propres yeux. Je n'ai pas le temps de me lier d'amitié avec mes locataires. J'en ai trop.

— Mmm... Si l'un d'entre eux paie en retard, contourne l'avis d'éviction, vous ne lui rendez pas une petite visite, histoire de discuter ?

Il se frotta la moustache.

— J'applique le règlement. Je dépense une fortune chaque année en honoraires d'avocat pour chasser les mauvais payeurs, mais ça fait partie des frais de fonctionnement. Cette femme, je ne la reconnaîtrais pas si elle venait ici me proposer une passe. D'ailleurs, hier soir, j'étais chez moi, à Bloomfield, avec ma femme et mes enfants. J'y ai pris mon petit-déjeuner ce matin, et je suis arrivé par le train de 7 h 15, comme chaque jour. Si vous voulez en savoir plus, adressez-vous à mes hommes de loi.

— Quel sale type ! murmura Peabody, quand elles furent dans la rue.

— Oui, et je parie qu'il n'hésite pas à accepter une partie de ses loyers en nature. Faveurs sexuelles, petits sachets de stupéfiants, objets volés. Si on n'avait pas d'autres chats à fouetter, on pourrait le coincer.

Eve inclina la tête pour examiner l'exposition de volailles maigres accrochées dans une vitrine, et les pattes de canard en promotion.

— Je me demande comment on mange des pattes ? On commence par les orteils et on remonte vers la cheville, ou inversement ? Les canards ont-ils des chevilles, du reste ?

— J'ai passé des nuits entières à réfléchir à cette question, répliqua Peabody.

Eve lui coula un regard noir, mais elle était ravie de constater que son assistante avait repris du poil de la bête.

— Ils travaillent les volailles sur place, n'est-ce pas ? Couteaux aiguisés, mares de sang, une certaine connaissance en matière d'anatomie…

— Découper une volaille est certainement beaucoup plus facile que de découper un humain.

— Je ne sais pas, répondit Eve en plaquant les mains sur ses hanches. D'un point de vue technique, peut-être. La masse est plus importante, il faut plus de temps et d'habileté que pour un poulet lambda. Mais si l'on ne considère pas ladite masse comme un être humain, ce n'est pas si différent. On peut s'exercer sur des animaux. À moins que ce ne soit un médecin ou un vétérinaire qui ait pété les plombs. Il devait savoir ce qu'il faisait. Boucher, docteur, amateur doué, c'est quelqu'un qui perfectionne son art, afin de rendre hommage à son héros.

— Son héros ?

— Jack, riposta Eve, en se dirigeant vers son véhicule. Jack l'Éventreur.

— Jack l'Éventreur ? s'exclama Peabody, ahurie, en courant pour rattraper Eve. Vous voulez parler de ce dingue, à Londres, il y a je ne sais combien d'années ?

— Fin du XIXe siècle. Whitechapel. Un quartier misérable de la ville durant l'ère victorienne, fréquenté par les prostituées. En un an, il a tué entre cinq et huit femmes, voire plus, sur un rayon de deux kilomètres.

Elle prit place derrière le volant, observa Peabody à la dérobée.

— Quoi ? Je n'ai pas le droit de savoir des trucs ?

— Oh, si, lieutenant ! Vous connaissez une tonne de trucs, mais, en général, l'histoire n'est pas votre fort.

Le meurtre, si, songea Eve en déboîtant.

— Dès l'enfance, je me suis passionnée pour les histoires de tueurs en série.

— Vous lisiez ça quand vous étiez petite ?

— Oui. Et alors ?

— Eh bien...

Peabody ne savait trop comment exprimer sa pensée. Elle n'ignorait pas qu'Eve avait grandi dans des institutions et des familles d'accueil.

— Les adultes responsables ne vous surveillaient pas ? Ce que je veux dire, c'est que mes parents – et pourtant, ils nous laissaient très libres – n'auraient jamais supporté qu'on ait ce genre de lectures quand on était mômes. Pour éviter les cauchemars, les traumatismes.

Eve avait eu peur bien avant de savoir lire. Quant aux cauchemars, elle en avait toujours eu.

— Quand je surfais sur l'Internet en quête d'informations sur Jack l'Éventreur ou John Wayne Gacy, j'étais occupée, donc sage. C'était tout ce qui comptait.

— Mouais... Donc, vous avez toujours su que vous vouliez être flic.

Eve avait su qu'elle voulait être tout, sauf une victime. Puis elle s'était rendu compte qu'elle voulait défendre la victime. Donc, devenir flic.

— Plus ou moins. L'Éventreur avait commencé à adresser des messages à la police après un certain temps. Pas dès le départ, comme notre tueur. Celui-ci veut qu'on sache d'emblée à qui l'on a affaire. Il veut mener la partie.

— Il vous cherche, suggéra Peabody.

Eve hocha la tête.

— Je viens de résoudre une affaire hautement médiatisée. Passages répétés à l'écran. Rumeurs. Et il y a eu l'affaire Pureté, au début de l'été. Encore un dossier chaud. Il m'a observée. Maintenant, il veut qu'on parle de lui. Jack a fait couler beaucoup d'encre, à son époque.

— Il veut que vous soyez impliquée, mais que les projecteurs se braquent sur lui.

— Je pense, oui.

— Il va donc s'attaquer à d'autres compagnes licenciées, dans le même quartier.

— Il se peut qu'il en ait l'intention, oui. Ou surtout, qu'il veuille nous le laisser croire.

Elles s'arrêtèrent chez la thérapeute de Jacie, qui travaillait dans un cabinet situé aux abords de l'East Village. Sur son immense bureau chargé de dossiers trônait une coupe de berlingots. Dans son tailleur gris, elle avait un petit côté matrone.

Elle devait avoir un peu plus de cinquante ans. Son visage était avenant, son regard noisette, aiguisé.

— Tressa Plank.

Elle se leva pour serrer la main d'Eve, avant de l'inviter d'un geste à s'asseoir.

— Je suppose que cela concerne l'une de mes patientes. J'ai dix minutes devant moi. Que puis-je pour vous ?

— Parlez-nous de Jacie Wooton.

— Jacie ?

Tressa haussa les sourcils et esquissa un sourire, mais une lueur d'angoisse dansa dans ses prunelles.

— Je ne peux pas croire qu'elle vous cause des soucis. Elle est sur la bonne voie, décidée à récupérer sa licence de call-girl.

— Jacie Wooton a été assassinée tôt ce matin.

Paupières closes, Tressa aspira lentement, souffla.

— Je me doutais que c'était une des clientes, murmura-t-elle. En entendant le flash sur le meurtre de Chinatown, j'ai eu un doute. Une intuition. Jacie.

Elle croisa les mains sur son bureau, les contempla.

— Que s'est-il passé ?

— Je ne peux pas encore vous donner de détails. Je peux simplement vous dire qu'elle a été poignardée.

— Mutilée. Aux informations, ils ont parlé d'une compagne licenciée mutilée dans une allée de Chinatown, tôt ce matin.

Un des agents en uniforme avait parlé, comprit Eve. Il le paierait cher.

— Je ne peux rien vous préciser de plus à ce stade. J'en suis au tout début de mon enquête.

— Je connais la routine. J'ai été sur le terrain pendant cinq ans.

— Vous étiez flic ?

— Pendant cinq ans, confirma-t-elle. Les crimes sexuels. J'ai décidé de me reconvertir. Je n'aimais pas la rue, ni ce que j'y voyais. Ici, au moins, je peux essayer d'aider les autres sans affronter l'horreur jour après jour. Ma tâche est loin d'être facile, mais c'est ce que je fais le mieux. Je vous dirai ce que je peux. J'espère que cela vous sera utile.

— Elle a pris récemment contact avec vous, au sujet d'une revalorisation de sa licence.

— Celle-ci lui a été refusée. Il lui reste – il lui restait – un an à tirer. C'était obligatoire, après ses arrestations et son problème de drogue. Sa cure de désintoxication a été un succès, bien que je la soupçonne d'avoir trouvé un substitut au Push.

— La vodka. Elle en avait deux bouteilles dans sa cuisine.

— Bon. C'est légal, mais c'est une violation des exigences imposées pour la revalorisation de sa licence. Remarquez, ça n'a plus aucune importance.

Tressa se frotta les yeux et soupira.

— Ça n'a plus aucune importance, répéta-t-elle. Elle n'avait qu'un but : remonter au nord de la ville. Elle détestait travailler dans la rue. Pourtant, elle n'a jamais envisagé, du moins pas sérieusement, de changer de métier.

— Elle avait des clients réguliers ?

— Non. Autrefois, elle en avait une liste impressionnante, hommes et femmes. Que je sache, personne ne l'a suivie à Chinatown. Elle m'en aurait parlé, je pense, parce que ça lui aurait remonté le moral.

— Son dealer ?

— Elle n'a jamais voulu révéler son nom, même à moi. Cependant, elle m'a affirmé n'avoir eu aucun contact avec lui depuis sa sortie de l'hôpital. Je l'ai crue.

— D'après vous, est-ce qu'elle avait peur de lui ?

— D'après moi, c'était surtout une question d'éthique. Elle se prostitue depuis vingt ans, pratiquement la moitié de sa vie. Une bonne compagne licenciée est discrète. Comme les médecins ou les prêtres, elle respecte le secret professionnel. En ce qui concerne son fournisseur, c'était pareil. Je suppose qu'il faisait aussi partie de sa clientèle, mais ce n'est qu'une supposition.

— Au cours des dernières séances, vous a-t-elle paru préoccupée, inquiète, craintive ?

— Non. Juste impatiente de reprendre sa vie d'avant.

— À quel rythme venait-elle vous consulter ?

— Tous les quinze jours. Elle ne ratait jamais un rendez-vous. Elle passait ses examens médicaux, elle était toujours disponible pour des tests de routine. Elle coopérait parfaitement. Lieutenant, Jacie Wooton était une femme normale, un peu paumée. Elle appréciait les belles choses, elle prenait soin de sa personne. Elle se plaignait des restrictions de tarifs imposées par sa licence. Elle n'avait pas d'amis...

Tressa pressa les doigts contre ses lèvres un instant.

— Je suis désolée. Je m'efforce de garder du recul, mais c'est plus fort que moi. C'est une des raisons pour lesquelles je n'étais pas à ma place sur le terrain. Je l'aimais bien, je voulais l'aider. Je ne sais pas qui a pu lui faire ça. Ce ne peut être qu'un acte impulsif, d'un fort sur un faible. Après tout, elle n'était qu'une pute.

Sa voix menaça de se briser. Elle se racla la gorge, respira à fond.

— C'est ce que pensent beaucoup de gens. Vous le savez aussi bien que moi. Lorsqu'ils débarquent ici, ils ont été battus, maltraités, humiliés, cassés. Certains abandonnent, d'autres s'en sortent seuls, d'autres encore se battent. Quelques-uns finissent dans le caniveau. C'est une profession dangereuse.

Flics, secouristes et assistants sociaux, prostitués. Des métiers à risque, au taux de mortalité élevé. Jacie voulait retrouver sa vie d'antan, conclut Tressa. Et elle en est morte.

2

Eve fit un crochet par la morgue. Une nouvelle chance pour la victime de lui révéler quelque chose. Sans véritables amis, sans ennemis connus, sans famille, sans associés, Jacie Wooton offrait l'image d'une femme solitaire dont le métier impliquait des contacts physiques. Une femme qui considérait son corps comme son meilleur atout, et qui avait choisi de s'en servir pour mener la belle vie.

Eve était curieuse de savoir ce que ce corps pourrait lui révéler sur le meurtrier.

À mi-parcours du couloir, elle s'immobilisa.

— Trouvez-vous un siège, ordonna-t-elle à Peabody. Je veux que vous contactiez les gars du labo. N'hésitez pas à les harceler. Suppliez, gémissez, menacez, faites comme vous voulez, mais insistez pour qu'ils retrouvent la trace du papier à lettres.

— Je tiendrai le coup. Je vous accompagne. Je ne craquerai plus.

Elle était déjà pâle, nota Eve. Elle revoyait la scène: l'allée, le sang, l'horreur. Oui, Peabody ferait face, mais à quel prix?

— Je n'ai jamais prétendu le contraire. Je vous dis juste que j'ai besoin de savoir d'où provient ce papier à lettres. Quand un tueur laisse un indice, on suit la piste. Au boulot!

Sans laisser à Peabody la possibilité de discuter, Eve repartit au pas de charge en direction de la double porte derrière laquelle se trouvait le cadavre.

Elle s'attendait que ce soit Morris, le légiste en chef, qui prenne la situation en main. Elle ne fut pas déçue. Il travaillait seul, comme la plupart du temps, vêtu de sa tenue de protection transparente sur une tunique bleue et un pantalon de peau.

Ses longs cheveux étaient rassemblés en queue-de-cheval et recouverts d'un bonnet pour éviter toute contamination du corps. Autour du cou, il portait une médaille en argent incrustée d'une pierre rouge. Ses mains étaient pleines de sang, et son beau visage exotique, impassible.

En général, il effectuait ses autopsies en écoutant de la musique. Aujourd'hui, seuls le ronronnement des appareils électroniques et le sifflement de son scalpel au laser troublaient le silence.

— De temps en temps, déclara-t-il sans lever les yeux, ce que je vois ici dépasse l'entendement. Nous savons tous deux combien l'être humain peut être cruel envers les membres de sa propre espèce, n'est-ce pas, Dallas ? Mais quelquefois, cela va au-delà.

— C'est la blessure à la gorge qui l'a tuée.

— Heureusement pour elle.

Il redressa la tête. Derrière ses lunettes, ses yeux ne pétillaient pas comme d'habitude.

— Elle n'a rien senti ensuite. Quelle boucherie ! ajouta-t-il, en jetant son scalpel sur un plateau.

— Il n'existe pas de mots pour décrire un tel crime. Mais ce n'est pas le moment de philosopher, Morris. Ça ne servirait à rien. Ce qui m'intéresse, c'est de savoir s'il savait ce qu'il faisait, ou s'il a agi de manière impulsive ?

Il respirait trop vite. Le temps de se ressaisir, il ôta son bonnet et ses lunettes, puis alla se laver les mains.

— Il savait exactement ce qu'il faisait. Les découpes sont précises. Pas d'hésitation, pas de gestes inutiles.

Il ouvrit le réfrigérateur, en sortit deux bouteilles d'eau. Après en avoir tendu une à Eve, il but avec avidité.

— Notre tueur sait colorier sans dépasser les traits.

— Pardon ?

— Les carences de votre enfance ne cessent de me fasciner. Il faut que je m'assoie deux minutes, enchaîna-t-il en se pinçant la base du nez entre le pouce et l'index. Je suis en état de choc. On ne peut jamais prévoir quand ça va vous tomber dessus. Avec tout ce qui défile ici, jour après jour, cette femme de quarante et un ans, avec ses orteils vernis et son oignon au pied gauche, m'a bouleversé.

Eve ne savait trop comment réagir. Elle avait rarement vu Morris dans cet état. Se fiant à son instinct, elle approcha une chaise, s'installa à côté de lui, but une gorgée d'eau. Il n'avait pas éteint son magnétophone, songea-t-elle. Ce serait à lui de décider s'il devait procéder ou non à un montage de l'enregistrement.

— Vous avez besoin de vacances, Morris.

Il eut un petit rire.

— Je sais. Je devais partir demain. Deux semaines aux Caraïbes. Le soleil, la mer, les femmes nues... vivantes, bien sûr, et des litres d'alcool consommés dans des coquilles de noix de coco.

— Allez-y.

Il secoua la tête.

— J'ai repoussé mon départ. Je veux suivre celle-ci jusqu'au bout. Il y a des cas où l'on ne peut pas se dérober. Dès que je l'ai vue, dès que j'ai vu ce qu'on lui avait infligé, j'ai su que je ne m'écroulerais pas sur la plage demain.

— Je pourrais vous dire que vous avez d'excellents collaborateurs. Des gens qui prendraient soin d'elle et de tous les autres dans les deux semaines à venir.

Elle avala un peu d'eau tout en examinant la dépouille de Jacie Wooton, couchée nue sur une table dans une chambre froide.

— Je pourrais vous dire que je vais trouver le salaud qui lui a fait ça et m'assurer qu'il le paiera cher. Je pourrais vous dire tout ça, et ce serait vrai. Mais à votre place, je ne partirais pas non plus.

Morris appuya la tête contre le mur, les jambes allongées devant lui.

— C'est quoi notre problème, Dallas ?

— Aucune idée.

Paupières closes, il se décontracta.

— Nous aimons les morts.

Eve ricana, et il sourit, sans ouvrir les yeux.

— Pas d'une façon malsaine. Quoi qu'ils aient été de leur vivant, nous les aimons parce qu'ils ont été maltraités, dupés.

Soudain, Morris se pencha vers elle et lui tapota le dos. Il la touchait rarement. Le geste n'en était que plus intime, d'une certaine façon, et affectueux.

— Des bébés aux vieillards, en passant par tout ce qui existe entre les deux, ils viennent à nous. Peu importe qui les a aimés de leur vivant, nous sommes leurs compagnons les plus proches dans la mort. Parfois, ça nous arrache les tripes. Enfin…

— Je n'ai pas eu l'impression qu'il y avait quelqu'un dans sa vie. Son appartement manque de… de sentiment, si je puis dire. Comme si elle ne voulait avoir personne auprès d'elle. Alors… c'est à nous de jouer, à présent.

Morris but une dernière gorgée, posa sa bouteille, enduisit de nouveau ses mains de Seal-It et remit ses lunettes.

— J'ai expédié les prélèvements pour l'analyse toxicologique en prioritaire. Le foie est fatigué, l'abus d'alcool, visiblement. Mais à part ça, je n'ai trouvé aucun dégât majeur ni trace de maladie. Elle a mangé un plat de pâtes environ six heures avant son décès. Elle s'était fait remonter les seins et les fesses, tirer les paupières, sculpter la mâchoire. Elle avait un excellent chirurgien.

— Récemment ?

— Non. Il y a deux ans, du moins pour les fesses, et selon moi, c'est la dernière intervention.

— Ça colle. La chance a tourné ; elle ne devait pas avoir de quoi se payer ce genre de folie depuis un bon bout de temps.

— Pour en revenir à son état actuel : le meurtrier s'est servi d'un couteau fin, à lame lisse, probablement un scalpel, pour la gorge. Il l'a tranchée de gauche à droite, en diagonale. D'après sa position, elle avait la tête en arrière. Il est arrivé par-derrière. Il a dû la tirer par les cheveux avec la main gauche, opérer de la main droite. Un seul coup, en plein sur la jugulaire.

— Beaucoup de sang.

Eve continuait d'examiner le cadavre, mais elle imaginait Jacie Wooton vivante, debout, le visage plaqué contre le mur de l'allée. Puis, la surprise, la douleur, la confusion.

— Des éclaboussures partout.

— Oui. Il n'a pas été très soigneux. Quant au reste, il s'agit d'une longue incision.

Morris la dessina dans les airs.

— Exécutée rapidement, avec une économie de gestes, dirais-je. Bien que ça ne soit ni propre ni chirurgical, ce n'était pas une première pour lui. Il avait déjà découpé de la chair fraîche.

— Ce ne serait donc pas un médecin ?

— On ne peut pas éliminer cette hypothèse. Il était pressé. La lumière était mauvaise. Ajoutez à cela l'excitation, la peur, bref tout ce que peut éprouver cette sorte de... eh bien, pour une fois, les mots me manquent. Il a arraché les organes féminins avec... disons, empressement. Impossible de déterminer s'il y a eu ou non un contact sexuel avant l'ablation. Mais étant donné que la mort et la mutilation ont eu lieu à quelques minutes d'intervalle, ça ne laissait pas vraiment de temps pour la bagatelle.

— Selon vous, il pourrait être véto ? Infirmier ? Médecin ?

Morris esquissa un sourire.

— C'est très possible. Vu les circonstances, il a fait preuve d'une certaine habileté. Mais il n'avait pas à se soucier des chances de survie de la patiente. Il a sûrement de bonnes connaissances en anatomie. Je dirais qu'il a étudié la médecine, qu'il l'a sans doute exercée, mais sans licence... Il paraît qu'il a laissé un mot ?

— Oui. La lettre m'était adressée.

— C'est donc une affaire personnelle entre lui et vous.

— Voire intime.

— Je vous transmettrai les résultats des analyses dès que je les aurai. Je veux procéder à quelques tests supplémentaires.

— Parfait. Ne vous en faites pas, Morris.

— Oh, je prends les choses comme elles viennent ! lança-t-il tandis qu'elle se dirigeait vers la porte. Dallas ? Merci.

Dans le couloir, elle invita d'un geste Peabody à la suivre.

— Dites-moi tout.

— Le labo, dûment harcelé par votre servante, a pu confirmer que le papier et l'enveloppe étaient d'un grain particulier. Ce n'est pas du recyclé, ce qui non seulement choque mon esprit Free Age, mais, en plus, signifie qu'ils sont fabriqués et vendus en dehors des États-Unis et de ses territoires. Ici, nous avons des lois.

Eve haussa les sourcils, tandis qu'elles émergeaient du bâtiment.

— C'est une marque anglaise, poursuivit Peabody. Disponible uniquement dans une poignée de boutiques en Europe.

— Donc, introuvable à New York.

— En effet, lieutenant. Difficile à commander par l'Internet ou par correspondance, puisque dans ce pays, tous les produits de papeterie non recyclés sont formellement interdits.

— Mmm, murmura Eve, en réfléchissant. Comment est-il arrivé dans une allée de Chinatown ? lança-t-elle, histoire d'aiguiser les réflexes de Peabody, qui préparait son examen pour devenir inspecteur.

— Eh bien... les gens passent toutes sortes de choses en fraude. Et puis, il y a le marché noir. Ou encore, quand on possède un passeport étranger, on a le droit de transporter un certain nombre d'objets pas très catholiques. Sans oublier les diplomates... Quoi qu'il en soit, il faut pouvoir payer, et les prix sont élevés. Ce papier vaut vingt euro-dollars la feuille. Une seule feuille ! L'enveloppe en vaut douze.

— Ce sont les gars du labo qui vous ont dit ça ?

— Non, lieutenant. En vous attendant, j'ai décidé de le vérifier par moi-même.

— Excellent. Vous avez la liste des revendeurs ?

— Tous ceux qui sont connus. Bien que le papier soit fabriqué exclusivement en Grande-Bretagne, j'ai recensé deux grossistes et seize détaillants. Dont deux à Londres.

— Pas possible !

— Comme il semble s'inspirer de Jack l'Éventreur, ces deux-là me paraissent les plus intéressants.

— Commencez par là. Tâchez d'obtenir une liste des clients qui se sont procuré cette marque.

— Oui, lieutenant. Euh... à propos de ce matin. Je sais que je n'ai pas été à la hauteur...

— Vous ai-je dit que vous n'aviez pas été à la hauteur, Peabody ? l'interrompit Eve.

— Non, mais...

— Depuis que vous êtes sous mes ordres, ai-je hésité une seule fois à vous réprimander si j'estimais que vous le méritiez, ou si j'étais déçue par votre comportement ?

— Euh... non, lieutenant.

Peabody gonfla les joues, exhala bruyamment.

— Maintenant que vous m'y faites penser...

— Alors bouclez-la et dégotez-moi cette liste de clients.

De retour au Central, Eve fut assaillie par les questions, rumeurs et autres spéculations concernant l'homicide Wooton. Si les flics étaient passionnés par cette affaire, elle préférait ne pas imaginer comment réagirait le public.

Elle se réfugia dans son bureau, commanda un café à l'AutoChef, puis releva ses messages.

Une bonne vingtaine d'entre eux avaient été laissés par des journalistes. Nadine Furst, de Channel 75, avait appelé pas moins de six fois.

Sa tasse à la main, Eve s'installa à sa table de travail. Pianota sur sa console. Réfléchit. Tôt ou tard, elle serait bien obligée d'affronter les médias.

Le plus tard serait le mieux. Cependant, elle n'échapperait pas à une déclaration. Courte, officielle, décida-t-elle. Surtout, refuser toute interview en face à face.

C'était ce qu'il cherchait. Il voulait qu'elle sorte, qu'elle s'exprime. Qu'on parle de lui à l'antenne et dans la presse. Qu'on le glorifie.

Comme la plupart de ces monstres. Mais celui-ci voulait davantage. Il voulait du sensationnel, genre :

UN NOUVEAU JACK L'ÉVENTREUR TERRORISE NEW YORK.

Oui, c'était tout à fait son style. Audacieux, clinquant.

Jack l'Éventreur, songea-t-elle, en se concentrant sur son écran pour prendre des notes.

Ancêtre du tueur en série moderne.

Jamais arrêté, jamais franchement identifié.

Personnage central de nombreux romans, études et théories depuis bientôt deux siècles.

Sujet de fascination et de répulsion. Et de peur.

L'imitateur prétend échapper à tout poursuivant. Il veut instiller la peur et la fascination, se jouer de la police. Il a dû étudier de près son modèle. La médecine, aussi, de manière officielle ou pas, afin de commettre le crime initial. Papier à lettres élégant, symbole possible de richesse ou de bon goût.

Quelques-uns des principaux suspects dans l'affaire Jack l'Éventreur appartenaient à un milieu aisé, se rappela-t-elle. Au-dessus des lois. Ou se considérant comme tels.

D'aucuns avaient émis l'hypothèse selon laquelle Jack l'Éventreur aurait été un Américain vivant à Londres. Eve avait toujours pensé que c'était tiré par les cheveux, mais… son tueur pouvait-il être un Britannique vivant en Amérique ?

À moins qu'il ne soit… comment disait-on, déjà ? anglophile ? Un homme qui admirait tout ce qui était anglais. Qui avait voyagé là-bas ? Erré dans les rues de Whitechapel ? Qui s'était imaginé dans la peau de l'Éventreur ?

Elle commença à rédiger un rapport, s'arrêta brusquement et appela le Dr Mira pour prendre rendez-vous.

Le Dr Charlotte Mira portait l'un de ses tailleurs préférés, d'un bleu vif, impeccablement coupé. Des reflets blonds éclairaient sa chevelure châtain clair qui encadrait son joli visage. Les mèches, c'était nouveau. Eve se demanda si elle devait faire un commentaire ou feindre de n'avoir rien remarqué.

Elle n'était jamais à l'aise sur le terrain « filles ».

— Je vous remercie de m'accorder un peu de temps.

— Je me demandais si vous alliez me contacter aujourd'hui, fit Mira en l'invitant d'un geste à prendre place dans un fauteuil. Tout le monde parle de ce crime particulièrement horrible.

— Plus c'est horrible, plus les langues se délient.

— C'est vrai.

Soupçonnant Eve d'avoir carburé toute la journée au café, elle programma l'AutoChef sur la fonction thé.

— Je ne sais pas dans quelle mesure ce que j'ai entendu est exact.

— Je suis en train de préparer mon rapport. Je sais qu'il est encore tôt pour vous demander un profil, mais le temps presse. Si mon intuition est bonne, il ne fait que commencer. Jacie Wooton n'était pas sa cible. D'après moi, il ne la connaissait pas, et inversement.

— Vous pensez qu'il l'a sélectionnée au hasard.

— Pas exactement. Il voulait un type de femme en particulier. Une compagne licenciée. Une pute. Une prostituée de la rue, opérant dans un quartier pauvre. Ses exigences étaient très précises. Wooton est morte parce qu'elle y répondait. Ni plus ni moins. Je vais vous dire tout ce que je sais oralement puis, une fois que j'aurai développé, je vous l'enverrai par écrit. Mais j'ai besoin de savoir si je suis sur la bonne voie.

— Je vous écoute.

Mira lui tendit une tasse en porcelaine fine, puis se rassit en posant la sienne en équilibre sur ses genoux.

Eve commença par décrire la victime, comment elle avait vécu, dans quel état on l'avait découverte. Elle évoqua ensuite les premières constatations de Morris.

— Jack, murmura Mira. Jack l'Éventreur.

Eve se pencha en avant.

— Vous connaissez le personnage ?

— Tout profileur digne de ce nom le connaît. Vous croyez qu'on a affaire à un imitateur ?

— Et vous ?

Mira but une gorgée de thé.

— De toute évidence, c'est la conclusion à laquelle il veut que nous arrivions. Il est cultivé, égocentrique. Il hait les femmes. La façon dont il a tué sa victime est révélatrice. Son modèle agressait et mutilait les femmes de différentes manières. Il a opté pour l'ablation des organes féminins.

Eve opina lentement.

— Il l'a en quelque sorte désexualisée, reprit le Dr Mira. Pour lui, le sexe est synonyme de désir, de violence, de contrôle, d'humiliation. Ses relations avec les femmes ne sont ni saines ni traditionnelles. Il se considère comme appartenant à l'élite, malin, voire brillant. Vous êtes donc la seule, Eve.

— La seule quoi ?

— La seule adversaire possible. Le plus grand tueur des temps modernes ne se contentera pas d'être poursuivi par n'importe quel flic. Je suis d'accord avec vous : il ne connaissait pas Jacie Wooton. Mais vous, il vous connaît. Vous êtes une cible, comme elle. Pire. Wooton était un pion. Vous, vous êtes le jeu.

Eve y avait réfléchi.

— Il ne veut pas ma mort.

— Non, du moins pas encore, répliqua Mira en fronçant les sourcils d'un air soucieux. Il vous veut bien vivante, afin de pouvoir vous observer à l'œuvre. Le style de la lettre était provocant. Il va continuer à vous titiller. Vous, la *femme* flic. Il est persuadé qu'il finira par vous écraser, et c'est ce qui l'excite le plus.

— Le pauvre, il va mal le prendre quand je le coincerai.

— S'il a l'impression que vous vous rapprochez trop, que vous détruisez son fantasme, il pourrait se retourner contre vous. Au début, c'est un défi, mais je ne crois pas qu'il supporterait l'humiliation d'être arrêté par une femme. Bien entendu, tout dépend dans quelle mesure il s'est approprié la personnalité de l'Éventreur. C'est problématique. Quand il parle d'un « échantillon » de son travail, cela signifie-t-il que c'était une première, ou qu'il a déjà tué auparavant ?

— C'était une première, à New York. Cependant, je vais me renseigner auprès de l'IRCCA. Les psychopathes qui se prennent pour Jack l'Éventreur, ce n'est pas nouveau, mais que je sache, ils ont tous été arrêtés.

— Tenez-moi au courant, je vous préparerai un profil plus étoffé.

— Merci.

Eve se leva, hésita.

— Peabody a eu un souci, ce matin. La victime était en piteux état et elle... elle a vomi. Ça la tracasse. Comme si elle était la première à qui cela arrivait...

Bref, elle est assez stressée. Elle prépare son examen d'inspecteur, tout en cherchant un logement pour s'installer avec McNab – ce que je préfère ignorer. Si vous pouviez trouver quelques minutes pour lui donner une tape dans le dos... Enfin, vous voyez... Merde.

Mira s'esclaffa.

— C'est très gentil de vous inquiéter pour elle.

— Ce n'est pas une question d'être gentille ou de s'inquiéter, riposta Eve avec véhémence. C'est simplement que ce n'est pas le moment qu'elle craque.

— Je lui parlerai. Et vous, comment allez-vous ?

— Moi ? Très bien. En pleine forme. Euh... et vous, ça va ?

— Oui. Ma fille et sa famille sont venues me rendre visite. C'est toujours agréable de les avoir à la maison et de pouvoir jouer les grands-mères.

— Mmm...

Avec ses jambes de gazelle et sa taille de guêpe, elle ne correspondait guère à l'image qu'Eve se faisait d'une grand-mère.

— J'aimerais beaucoup vous les présenter.

— Eh bien...

— J'organise un barbecue, dimanche. Cela me ferait très plaisir que vous veniez, Connors et vous. Aux alentours de 14 heures, ajouta-t-elle, sans laisser à Eve le temps d'inventer un prétexte pour refuser.

— Dimanche, bredouilla Eve, une boule d'angoisse dans la gorge. Je ne sais pas s'il a quelque chose de prévu ou pas. Je...

— Je verrai ça avec lui, l'interrompit Mira, les yeux pétillants. C'est une réunion familiale. Rien de compliqué. À présent, je ferais mieux de vous laisser retourner travailler.

Elle accompagna Eve jusqu'à la porte de son bureau, la referma, s'adossa au battant et éclata de rire.

Consultant sa montre, elle se précipita vers son communicateur. Elle allait contacter Connors sur-le-champ, avant qu'Eve trouve le moyen de se défiler.

Lorsque Eve arriva au Central, Peabody jaillit hors de son box.

— Lieutenant...

— Un barbecue, quelle idée! Surtout par cette chaleur, grommela Eve. Sans compter les moustiques. Décidément, je ne comprendrai jamais...

— Dallas!

Eve pivota sur elle-même.

— Quoi?

— J'ai la liste des clients. J'ai dû insister, mais j'ai obtenu des deux grossistes qu'ils me communiquent les noms.

— Vous les avez passés en revue?

— Pas encore. Je viens de les avoir.

— Donnez-les-moi. Il faut que je me remette les idées en place.

Elle arracha le disque des mains de son assistante et l'inséra dans son ordinateur.

— Je n'ai pas de café, murmura-t-elle. Je sens que je vais en avoir besoin.

— Oui, lieutenant. Vous avez vu? Il y a une duchesse et un comte, Liva Holdreak, l'actrice, et...

— Mon café!

— ... *et* Carmichael Smith, la star internationale de la chanson, en commande un carton de cent tous les six mois.

Tout en parlant, Peabody plaça une tasse brûlante dans la main tendue de Dallas.

— Sa musique ne me branche pas, mais lui? Il est trop top!

— Je suis ravie de l'apprendre, Peabody.

— Je disais ça comme ça, bougonna-t-elle.

Eve effectua un premier tri. Elle commencerait par ceux qui possédaient une résidence secondaire aux États-Unis.

— Carmichael Smith est propriétaire d'un appartement dans l'Upper West Side. Holdreak a une maison à Los Angeles…

Eve lança une recherche standard.

— M. et Mme Elliot P. Hawthorne. Respectivement âgés de soixante-dix-huit et trente et un ans. J'imagine mal Elliot découpant des femmes à son âge. Marié depuis deux ans, pour la troisième fois. Elliot les aime jeunes – et probablement stupides.

— Épouser un homme riche n'a rien de stupide. C'est plutôt calculateur.

— On peut être à la fois stupide et calculateur. Il a des maisons à Londres, Cannes, New York et Bimini. Il a gagné son argent à l'ancienne : il a tout hérité de son père. Casier judiciaire vierge. Bon… Pas très intéressant. Nous vérifierons malgré tout s'il est à New York en ce moment. Il a peut-être des domestiques, des secrétaires, des proches dérangés qui ont accès à son papier à lettres.

Elle poursuivit un moment.

— Prenez les noms, Peabody. Renseignez-vous pour savoir si certains sont ou non à New York.

Serait-ce aussi facile ? se demanda Eve. Était-il arrogant au point de laisser une trace qui permette de remonter jusqu'à lui ?

— Niles Renquist, cita-t-elle. Trente-huit ans. Marié, un enfant. Citoyen britannique, résidences à Londres et à New York. Chef de la délégation britannique aux Nations unies. Casier judiciaire vierge, mais ça vaut quand même le coup d'enquêter.

Elle but une gorgée de café, songea vaguement qu'elle avait faim.

— Pepper Franklin. Quel drôle de nom ! Actrice ? Évidemment ! Comédienne britannique actuellement à l'affiche de *Uptown Lady*, à Broadway. Casier judiciaire vierge.

Ces gens semblaient n'avoir rien à se reprocher. C'était déprimant, à la fin.

Mais Pepper Franklin avait un compagnon. Leo Fortney.

Agression sexuelle, attentat à la pudeur, violence.

— Oh, le vilain ! gronda Eve.

Quand Peabody reparut, Eve avait déjà remanié sa liste par ordre de priorité et enfilait sa veste.

— Carmichael Smith, Elliot Hawthorne, Niles Renquist et Pepper Franklin sont tous à New York en ce moment.

— Préparez-vous. Nous allons rendre visite à nos amis anglais. Le conseil des Nations unies siège-t-il, ces jours-ci ?

— Les Nations unies ?

— Non. Les Nunuches.

— Je sais reconnaître un sarcasme quand j'en entends un ! riposta Peabody d'un air digne. Je me renseigne.

3

Elle dut faire des pieds et des mains pour obtenir ses rendez-vous. Elle eut beau raisonner, exiger, menacer assistants, domestiques, coordinateurs et autres secrétaires personnels, impossible de parler à Carmichael Smith ou à Niles Renquist.

Elle devrait patienter jusqu'au lendemain pour les rencontrer.

Du coup, lorsqu'elle tomba sur la jolie blonde qui prétendait gérer les activités mondaines de M. Fortney, Eve explosa :

— Vous voyez ça ? s'écria-t-elle en agitant son insigne sous le nez de la jeune femme. Il ne s'agit pas d'une visite de politesse, mais d'une enquête officielle.

La blonde afficha un air sévère.

— M. Fortney est très occupé, protesta-t-elle, indignée.

Elle avait un cheveu sur la langue.

— On ne peut pas le déranger.

— Si vous ne le prévenez pas immédiatement que le lieutenant Eve Dallas du département de police de New York est là pour lui parler, je vous garantis que tout le monde dans cet immeuble sera au courant.

— Il est indisponible.

Eve avait accepté cette excuse pour Smith, qui était peut-être au centre médical pour un bilan de santé complet. Elle l'avait acceptée pour Renquist, qui avait peut-être une série de rendez-vous avec divers chefs d'État.

Mais là, c'en était trop.

— Peabody ! lança-t-elle, sans quitter des yeux son interlocutrice. Appelez la brigade des stupéfiants. Ça sent le Zoner, ici.

— Qu'est-ce que vous racontez ? C'est du délire ! hurla la blondasse en sautillant sur ses semelles compensées de dix centimètres, ses seins voluptueux rebondissant comme des ballons de basket. Vous n'avez pas le droit !

— Oh, que si ! Et vous savez ce qui arrive, parfois, quand les gars des Stups débarquent ? Ils filent le tuyau aux médias. Surtout quand une célébrité est impliquée. Ça risque d'irriter Mlle Franklin.

— Si vous croyez m'intimider...

— Ils seront là dans trente minutes, lieutenant, coupa Peabody d'une voix autoritaire (elle s'était exercée). Vous êtes autorisée à boucler le bâtiment.

— Merci, Peabody. Excellent. Suivez-moi.

— Quoi ? glapit la blonde, sur leurs talons, tandis qu'elles fonçaient dans le couloir. Où allez-vous ? Qu'est-ce que vous faites ?

— Je vais boucler le bâtiment. Une fois obtenue la permission de fouiller, interdiction formelle de pénétrer dans les lieux ou de les quitter.

— Vous ne pouvez pas... Non !

Elle agrippa le bras d'Eve.

— Oh, oh ?

Eve marqua une pause, le regard rivé sur la main blanche aux ongles nacrés qui s'était accrochée à sa manche.

— Je pourrais vous accuser d'agression sur un officier en service, ainsi que de tentative d'obstruction à une enquête. Comme vous me paraissez un peu bécasse, je vais me contenter de vous menotter.

— Je n'étais pas… !

Elle lâcha le bras d'Eve et s'écarta en titubant.

— Je n'ai pas… Oh, et puis merde ! D'accord ! D'accord ! Je vais chercher Leo.

— Mmm… Vous savez, Peabody, dit Eve en reniflant. À la réflexion, je me dis que ce n'est pas du Zoner.

— Je crois que vous avez raison, lieutenant. C'est sans doute le gardénia.

Peabody eut un large sourire, tandis que la blonde les refoulait précipitamment vers la réception.

— Elle n'est effectivement pas très futée si elle s'imagine qu'il suffit d'un claquement de doigts pour rameuter la brigade des Stups.

— Bête, ou coupable. Je parie qu'elle planque quelques produits illicites. Qui avez-vous appelé ?

— La météo. Il fait chaud, et ça va durer. Au cas où vous vous poseriez la question.

La secrétaire revint.

— M. Fortney va vous recevoir.

Fortney occupait l'une des cinq suites de bureaux. L'ensemble avait dû être décoré par un daltonien ou un fou – voire les deux –, car même Eve, peu sensible à ce genre de détail, se sentit agressée par les couleurs clinquantes et les motifs qui ornaient sol, murs et plafond.

Dans l'espace de Fortney, l'artiste était allé encore plus loin, en ajoutant des empreintes d'animaux rampants sur un kaléidoscope étourdissant de taches de léopard et de rayures de tigre. Des tables formées de plateaux en verre posés sur des colonnes étrangement phalliques étaient dispersées ici et là. Le bureau de Fortney était une version agrandie des guéridons, sur ses quatre obélisques peints en rouge vif. Lorsqu'elles entrèrent, il allait et venait, un casque sur la tête.

— Nous devons réagir d'ici à vingt-quatre heures. J'ai l'ébauche, les projections. Finissons-en.

Il secoua une main où scintillaient des bagues en or et en argent.

Tandis qu'il continuait de parler, Eve s'installa dans un fauteuil à rayures et l'étudia. Il frimait. Elle en avait la certitude. Très bien. Elle jouerait le jeu.

Il était vêtu d'une tunique et d'un pantalon vert pomme. Ses longs cheveux noirs étaient lissés de part et d'autre de son visage étroit aux traits sculptés. Ses yeux s'harmonisaient trop bien avec la couleur de sa tenue pour que ce soit naturel.

Comme ses doigts, ses oreilles étincelaient d'or et d'argent.

Pas loin d'un mètre quatre-vingt-dix, jugea Eve – en comptant les talons de ses sandales. Plutôt pas mal. Il prenait soin de sa personne et aimait mettre ses muscles en valeur.

Comme il s'évertuait à lui prouver combien il était débordé et important, elle en déduisit qu'il n'était ni l'un ni l'autre.

Il ôta son casque, lui sourit.

— Je suis désolé, lieutenant Dennis. Je suis submergé aujourd'hui.

— Dallas.

— Ah, oui, bien sûr. Dallas.

Il se dirigea vers le mini-réfrigérateur encastré dans un long comptoir.

— C'est la folie, j'ai la tête à l'envers. Je meurs de soif. Je vous sers quelque chose ?

— Non, merci.

Il sortit une bouteille contenant un liquide orange et mousseux, remplit un verre.

— Suelee me dit que vous avez beaucoup insisté pour me voir.

— Suelee a beaucoup insisté pour qu'on ne vous voie pas.

— C'est son boulot. Ha ! Ha ! Je ne sais pas comment je m'en sortirais si elle n'était pas là pour garder le fort.

Il se percha sur le bord de son bureau, avec un petit air de « je-suis-terriblement-occupé-mais-je-sais-être-charmant ».

— Vous n'imaginez pas le nombre de personnes qui essaient de forcer ma porte. Ça fait partie du métier, bien sûr. Les acteurs, les scénaristes, les réalisateurs…

Il leva les bras au ciel.

— Mais ce n'est pas souvent qu'une séduisante policière cherche à me rencontrer.

Ses dents étaient d'une blancheur immaculée.

— Alors, dites-moi ? Qu'est-ce que vous avez à me proposer ? Une pièce de théâtre, un film, un CD-Rom ? Les séries policières sont en baisse, ces temps-ci, mais si l'intrigue est bonne…

— Où étiez-vous entre minuit et 3 heures ce matin ?

— Je ne comprends pas.

— Je suis chargée d'une enquête pour homicide. Nous sommes tombés sur votre nom au cours de nos recherches. J'aimerais savoir où vous étiez entre minuit et 3 heures ce matin.

— Un homicide ? Je ne… Aaaaahhh !

Il secoua la tête en riant.

— Très intéressant. Voyons, quelle serait ma première réaction ? La surprise, l'indignation, la peur ?

— Une compagne licenciée a été assassinée aux aurores à Chinatown. Vous pouvez accélérer le processus, monsieur Fortney, en me précisant où vous étiez entre minuit et 3 heures.

Il baissa son verre.

— Vous êtes sérieuse ?

— Minuit et 3 heures du matin, monsieur Fortney.

— Eh bien, mon Dieu ! Mon Dieu !

Il se tapota le cœur.

— J'étais chez moi, évidemment. Pepper rentre à la maison tout de suite après le spectacle. Nous nous couchons le plus tôt possible. Pour elle, c'est épuisant, tant sur le plan physique qu'émotionnel. Les gens ne comprennent pas à quel point jouer soir après soir est éreintant et…

— Ce n'est pas Mlle Franklin qui m'intéresse, l'interrompit Eve. Où étiez-vous ?

— Chez moi, je viens de vous le dire, riposta-t-il, irrité, à présent. Pepper a dû arriver aux alentours de minuit. Je l'attends toujours pour lui tenir compagnie, le temps qu'elle décompresse. Nous avons bu un verre, et nous étions au lit avant 1 heure. Je ne comprends pas pourquoi vous m'interrogez. Une compagne licenciée, à Chinatown ? En quoi cela me concerne-t-il ?

— Quelqu'un peut-il confirmer votre alibi ?

— Pepper, bien sûr ! Pepper. J'étais là pour l'accueillir. Et, je vous le répète, nous étions couchés avant 1 heure. Elle a le sommeil très léger. Si j'avais quitté notre lit en pleine nuit, elle se serait réveillée.

Il but goulûment.

— Qui est cette femme ? Je la connais ? Je ne m'adresse jamais aux prostituées. Naturellement, je connais un monde fou. Entre autres, des acteurs qui gagnent leur vie parallèlement en vendant leur corps.

— Elle s'appelait Jacie Wooton.

— Ça ne me dit rien. Rien du tout.

Son visage s'était empourpré. Il haussa les épaules.

— Je crois bien n'avoir jamais mis les pieds à Chinatown.

— Vous avez acheté du papier à lettres à Londres, il y a sept mois. Cinquante feuilles et enveloppes, couleur blanc cassé, papier non recyclé.

— Vraiment ? C'est possible. J'achète pas mal de choses. Pour moi, pour Pepper, pour offrir. Je ne vois pas le rapport.

— Il s'agit d'une marque particulière, très coûteuse. Si vous pouviez me montrer…

— Du papier à lettres ? Acheté à Londres, il y a plusieurs mois ? Il est probablement resté là-bas. Je crois que je ferais mieux de contacter mon avocat.

— C'est votre droit. Vous pouvez lui proposer de venir nous rencontrer au Central. Nous discuterons de vos exploits. Les agressions sexuelles.

Son expression se fit presque aussi sombre que ses cheveux.

— C'est du passé ! Si vous voulez tout savoir, la plainte déposée contre moi pour agression était injustifiée. Une dispute qui a dérapé, avec une jeune femme que je fréquentais à l'époque. Elle s'est vengée quand j'ai voulu rompre. Je n'ai pas réfuté sa déclaration parce que je savais que ça ne pouvait générer que davantage de scandale et que ça traînerait en longueur.

— Attentat à la pudeur.

— Un malentendu. J'avais un peu trop bu au cours d'une soirée, et je me soulageais la vessie dans la rue, quand un groupe de jeunes femmes est passé. C'était idiot de ma part, mais ça n'avait rien de criminel.

— Coups et blessures ?

— Une querelle avec mon ex-femme. Qui était à l'origine de l'incident, d'ailleurs. Un malheureux éclat de colère, dont elle a profité pour me ruiner lors du divorce. Je n'apprécie pas vos méthodes, lieutenant. J'ai passé la nuit ici, chez moi, dans mon lit. Toute la nuit. Je ne vous parlerai plus qu'en présence de mon avocat.

— C'est curieux, fit remarquer Eve, tandis qu'elles remontaient vers le nord de la ville. Voilà un homme qui se fait arrêter à trois reprises, mais ce n'est jamais sa faute. Que des malentendus.

— Ouais. Y a pas de justice.

— Ce que nous avons là, Peabody, c'est un petit bonhomme mesquin qui aime frimer. Regardez-moi. Je suis important, j'ai du pouvoir. Je suis quelqu'un. Il a un passé douteux, et il s'entoure de symboles phalliques et d'une blondasse aux gros seins pour garder son fort.

— Il m'a profondément déplu. Mais entre montrer sa queue et découper une prostituée en morceaux, il y a une sacrée marge.

— Voyons si Pepper est chez elle, et comment elle a dormi cette nuit.

La maison de brique rouge était ancienne, belle et élégante. Elle était sûrement équipée d'un système de sécurité privé. De ceux que le propriétaire peut brancher ou débrancher à volonté.

Eve sonna, examina l'entrée, les pots débordant de fleurs sur chaque marche, les demeures avoisinantes.

Quand la porte s'ouvrit, elle crut se retrouver – sans plaisir – devant le majordome de Connors, Summerset, sa bête noire.

Le domestique portait un habit sombre, comme Summerset. Il était grand et maigre, et avait les cheveux couleur d'étain.

Elle réprima un haut-le-cœur.

— Oui ?

— Lieutenant Dallas, officier Peabody, annonça-t-elle, en présentant son insigne. Je souhaite parler avec Mlle Franklin.

— Mlle Franklin est en pleine séance de yoga méditatif. En quoi puis-je vous aider ?

— Vous pouvez m'aider en vous poussant de là et en allant prévenir Mlle Franklin qu'un flic l'attend sur son perron.

— Bien sûr, répondit-il, si aimablement qu'elle en cligna des yeux. Je vous en prie, entrez. Si vous voulez vous installer dans le salon, je vais avertir Mlle Franklin. Voulez-vous une boisson fraîche en attendant ?

— Non.

Elle le dévisagea d'un œil soupçonneux.

— Merci, ajouta-t-elle.

— J'en ai pour un instant.

Après les avoir introduites dans le salon, il se dirigea vers l'escalier.

— On pourrait peut-être l'échanger contre Summerset.

— Dallas ! Regardez-moi ça !

Eve se tourna pour voir ce qui mettait Peabody dans un tel état. Le portrait grandeur nature de Pepper Franklin trônait au-dessus d'une cheminée en marbre vert d'eau. Elle semblait n'être habillée que de brumes. Ses bras étaient tendus, comme pour y accueillir quelqu'un.

Elle souriait, rêveuse. Ses lèvres étaient d'un rose profond. Une cascade de cheveux dorés encadrait son visage en forme de cœur, rehaussant le bleu de ses yeux.

Saisissant, songea Eve. Sensuel. Puissant.

Que faisait une femme comme elle avec un minable tel que Fortney ?

— Je l'avais vue à l'écran et dans les magazines, mais ça, c'est... Waouh ! On dirait... on dirait la reine des fées.

— Merci.

La voix était riche, veloutée.

— C'était le but, enchaîna Pepper en s'approchant. Ce tableau est plus ou moins inspiré de mon rôle de Titania.

Elle portait une combinaison moulante pourpre et une serviette était drapée autour de son cou. Son visage, magnifique, luisait de transpiration, et ses cheveux étaient négligemment relevés sur le sommet de son crâne.

— Lieutenant Dallas ? fit-elle en lui tendant la main. Je vous prie d'excuser ma tenue. J'étais en pleine séance de yoga. Ça m'aide à me maintenir en forme, tant physiquement que mentalement. Et ça me fait suer comme un porc.

— Désolée de vous déranger.

— Je suppose que c'est important.

Elle se laissa tomber sur le canapé blanc avec un profond soupir.

— Je vous en prie, asseyez-vous. Oh, merci, Turney ! s'exclama-t-elle, en acceptant la grande bouteille d'eau fraîche que le domestique lui présentait sur un plateau en argent.

— M. Fortney est en ligne. Il a appelé trois fois au cours des trente dernières minutes.

— Il sait pertinemment qu'il ne doit pas me déranger à l'heure du yoga. Dites-lui que je le rappellerai.

Elle but longuement, inclina la tête.

— Alors ? De quoi s'agit-il ?

— J'aimerais que vous me confirmiez où se trouvait M. Fortney entre minuit et 3 heures ce matin.

Le sourire de Pepper s'estompa.

— Leo ? Pourquoi ?

— Je suis tombée sur son nom au cours de mon enquête. Si je peux savoir où il était à ce moment-là, cela me permettra de l'éliminer et d'avancer.

— Il était ici, avec moi. Je suis rentrée à 11 h 45. Peut-être quelques minutes plus tard. Nous avons bu un verre. Je m'autorise un peu de vin après le spectacle. Nous avons parlé de choses et d'autres, puis-

nous sommes montés. Je suppose que j'étais couchée et endormie vers minuit trente.

— Seule ?

— Au début, oui. Je suis épuisée, après le spectacle, et Leo est un oiseau de nuit. Il voulait regarder un film, passer quelques coups de fil...

Elle haussa gracieusement une épaule.

— Vous avez le sommeil léger, mademoiselle Franklin ?

— Je dors comme une masse, avoua-t-elle en riant.

Puis, saisissant le sous-entendu, elle se reprit :

— Lieutenant, Leo était ici. Honnêtement, je ne vois pas comment il peut être impliqué dans votre affaire, quelle qu'elle soit.

— Vous savez qu'il a un casier judiciaire.

— Tout ça, c'est du passé. Il n'a pas eu de chance avec les femmes, jusqu'à ce qu'il me rencontre. Il était là à mon arrivée, et nous avons bu notre café ensemble ce matin, aux alentours de 8 heures. Qu'est-ce que c'est que cette histoire ?

— M. Fortney a acheté du papier à lettres, à Londres, il y a sept mois.

— Et je lui en veux encore ! C'est absurde ! Du papier non recyclé ! Je ne sais pas ce qui lui a pris. Ne me dites pas qu'il l'a apporté avec lui aux États-Unis ?

Elle leva les yeux au ciel, fixa le plafond.

— Je sais que c'est interdit. Je suis très active au sein des associations de défense de l'environnement, d'où ma réaction quand il m'a montré son achat. Je l'aurais étripé ! Nous nous sommes même disputés à ce propos, et je l'ai obligé à me promettre de s'en débarrasser. Je suppose qu'il va avoir une amende. Je veillerai à ce qu'il la paie.

— Je suis de la brigade des homicides, mademoiselle Franklin.

Pepper la dévisagea, stupéfaite.

— Homicides ?

— Tôt ce matin, une prostituée a été assassinée à Chinatown. Elle s'appelait Jacie Wooton.

— Je sais, murmura Pepper en glissant les mains vers sa gorge. J'en ai entendu parler aux informations. Vous n'imaginez tout de même pas que… Leo ? Jamais !

— Un mot, rédigé sur le même papier à lettres que celui acquis par M. Fortney à Londres, était posé sur le cadavre.

— Il… il n'est sûrement pas le seul imbécile à s'être laissé tenter par ce papier à lettres. Leo était ici cette nuit. Lieutenant, il fait parfois des bêtises, il a tendance à frimer, mais il n'est ni vicieux ni violent. Et il était à la maison.

Eve rentra chez elle, insatisfaite. Elle avait fait tout ce qu'elle pouvait pour Jacie Wooton aujourd'hui. Ce n'était pas suffisant.

Elle avait besoin de prendre du recul. S'octroyer deux heures de détente, puis se replonger dans ses dossiers, relire les rapports, ses notes, réfléchir.

Fortney et Franklin n'allaient pas ensemble. Ce type était un petit vantard prétentieux et sans envergure. Franklin était intelligente, forte, solide.

Mais après tout, on ne savait jamais pourquoi les gens se retrouvaient ensemble.

Elle-même avait depuis longtemps cessé de se poser la question concernant son couple.

Connors était riche, beau, malin, un tantinet dangereux. Il avait voyagé partout et pratiquement tout acheté. Il avait tout fait – du bon et du mauvais côté de la loi.

Elle était flic. Solitaire, soupe au lait et sauvage.

Il l'aimait malgré tout, songea-t-elle en franchissant le portail du domaine.

Et parce qu'il l'aimait, elle avait atterri ici, dans ce vaste palais de pierre posé sur un écrin de verdure, entouré d'arbres et de fleurs. Un paradis. Elle qui avait connu la misère s'étonnait encore de vivre désormais dans un tel luxe.

Elle se gara devant la maison. Elle aimait bien laisser sa voiture officielle au pied du perron, une espèce d'hommage à Summerset, la seule ombre à ce tableau idyllique. Il était en vacances, mais comme il détestait sa manie de stationner devant l'entrée, elle ne voyait aucune raison de s'en priver.

Dans le vestibule, elle fut accueillie par le chat. Visiblement irrité, Galahad se frotta furieusement contre son mollet en miaulant.

— Quoi ? Il faut bien que je gagne ma vie ! Je n'y peux rien si tu passes tes journées tout seul, quand Celui-que-je-ne-nommerai-pas est à l'étranger.

Elle se pencha, le prit dans ses bras.

— Il te faudrait un hobby. Ou, tiens ! Il existe peut-être des vidéos pour chat ? Sinon, Connors devrait sauter sur l'occasion.

Tout en le caressant, elle traversa le hall pour descendre au gymnase.

— Des petites lunettes vidéo pour chat, avec des émissions sur la guerre contre les souris ou les dobermans.

Elle le posa par terre puis, sachant quel était le meilleur moyen de l'amadouer, programma une platée de thon sur l'AutoChef.

Galahad étant occupé, elle se déshabilla, enfila une tenue de sport. Vingt minutes sur le tapis roulant, décida-t-elle. Elle opta pour la course sur la plage et démarra au petit trot.

Bientôt, elle atteignit son rythme de croisière, savourant la brise de l'océan et se laissant bercer par le bruit des vagues.

C'était nettement mieux que le yoga, songea-t-elle. Une bonne course, trois ou quatre rounds avec le droïde, quelques longueurs de piscine, et elle serait en pleine forme.

Quand l'appareil se mit à clignoter, signalant la fin du programme, elle attrapa une serviette et s'essuya le visage. Prête à affronter le droïde, elle se retourna.

Connors était là, assis sur la banquette, le chat sur les genoux. Les yeux rivés sur elle.

Des yeux spectaculaires. D'un bleu intense, dans un visage sculpté par des anges. Poète dangereux ou danger poétique… il la fascinait.

— Salut ! fit-elle en passant les doigts dans ses cheveux humides. Tu es là depuis longtemps ?

— Suffisamment pour savoir que tu avais besoin de te défouler. La journée a été longue, lieutenant.

Sa voix, teintée d'un léger accent irlandais, lui remuait le cœur chaque fois. Il déposa Galahad à terre, s'approcha d'elle, lui frotta le menton avec le pouce.

— J'ai entendu ce qui s'était passé à Chinatown. C'est ce qui t'a tirée du lit si tôt, ce matin.

— Oui. Je m'éclaircis un peu les idées avant de me remettre au travail.

— Bien.

Il effleura ses lèvres d'un baiser tendre.

— Tu veux nager ?

— Tout à l'heure. Avant ça, je vais boxer un peu. J'allais me servir du droïde, mais puisque tu es là…

— Tu veux te battre contre moi ?

— Tu es meilleur que le droïde.

Elle s'écarta, se mit à tourner autour de lui en sautillant.

— Enfin… un peu, ajouta-t-elle.

— Quand je pense que certains hommes rentrent chez eux après le travail et sont accueillis par leur femme… Un sourire, un baiser, une boisson fraîche… Les pauvres ! s'exclama-t-il.

Elle plongea. Il esquiva.

Elle leva la jambe, le pied s'arrêtant à quelques centimètres à peine de son visage. Il le repoussa, puis s'attaqua à sa jambe de soutien. Elle s'écroula, roula, se releva en quelques secondes.

— Pas mal, concéda-t-elle. Mais je me retenais.

— Inutile.

Elle enchaîna sur un pivot – crochet gauche, coup droit – qui lui aurait fait basculer la tête en arrière si elle l'avait atteint. Le revers de la main de Connors s'arrêta à un cheveu de son nez.

Avec le droïde, elle aurait cogné et se serait laissé cogner en retour. Mais là, le fait de devoir se contrôler était un sacré défi. Et bien plus amusant.

Le prenant par surprise, elle réussit à le faire tomber, mais le temps qu'elle se jette sur lui pour le maintenir au sol, il était déjà debout. Elle effectua une roulade sur le côté et se redressa, juste assez déséquilibrée pour qu'il profite de l'ouverture.

Le souffle coupé, elle se retrouva au tapis, à plat dos, Connors pesant sur elle de tout son poids.

Elle le regarda dans les yeux en reprenant sa respiration, puis leva la main pour caresser sa somptueuse crinière noire qui lui tombait sur les épaules.

— Connors, murmura-t-elle.

Avec un petit soupir, elle attira son visage à elle.

Dès qu'il se décontracta, elle battit des jambes, cambra le dos et le retourna.

De nouveau, elle le regarda dans les yeux, en souriant.

— Cœur d'artichaut.

— J'ai tendance à tomber dans le piège, n'est-ce pas ? Eh bien ! Il semble que tu aies pris le…

Il se tut, grimaça.

— Quoi ? Tu es blessé ?
— Non, mais j'ai un peu mal à l'épaule.
Il la tâta, tressaillit.
— Laisse-moi jeter un coup d'œil.
Elle modifia sa position. Et se retrouva sur le dos, sous lui.
— Cœur d'artichaut ! s'esclaffa-t-il.
— Minable !
— Tu es à terre, mon ange.
Il l'embrassa sur le bout du nez.
— Clouée au sol. Et maintenant, je vais te prendre.
— Tu crois ?
— Je sais. Tu ne vas pas faire la mauvaise perdante, j'espère ? murmura-t-il contre sa bouche.
— Qui te dit que j'ai perdu ? Je te le répète, tu es meilleur que le droïde.
Elle s'arqua vers lui.
— Touche-moi.
— J'y compte bien. Commençons par ceci.
Il captura ses lèvres, longuement, avec avidité. Puis, avec ses dents, il taquina les pointes de ses seins sous son T-shirt ample.
Le cœur d'Eve se mit à battre à toute allure. Ses doigts se resserrèrent autour des mains qui la retenaient prisonnière. Elle ne tenta pas de se libérer. Pas immédiatement. Tout était une question de contrôle. De sa part, de la part de Connors. Et de confiance. D'une confiance absolue.
Quand il glissa la main vers sa taille, couvrant sa poitrine d'une pluie de baisers, elle se prépara à l'assaut du plaisir.
Sa peau était déjà humide, ses muscles tendus. Il aimait caresser sa peau satinée, ferme. Il tira sur son pantalon, explora le haut de sa cuisse du bout de l'index, fronça les sourcils.
— Tu as un bleu. Tu as toujours des bleus.

— Ce sont les risques du métier.

Il y en avait d'autres, plus graves. Tous deux le savaient.

— Ne t'inquiète pas, maman, ça ne fait pas mal, assura-t-elle en souriant.

— Je vais t'apprendre à m'appeler maman, grogna-t-il en lui mordillant doucement la jambe.

Elle retint son souffle.

— Maman… répéta-t-elle.

Connors rit. Il l'entoura de ses bras et ils roulèrent sur le sol, s'arrachant mutuellement leurs vêtements, s'embrassant, se murmurant des mots doux.

— Tiens ! On dirait que j'ai le dessus, une fois de plus.

— Combien de temps penses-tu pouvoir tenir ?

— Encore un défi ? répliqua Connors.

Le geste lent, presque paresseux, il insista jusqu'à ce que son regard se voile, jusqu'à ce que ses joues rosissent. Puis il l'entendit gémir de bonheur.

4

Ils se mirent à table dans la salle à manger, Connors ayant suggéré qu'ils prennent leur repas comme deux personnes qui avaient une vie personnelle en dehors de leur travail. La remarque était suffisamment lourde de sous-entendus pour qu'Eve renonce à son intention d'avaler un hamburger devant son bureau. Malheureusement, elle fut incapable de savourer sa salade de crabe, une fois que son mari lui eut rappelé leurs projets pour le lendemain soir.

— Le bal de charité, insista-t-il, quand elle le dévisagea d'un air ahuri. À Philadelphie. Nous devons absolument y assister. Ne t'inquiète pas, ma chérie, ajouta-t-il avec un sourire. Ça ne fera pas mal, et nous ne sommes pas obligés de quitter New York avant 19 heures. Si tu es en retard, tu pourras te changer dans la navette.

Elle eut une moue boudeuse.

— J'étais au courant ?

— Oui. Si tu prenais la peine de jeter un coup d'œil de temps en temps sur ton agenda, tu serais moins souvent prise de court par ces petites obligations.

— C'est juste que, s'il y a du nouveau dans l'affaire…

— Je comprends.

Elle ravala un soupir. C'était vrai. Connors comprenait. Elle entendait régulièrement ses collègues se plaindre des réactions de leur conjoint.

Elle savait aussi qu'elle était nettement moins souple et compréhensive quant à son rôle d'épouse de l'un des hommes les plus fortunés de la planète.

Elle engloutit une bouchée et s'efforça de garder son calme.

— Ça ne devrait pas poser de problème.

— Ce pourrait même être très amusant. Dimanche aussi.

— Dimanche ?

— Mmm…

Il remplit son verre de vin, devinant qu'elle en aurait besoin.

— Le barbecue chez le Dr Mira. Ça fait une éternité que je n'ai pas participé à un pique-nique familial. J'espère qu'elle nous aura préparé une salade de pommes de terre.

Eve but goulûment.

— Elle t'a appelé. Tu as accepté l'invitation.

— Bien sûr ! Nous apporterons une bouteille de vin. Ou peut-être de la bière ?

S'amusant comme un fou, il haussa un sourcil.

— Qu'en penses-tu ?

— Je n'en sais rien. Je ne suis jamais allée à un barbecue. Ce genre de rituel m'échappe totalement. Si nous ne travaillons ni l'un ni l'autre dimanche, pourquoi ne pas plutôt rester à la maison ? Et faire l'amour toute la journée.

— Mmm… Du sexe ou de la salade de pommes de terre. Là, tu mets le doigt sur mes deux grandes faiblesses.

Puis il s'esclaffa et lui tendit le petit pain qu'il venait de beurrer avec soin.

— Eve, c'est une réunion de famille. Mira tient à ce que tu viennes parce que tu comptes pour elle. On mangera, on discutera, on fera peut-être une partie de base-ball. Ce sera l'occasion de rencontrer ses proches. Ensuite, nous rentrerons à la maison et nous ferons l'amour.

Elle grimaça.

— Ça me rend nerveuse, c'est tout. Toi, tu aimes discuter avec des inconnus. Moi, je ne sais pas.

— Tu discutes avec des inconnus sans arrêt. Sauf que tu les appelles des suspects.

Vaincue, elle mordit dans sa tartine.

— Si nous parlions d'autre chose ? proposa-t-il. Où en est ton enquête ?

Dehors, les étoiles scintillaient dans le ciel. Sur la table, les flammes des bougies vacillaient, leurs reflets dansant sur les cristaux et l'argenterie. Pourtant, la vision du cadavre à la morgue ne cessait de tarauder Eve.

— Ce n'est pas un sujet très appétissant.

— Pour des gens normaux, non. Mais nous, ça ne nous dérange pas. Les reportages sont plutôt minces.

— Si le tueur récidive, il faudra bien que je m'adresse aux journalistes. Je les ai évités toute la journée, mais demain, il faudrait au moins que je fasse une déclaration, histoire de les amadouer. C'était une prostituée. Elle avait subi une cure de désintoxication et semblait sur la bonne voie. Cela dit, j'aimerais retrouver son fournisseur, par précaution.

— Elle ne devrait pas intéresser les médias bien longtemps.

— Ce n'est pas le sujet, c'est la méthode employée qui les fera baver. Il l'a tuée dans une allée. Il l'a plaquée contre le mur et lui a tranché la gorge. Après quoi, il l'a allongée par terre. Morris pense qu'il s'est servi d'un scalpel laser. Il a procédé à l'ablation des organes féminins. Jamais je n'ai vu autant de sang.

Elle poussa un soupir. Le sang, songea-t-elle, l'odeur de la mort. On ne l'oubliait jamais.

— Il a dû agir assez vite. Se débarrasser des déchets, se changer, repartir.

— Personne ne l'a remarqué ?

— Non. Mais les témoins ne se manifestent pas forcément. Il ne la connaissait pas, j'en ai la quasi-certitude. Sinon, il se serait attaqué au visage. Ils le font tous. Peabody a vomi tripes et boyaux, et passé le reste de la journée à se le reprocher.

Connors imagina la scène, posa une main réconfortante sur celle de sa femme.

— Et toi ? Ça ne t'est jamais arrivé d'être malade ?

— Pas sur place. Parfois, plus tard… au milieu de la nuit…

Elle but une gorgée de vin.

— Bref… Il avait laissé une lettre. À mon nom. Pas de panique ! C'est plus professionnel que personnel. Il admire mon travail, il voulait que je puisse admirer le sien. Il tenait à ce que je sois chargée de l'enquête. J'ai travaillé sur deux grosses affaires au cours de l'été, très médiatisées. Il veut sa part de projecteurs.

— Qu'est-ce qu'il t'écrit ?

— Ce que je viens de te dire. Et il signe Jack.

— Il imite l'Éventreur.

— Tu as tout compris. Le choix de la victime, du lieu, de la méthode, et même la lettre au flic, tout est pompé. Si les reporters s'en mêlent, ce sera le branle-bas de combat. Je veux l'arrêter très vite, avant qu'un vent de panique ne balaie la ville. J'ai travaillé sur le message – le papier.

— Qu'a-t-il de particulier ?

— C'est un papier non recyclé, très coûteux, fabriqué en Angleterre, vendu exclusivement en Europe. Est-ce que tu fabriques des produits de papeterie non recyclés ?

— Les Industries Connors n'ont rien à se reprocher. Nous sommes très attentifs aux questions d'environnement…

Il ignora le droïde, venu débarrasser leurs assiettes et leur servir dessert et café.

— Tu es sur une piste ?

— Je me concentre d'abord sur les points de vente à Londres. Ma liste comprend plusieurs célébrités, un politicien, un financier à la retraite, le crétin d'amant d'une actrice prénommée Pepper.

— Pepper Franklin ?

— Oui. Elle m'a semblé honnête, mais ce type…

Les mots moururent sur ses lèvres.

— Tu la connais, devina-t-elle.

— Oui. Mmm, cette glace est exquise !

— Tu as couché avec elle.

Hormis un tressaillement des lèvres, il demeura impassible.

— Je préfère dire que nous avons eu une brève liaison.

— J'aurais dû m'en douter. C'est tout à fait ton genre.

— Vraiment ?

— Ravissante, élégante, sophistiquée.

— Ma chérie, fit-il en s'adossant à sa chaise, quelle suffisance ! Non pas que tu ne sois pas tout cela, et plus encore.

— Je ne parle pas de moi, grommela-t-elle, tandis qu'il continuait à déguster son dessert. J'aurais dû me douter que c'était une de tes anciennes maîtresses en voyant le portrait.

— Ah ! Elle l'a toujours ? Le Titania ?

— Tu vas me dire que c'est toi qui le lui as offert.

— En guise de cadeau de rupture.

— Quoi ? Comme un lot de consolation dans un jeu télévisé ?

Il explosa de rire.

— Si tu veux. Comment va-t-elle ? Je ne l'ai pas croisée depuis au moins sept ou huit ans.

— Elle est en pleine forme. Mais son goût en matière de conquêtes masculines a sérieusement décliné.

— Merci, mon amour ! s'exclama-t-il en lui embrassant la main. Chez moi, c'est tout le contraire.

— Oui, bon, ça va. Elle vit avec un dénommé Leo Fortney. Il a été arrêté à plusieurs reprises, pour agression sexuelle.

— Ça m'étonne de Pepper. C'est ton principal suspect ?

— Pour l'instant, il figure en tête de liste, même s'il était chez lui à l'heure du crime. Elle confirme l'alibi, mais comme elle dormait, je n'y crois pas trop. De plus, il a menti, en prétendant qu'ils s'étaient couchés en même temps. Elle a affirmé le contraire, jusqu'à ce qu'elle se rende compte qu'elle le trahissait. Cependant, elle m'a paru franche du collier.

Eve marqua une pause, attendit.

— Elle l'est.

— Donc, elle est convaincue qu'il était à la maison. Nous verrons. Demain, j'ai rendez-vous avec Carmichael Smith.

— Le roi de la pop musique. Beurk ! Il paraît qu'il a une préférence pour les très jeunes femmes, si possible plusieurs à la fois. Il se sert copieusement parmi ses groupies, ou des professionnelles, qui l'aident à… se détendre entre les séances d'enregistrement et les concerts.

— Des mineures ?

— Les rumeurs courent. En général, il est prudent. Je ne pense pas qu'il soit violent. S'il apprécie les jeux sado-maso, il préfère être dans la position du dominé.

— C'est un de tes poulains ?
— Non. Il est toujours sous contrat avec son label d'origine. Je pourrais sans doute le débaucher, mais sa musique m'exaspère.
— Bon. Au suivant : Niles Renquist, chef de la délégation britannique aux Nations unies.
— Je le connais vaguement. Toi aussi.
— Ah bon ?
— Tu l'as rencontré au printemps dernier, je crois, lors d'un de ces bals de charité que tu adores.
Fronçant les sourcils, elle tenta de se remémorer le personnage.
— C'était ici, à New York. On te l'a présenté, ainsi que son épouse... Apparemment, tu n'en as gardé aucun souvenir. C'est un homme plutôt conservateur. La trentaine avancée, d'après moi. Cultivé, aimable. Un peu coincé. Sa femme est assez jolie, dans un style garden-party à l'anglaise. Ils possèdent des propriétés ici et en Angleterre. Je me rappelle l'avoir entendue dire qu'elle aimait beaucoup New York, mais préférait de loin sa maison près de Londres, où elle pouvait jardiner à sa guise.
— Quelle impression t'ont-ils laissée ?
— Ils ne m'ont pas vraiment plu, avoua Connors en haussant les épaules. Je les ai trouvés un peu pontifiants, très à cheval sur les questions de classes sociales. Je ne supporterais pas d'avoir à les fréquenter régulièrement.
— Tu connais des tas de gens comme eux.
— C'est exact.
— Elliot P. Hawthorne ?
— J'ai traité quelques affaires avec lui. Bientôt quatre-vingts ans, malin, passionné de golf. Fou amoureux de sa troisième épouse. Voyage énormément depuis qu'il a pris sa retraite. Je l'apprécie. Est-ce que cela peut t'aider ?

— Qui ne connais-tu pas ?
— Quelle question !

Cette soirée à la maison en compagnie de Connors lui avait éclairci les idées, décida Eve en s'engouffrant dans l'ascenseur bondé du Central. Non seulement elle se sentait reposée, et en forme, mais les commentaires informels de son mari sur les personnes qui figuraient sur sa liste lui avaient permis de les considérer sous un angle nouveau.

Elle les garderait dans un coin de sa mémoire, les ressortirait lorsqu'elle interrogerait les intéressés, et poserait ses questions en conséquence. Mais avant cela, elle devait vérifier s'il n'y avait du nouveau au labo ou à la morgue, récupérer Peabody et affronter les journalistes.

Elle se fraya un chemin hors de la cabine pour se diriger vers la division des Homicides.

Et tomba nez à nez avec Nadine Furst.

La présentatrice arborait une nouvelle coupe, courte et nette. Qu'est-ce qu'elles avaient donc toutes, à changer de coiffure ? se demanda Eve.

Elle portait une veste ajustée sur un pantalon moulant, tous deux rouge vif. Visiblement, elle s'apprêtait à passer à l'antenne.

Elle avait dans les mains un carton de pâtissier qui embaumait la graisse et le sucre.

— Des beignets ! Vous êtes entrée ici avec des beignets, l'accusa Eve. C'est comme ça que vous êtes arrivée jusqu'à moi. Vous corrompez mes hommes.

Nadine papillonna des cils.

— Où voulez-vous en venir ?

— Ce que je veux savoir, c'est pourquoi moi, je n'ai jamais droit à un de ces fichus beignets !

— Parce que, en général, je pose mon offrande – ce sont parfois des brownies – sur une table dans la grande salle. Pendant que tous les flics de votre brigade se ruent dessus, tels des loups affamés, je me réfugie dans votre bureau pour vous attendre.

— Apportez les beignets. Laissez la caméra.

— J'en ai besoin ! se défendit Nadine en faisant signe à la jeune femme qui l'accompagnait.

— Et moi, j'ai besoin d'une journée à la plage, mais ce n'est pas demain la veille. Les beignets, oui, la caméra, non.

Pour éviter un risque d'émeute, elle s'empara du carton et le porta elle-même jusque dans son antre. Plusieurs têtes se levèrent sur son passage, les narines frémissantes.

— N'y songez même pas ! glapit Eve en ignorant le chœur de plaintes et de protestations.

— Il y en a trois douzaines, fit remarquer Nadine, sur ses talons. Vous ne les mangerez jamais tous.

— J'en serais bien capable, juste dans le but de donner une bonne leçon à ces ogres.

Elle souleva le couvercle, poussa un profond soupir, hésita entre les différents parfums.

— Je vais leur laisser croire que je compte tout garder pour moi. Une fois ma gourmandise satisfaite, j'irai leur proposer les restes, et ils se jetteront à mes pieds en pleurant de gratitude.

Elle en sélectionna un, commanda un café à l'AutoChef, goûta.

— À la crème ! Miam…

Elle consulta sa montre, compta à l'envers à partir de dix, puis fonça vers la porte. Peabody se précipita sur le seuil à l'instant précis où elle atteignait le « un ».

— Dallas ! Hé ! J'allais jus…

Prenant une énorme bouchée, Eve lui claqua la porte au nez.

— C'est cruel, commenta Nadine en ravalant un rire.

— Oui, mais qu'est-ce que c'est drôle.

— Maintenant qu'on a bien ri, j'aimerais que vous me mettiez au courant de l'enquête Wooton et que vous m'accordiez un face-à-face. Ç'aurait été plus facile à organiser si vous aviez réagi à mes messages.

— C'est impossible, Nadine.

— Selon les rumeurs, l'assassin aurait laissé un message sur la scène du crime. Je voudrais savoir par ailleurs si vous avez progressé ou non depuis…

— Nadine, je ne peux rien vous dire.

Comme si de rien n'était, la journaliste se servit un café, puis s'assit dans le fauteuil réservé aux visiteurs, en face d'Eve.

— Le public a le droit de savoir. Quant à moi, en tant que représentante des médias, j'ai des reponsabili…

— Épargnez-moi vos discours. Vous avez eu la gentillesse de m'apporter ces beignets, je ne voudrais pas vous faire perdre votre temps.

Eve se lécha tranquillement les doigts.

— Je vais faire diffuser un communiqué de presse, que vous recevrez, ainsi que vos confrères, d'ici à une heure. Mais je ne peux rien vous révéler en primeur, ni vous accorder une interview. J'ai besoin de prendre un peu de recul…

— En quoi cette affaire est-elle différente des autres ? coupa Nadine. Si vous nous fuyez…

— Stop ! Débranchez-vous deux minutes du mode reporter. Vous êtes une amie. Je vous aime bien et, qui plus est, je respecte votre talent et votre professionnalisme.

— Super ! Épatant ! Je vous retourne les compliments, mais…

— Ce n'est pas que je vous repousse. Je vous traite comme je traiterais n'importe quel journaliste… Ma tendance à vous favoriser explique – entre autres – que vous ayez été impliquée dans l'affaire Stevenson, le mois dernier.

— C'était…

— Nadine, interrompit Eve d'un ton ferme. Il y a eu des plaintes. Je ne peux donc pas vous accorder la priorité cette fois-ci. Je tiens à couper court aux ragots avant qu'on ne m'accuse d'être la chouchoute de Furst, ou inversement. Ce ne serait bon ni pour vous ni pour moi.

Nadine siffla entre ses dents. Elle avait entendu les doléances de ses confrères.

— Vous avez raison, et c'est ennuyeux. Mais ça ne signifie pas que je ne vous talonnerai pas, Dallas.

— Je m'en doute.

Une lueur espiègle dansa dans les prunelles de Nadine.

— Et je continuerai à corrompre vos hommes.

— Je raffole des brownies, surtout aux pépites de chocolat.

Nadine posa sa tasse, se leva.

— Écoutez, si vous avez un tuyau, filez-le à Quinton Post. Il est jeune, mais très doué, et il est plus soucieux de la qualité de son travail que de l'Audimat. Ça ne durera pas, remarquez. Autant en profiter.

— J'y songerai.

Restée seule, Eve peaufina sa déclaration officielle, puis la soumit à ses supérieurs. Elle ramassa le carton à pâtisserie et le déposa sur l'AutoChef, dans la salle commune.

Tout le monde se figea.

Dans le silence, elle interpella Peabody.

— Avec moi !

Elles avaient à peine franchi le seuil qu'une clameur de voix et de piétinements s'éleva derrière elles. Les flics et les beignets, pensa-t-elle. Une tradition inébranlable, à vous faire monter la larme à l'œil.

— Je parie qu'il y en avait à la gelée de groseille ! marmotta Peabody, alors qu'elles s'engouffraient dans l'ascenseur.

— J'en ai même repéré un ou deux recouverts de glaçage.

Le menton volontaire de Peabody en trembla d'émotion.

— Ce matin, j'ai à peine eu le temps d'ingurgiter des tranches de banane reconstituée sur un petit pain rassis.

— Vous me brisez le cœur.

Elles émergèrent de la cabine au parking en sous-sol.

— Nous allons commencer par Carmichael. Entre sa thérapie aquatique matinale et son soin de peau quotidien.

— Vous auriez pu m'en réserver un. Un petit beignet de rien du tout.

— J'aurais pu, acquiesça Eve en montant dans son véhicule. J'aurais pu, c'est vrai. D'ailleurs...

Elle fouilla dans sa poche, en sortit un sachet de plastique transparent. Il contenait un beignet à la gelée de groseille.

— Je crois bien que j'y ai pensé !

— C'est pour moi ?

Folle de joie, Peabody le lui arracha des mains, renifla à travers la pochette.

— Vous m'avez mis un beignet de côté. Vous êtes si bonne avec moi. Je retire ce que j'ai pensé. Tout ! Merci, Dallas.

— Pas de quoi.

— Cela étant, je ne devrais pas le manger, reprit Peabody, en se mordillant la lèvre inférieure, tandis qu'Eve quittait sa place de stationnement. Je ne devrais pas. Je suis au régime. Il faut absolument que je perde des fesses, alors…

— Oh, pour l'amour du ciel ! Dans ce cas rendez-le-moi.

Mais quand Eve voulut le lui reprendre, Peabody le serra contre sa poitrine.

— Non ! Il est à moi !

— Peabody, vous ne cesserez jamais de me fasciner.

— Merci.

Peabody entrouvrit le sac, en huma le contenu.

— Après tout, je le mérite. C'est fou le nombre de calories que je dépense, à préparer mon examen. Le stress, ça vous pompe littéralement. C'est pour ça que vous êtes si mince.

— Je ne suis pas mince, et je ne suis pas stressée.

— Si vous avez un gramme de graisse en trop, je veux bien le manger. Sauf votre respect, lieutenant, ajouta Peabody, la bouche pleine. Mais je passe mon temps le nez dans mes cours. McNab me donne un coup de main. Il a beaucoup changé.

— Miracle !

— C'est bientôt. Je me demandais si vous pourriez me dire quelles sont, à votre avis, mes principales faiblesses, afin que je travaille dessus.

— Votre question. Vous manquez de confiance en vous. Vous avez un instinct remarquable, mais vous avez peur de vous y fier tant que vous n'avez pas reçu l'approbation d'un supérieur. Vous remettez souvent en cause votre propre compétence, et ce faisant, vous jetez un doute sur la mienne.

Lançant un coup d'œil de biais, elle constata avec surprise que Peabody prenait des notes.

— Vous inscrivez tout ?

— Ça m'aide à y voir plus clair. Ensuite, je me plante devant une glace et je me répète : j'ai confiance en moi, je suis compétente, des trucs comme ça. C'est une méthode comme une autre, ajouta-t-elle en rougissant légèrement.

Eve se gara dans un espace ridiculement étroit.

— Allons demander à Carmichael Smith où il était avant-hier soir. Sans stresser.

— Oui, lieutenant, mais il faut que je stresse un peu, afin d'éliminer les calories superflues du beignet. Ce sera comme si je ne l'avais pas mangé.

— Dans ce cas, je vous conseille vivement d'essuyer la gelée sur votre menton.

Eve descendit de la voiture, examina le bâtiment. Il avait dû abriter autrefois trois petits appartements. Aujourd'hui, c'était une sorte d'hôtel particulier. Deux portes à l'avant, au moins une à l'arrière, supposa-t-elle. Le tout sans doute hautement sécurisé.

Une rue chic. Ici, pas de compagnes licenciées aux carrefours, pas de Glissa-Grill. Que des beaux jardins, et un taux de criminalité réduit au minimum.

Elle se dirigea vers l'entrée principale. Panneau de sécurité, détecteur d'empreintes, scanner rétinien. Le propriétaire était un homme prudent. Eve activa le panneau et fronça les sourcils quand le haut-parleur cracha de la musique. Une voix masculine, sur fond de violons et de claviers.

— *L'Amour éclaire le monde*, cita Peabody. C'est son grand tube.

— Il contient plus de calories que votre beignet.

Bienvenue, annonça poliment une voix féminine numérisée. *Nous vous souhaitons une très agréable journée. Veuillez citer votre nom et la raison de votre visite.*

— Dallas, lieutenant Eve.

Elle présenta son insigne devant l'écran.

— J'ai rendez-vous avec M. Smith.

Un instant s'il vous plaît... merci, lieutenant. M. Smith vous attend. Vous pouvez entrer.

La porte leur fut ouverte presque simultanément par une femme à la peau sombre toute de blanc vêtue.

— Bonjour. Merci de votre ponctualité. Suivez-moi, je vous prie, et mettez-vous à l'aise dans le salon. Carmichael vous rejoint.

Se déplaçant comme si elle portait des rollers, elle les conduisit dans une vaste pièce aux murs clairs. L'écran mural affichait l'image d'un bateau voguant sur une mer d'huile. D'épais coussins en gélatine jonchaient le sol, tous dans les tons pastel. Les tables étaient longues et basses.

Sur l'une d'entre elles, un chaton blanc observait Eve de ses grands yeux émeraude.

— Installez-vous. Je vais prévenir Carmichael.

Peabody s'approcha d'un des coussins et le tâta.

— Je suppose qu'on se laisse tomber dedans et qu'il vous moule l'arrière-train.

Elle se tapota les fesses.

— Ça pourrait être gênant.

— Cette musique me hérisse le poil, commenta Eve.

Elle pivota sur elle-même, tandis que Carmichael Smith pénétrait dans la pièce.

Grand, plutôt athlétique, il portait une veste blanche fluide qui laissait entrevoir pectos et abdos. Son pantalon noir, très moulant, mettait en valeur ses autres attributs. Ses cheveux striés de mèches noires et blanches étaient attachés en queue-de-cheval, révélant un visage large, aux pommettes saillantes et au menton pointu.

Ses yeux étaient brun chocolat, sa peau, café au lait.

— Ah, lieutenant Dallas ! Ou dois-je vous appeler Mme Connors ?

Eve ignora le ricanement de Peabody.

— Lieutenant Dallas.

— Bien sûr, bien sûr !

Il s'avança, sa veste volant derrière lui, et lui serra chaleureusement la main.

— C'est que, vous comprenez, j'ai fait le lien ce matin... Et vous ? Qui êtes-vous ? ajouta-t-il aimablement en se tournant vers Peabody.

— Mon assistante, l'officier Peabody. J'ai des questions à vous poser, monsieur Smith.

— C'est avec plaisir que j'y répondrai.

Il serra la main de Peabody.

— Je vous en prie, asseyez-vous. Li va nous apporter du thé. Je bois un mélange spécial, le matin, pour l'énergie. C'est tout simplement fantastique. Appelez-moi Carmichael.

Il s'installa sur un coussin couleur pêche et prit le chat sur ses genoux.

— Là, Flocon. Tu ne croyais pas que papa allait t'oublier tout de même ?

Se méfiant des poufs en gélatine, et n'ayant aucune envie de rester debout, Eve opta pour l'une des tables basses.

— Pouvez-vous me dire où vous étiez, avant-hier, entre minuit et 3 heures du matin ?

Comme le chat, il cligna des yeux.

— Ma foi, le ton est bien officiel. Il y a un problème ?

— Oui. Le meurtre d'une jeune femme à Chinatown.

— Je ne comprends pas. Une énergie aussi négative, souffla-t-il. Dans cette maison, nous nous efforçons de maintenir des ondes positives.

— Se retrouver découpée en morceaux n'a sûrement pas été une expérience positive pour Jacie Wooton. Où étiez-vous, monsieur Smith ?

— Li ! s'exclama-t-il, tandis que la jeune femme en blanc revenait. Est-ce que je connais une Jacie Wooton ?

— Non.

— Savons-nous où j'étais avant-hier entre minuit et 3 heures du matin ?

— Oui, bien sûr, répondit-elle en versant un liquide ambré dans des tasses bleu ciel. Vous étiez à une soirée chez les Risling jusqu'à 22 heures. Vous avez raccompagné Mlle Hubble chez elle, bu un verre à son appartement et vous êtes rentré ici aux alentours de minuit. Vous avez passé vingt minutes dans votre cuve d'isolation pour éliminer toute onde négative avant de vous coucher. Vous étiez au lit à 1 h 30, et vous vous êtes levé comme à votre habitude, le lendemain à 8 heures.

— Merci.

Il s'empara d'une des tasses.

— Sans Li, je serais perdu.

— J'aimerais que vous me communiquiez les noms et adresses des personnes avec qui vous étiez, afin de vérifier ces informations.

— Tout cela me contrarie.

— C'est la routine, monsieur Smith. Dès que j'aurai confirmé votre alibi, je pourrai passer à autre chose.

— Li vous procurera ce dont vous avez besoin. Il est important pour mon bien-être et mon travail d'être constamment stimulé par l'amour et la beauté.

— Je comprends. Vous êtes client chez *Whittier*, à Londres. Vous y achetez du papier à lettres. La dernière fois, c'était il y a quatre mois.

— Non. Je n'achète jamais rien. Voyez-vous, je ne peux pas fréquenter les magasins. Mes fans sont tellement enthousiastes. Je commande toujours par correspondance, ou bien c'est Li qui se déplace pour moi. J'adore le beau papier à lettres. J'aime envoyer des mots personnalisés à mes amis.

— Couleur blanc cassé, non recyclé.

— Non recyclé ?

Il baissa le nez avec un petit sourire penaud, tel un gamin pris en flagrant délit la main dans la boîte à biscuits.

— En effet, j'ai honte de l'avouer. Je n'en suis pas fier, mais ce papier est superbe. Li, mon papier à lettres provient-il de Londres ?

— Je peux vérifier.

— Elle va vérifier.

— Parfait. Je souhaiterais en avoir un échantillon, si cela ne vous ennuie pas, ainsi que les noms de tous vos employés autorisés à faire vos achats à Londres.

— Je m'en occupe, dit Li en se glissant hors de la pièce.

— Je ne vois pas en quoi mon papier à lettres peut vous intéresser.

— Il y avait un message sur le cadavre.

— Je vous en prie !

Il leva les mains jusqu'au cou, les repoussa vers le bas en exhalant lentement.

— Je ne veux pas que cette sorte d'image vienne corrompre mes sens. C'est pourquoi je n'écoute que ma propre musique. Je ne regarde jamais les informations, sinon celles concernant les spectacles. Il y a trop de noirceur en ce monde. Trop de désespoir.

— J'en sais quelque chose.

Eve et Peabody repartirent peu après avec un échantillon de papier et les noms de ses employés à Londres.

— Il est bizarre, observa Peabody. Mais il ne me paraît pas du genre à partir à la chasse aux prostituées.

— C'est un adepte du sexe à plusieurs, avec des mineurs à l'occasion.

Peabody fronça le nez.

— Ah ! Au temps pour moi. Apparemment, mon instinct m'a fait défaut.

— Je suppose que ses groupies mineures diffusent moins d'ondes négatives, sur le plan sexuel, qu'une femme adulte incapable d'écouter sa musique à la noix plus de cinq minutes sans s'enfuir en courant.

Elle grimpa dans la voiture, claqua la portière.

— Si cet immonde *L'Amour éclaire le monde* me trotte dans la tête, je reviens l'assommer avec une batte.

— Ça, c'est du positif ! décréta Peabody.

5

Afin d'éviter un éventuel accrochage avec les types de la sécurité des Nations unies, Eve se gara sur la rampe menant au niveau supérieur de la Première Avenue.

Elle poursuivrait à pied et en profiterait pour éliminer les calories superflues des beignets.

Les visites étaient encore autorisées – elle s'était renseignée –, mais elles étaient rigoureusement réglementées, la menace terroriste étant toujours d'actualité. Les délégations du monde entier, de même que celles venues de planètes reconnues, tenaient leurs réunions, votes et autres séances dans l'immense bâtiment occupant six blocs.

Les drapeaux flottaient au vent, symboles colorés de la volonté des hommes de s'entendre et de discuter des problèmes de l'humanité. Et, parfois, de tenter de les régler.

Elles avaient beau figurer sur la liste des visiteurs, Eve et Peabody durent franchir toute une série de barrages. Au premier, elles furent contraintes de remettre leurs armes, une requête qui exaspérait Dallas.

On scanna leurs insignes, on vérifia leurs empreintes. On passa le sac de Peabody aux rayons X, puis on le fouilla. Chaque appareil électronique, communicateur et mini-ordinateur fut soigneusement inspecté.

Elles eurent droit au détecteur de métaux, au détecteur incendiaire, à l'identificateur d'arme, au scanner corporel.

— Bon, d'accord, grommela Eve, je comprends qu'ils soient prudents, mais s'ils procèdent à une palpation, je refuse.

— Ils ont rajouté un certain nombre de procédures après l'incident Cassandra, dit Peabody en montant dans l'ascenseur blindé, derrière Eve et un gardien en uniforme.

— La prochaine fois qu'on aura à parler à Renquist, c'est lui qui viendra chez nous.

Le vigile les escorta jusqu'à un autre barrage, où elles furent, une fois de plus, scannées, analysées et vérifiées.

Une femme en tenue militaire prit le relais. Le scanner rétinien et une commande vocale lui permirent d'ouvrir une porte blindée. De l'autre côté, l'ambiance était nettement moins paranoïaque.

C'était une véritable ruche, immense. Ici, les employés de haut niveau portaient des costumes classiques et des casques à écouteurs. Leurs talons claquaient sur le sol carrelé. Les fenêtres à triple vitrage, équipées de détecteurs de trafic aérien, étaient conçues pour refouler le moindre projectile. Cependant, elles laissaient filtrer la lumière et donnaient sur la rivière.

Un grand homme maigre, tout habillé de gris, s'approcha en souriant.

— Lieutenant Dallas. Je suis Thomas Newkirk, l'assistant de M. Renquist. Je vous accompagne.

— Sacrées mesures de sécurité, commenta Eve en jetant un coup d'œil aux caméras et aux détecteurs de mouvement dans le couloir.

Des yeux et des oreilles partout, songea-t-elle. Comment pouvait-on travailler là-dedans ?

Il suivit la direction de son regard.

— On finit par ne plus s'en rendre compte. C'est le prix à payer pour la sécurité et la liberté.

— Mouais.

Il avait le visage carré, des traits taillés à la serpe. Ses yeux étaient d'un bleu très pâle, ses cheveux, blonds, coupés en brosse.

Il se tenait droit comme un « i », marchait au pas de charge, les bras raides.

— Vous êtes un ex-militaire ?

— Capitaine dans la RAF. M. Renquist a plusieurs ex-militaires dans son équipe.

Il se servit d'une carte à puce pour accéder aux bureaux de son patron.

— Un instant, je vous prie.

Eve en profita pour examiner les alentours. Les pièces étaient séparées par des cloisons en verre, si bien que les employés étaient exposés aux regards les uns des autres, en plus des caméras. Concentrés sur leur clavier, ça ne semblait pas les gêner outre mesure.

Newkirk avait disparu derrière une porte sur laquelle était inscrit le nom de M. Renquist. Il ressortit.

— M. Renquist va vous recevoir, à présent, lieutenant.

Que de salamalecs pour un homme ordinaire, songea Eve en découvrant ledit Renquist. Il se tenait debout derrière un long bureau ancien de bois sombre, tournant le dos à l'East River.

Il était grand et athlétique. Soit il fréquentait régulièrement un gymnase, soit il connaissait un excellent body sculpteur. Elle, en tout cas, trouva dommage de cacher une telle carrure sous ce costume d'une tristesse à pleurer – qui avait dû lui coûter une fortune !

Il était plutôt séduisant, si l'on appréciait le genre lisse et distingué. Teint clair, cheveux dorés, nez fin, front large. Son regard gris charbon était son meilleur atout.

Il s'exprimait d'un ton sec, avec un fort accent britannique.

— Lieutenant Dallas, je suis très heureux de vous rencontrer. J'ai beaucoup entendu parler de vous.

Il lui tendit la main, et elle eut droit à une poignée ferme, de politicien.

— Nous avons dû nous croiser une fois, dans un bal de charité, je crois, ajouta-t-il.

— Il paraît, oui.

— Je vous en prie, asseyez-vous. Dites-moi ce que je peux faire pour vous.

Elle prit place dans un fauteuil en tissu. Plutôt inconfortable. Une incitation à aller droit au but. Monsieur était pressé.

Sur sa table, l'écran était allumé en mode veille. Une pile de disques, une pile de papiers, un deuxième ordinateur et, au milieu de tout cela, un duo de photos encadrées. Eve aperçut le visage d'une fillette aux cheveux bouclés, aussi blonds que ceux de son père, et déduisit que le deuxième portrait était celui de sa femme.

Elle en savait assez sur la politique et le protocole pour jouer le jeu, du moins au début.

— Je tiens à vous remercier, au nom du département de police, de votre coopération. Je sais que vous êtes débordé, et je vous sais gré de m'accorder ces quelques minutes.

— Je m'efforce toujours d'aider, dans la mesure de mes moyens, les autorités locales. Les Nations unies sont en quelque sorte la police du monde. Vous et moi exerçons donc, d'une certaine manière, la même profession. En quoi puis-je vous être utile ?

— Une jeune femme, Jacie Wooton, a été assassinée avant-hier dans la nuit. Je suis chargée de l'enquête.

— Oui, je suis au courant.

Il s'adossa à son siège.

— Une compagne licenciée. Dans le quartier de Chinatown.

— C'est exact, monsieur. Mes recherches m'ont amenée à remonter à la source d'un certain papier à lettres. Vous en avez acheté il y a six semaines, à Londres.

— J'ai passé quelques jours à Londres cet été, en effet, et j'ai bien acheté du papier à lettres. En plusieurs formats. Pour mon usage personnel, et pour offrir. Dois-je comprendre que cet achat me rend suspect dans cette affaire ?

Il ne manquait pas de sang-froid, pensa Eve. Il semblait davantage intrigué, qu'inquiet ou irrité. Amusé, aussi, à en juger par son esquisse de sourire.

— Afin d'avancer au plus vite, je me dois d'interroger tous les acheteurs et de vérifier leurs allées et venues au cours de la nuit en question.

— Je vois. Est-ce que je peux compter sur votre discrétion, lieutenant ? Que mon nom soit associé, même de loin, à une telle affaire risquerait d'attirer l'attention des médias.

— Votre nom ne sera pas mentionné publiquement.

— Très bien. Avant-hier soir ?

— Entre minuit et 3 heures du matin.

— Ma femme et moi sommes allés au théâtre. Nous avons vu *Six Weeks*, de William Gantry, un dramaturge anglais. Au *Lincoln Center*. Nous étions en compagnie de deux autres couples. Nous avons quitté le théâtre aux environs de 23 heures pour aller boire un verre au *Renoir*. Nous avons dû repartir, mon épouse et moi, vers minuit trente. Ma femme s'est couchée, j'ai travaillé dans mon bureau à la maison pendant une heure. Peut-être un peu plus. Fidèle à mes habitudes, j'ai dû regarder les informations pendant une trentaine de minutes avant d'aller au lit.

— Avez-vous vu ou parlé avec qui que ce soit après que votre femme s'est couchée ?

— Je crains que non. Je peux seulement vous affirmer que j'étais chez moi à l'heure où ce crime a eu lieu. J'avoue que je vois mal en quoi le fait d'avoir acheté du papier à lettres me lie en quoi que ce soit à cette prostituée ou à sa mort.

— Son assassin a écrit un mot sur ledit papier.

— Un mot.

Renquist haussa un sourcil.

— Eh bien ! C'est plutôt arrogant de sa part, non ?

— Lui non plus n'a pas d'alibi, constata Peabody, alors qu'elles regagnaient la voiture.

— C'est le problème, quand un meurtre est commis en pleine nuit. La plupart des suspects vont nous assurer qu'ils étaient tranquillement chez eux, sous la couette. Difficile de les accuser d'emblée d'être de fieffés menteurs.

— Vous pensez que c'est un fieffé menteur ?

— Il est encore trop tôt pour le dire.

Elle réussit à trouver Elliot Hawthorne sur le onzième trou d'un golf privé de Long Island. C'était un homme solide, trapu, doté d'une touffe de cheveux blancs sous sa casquette beige et d'une moustache tout aussi blanche, qui rehaussait son bronzage. Des rides encadraient sa bouche et partaient en éventail autour de ses yeux, mais son regard était vif et clair.

Il confia son driver au caddy, sauta à bord d'une voiturette électrique et invita Eve à le rejoindre d'un geste.

— Soyez brève, dit-il en appuyant sur l'accélérateur.

Elle s'exécuta, tandis que Peabody et le caddy les suivaient à pied.

— Une prostituée morte, un papier à lettres sophistiqué, grogna-t-il en freinant. Il m'est arrivé de faire appel à des putes de temps en temps, mais je n'ai jamais retenu leur nom.

Il descendit du véhicule, contourna sa balle, s'accroupit pour examiner le terrain.

— Je me suis trouvé une femme jeune. Plus besoin de putes. Quant au papier, ça ne me dit rien. Quand on a une jeune épouse, on achète tout et n'importe quoi. Londres ?

— Londres.

— Août. Londres, Paris, Milan. Je gère encore quelques affaires, et elle adore le shopping. Si vous dites que j'ai acheté ce papier, c'est que j'ai acheté ce papier. Et alors ?

— Il y a un lien avec le meurtre. Si vous pouviez me dire où vous étiez avant-hier soir, entre minuit et 3 heures…

Il s'esclaffa, se redressa et lui fit face.

— Chère madame, j'ai plus de soixante-dix ans. Je suis en forme, mais j'ai besoin de sommeil. Je joue dix-huit trous chaque matin et, avant cela, je prends un bon petit-déjeuner, je lis le journal, je vérifie les cours des actions. Je suis debout tous les jours à 7 heures. Je me couche en général à 23 heures, à moins que ma femme ne me traîne dans une soirée quelconque. Avant-hier soir, j'étais dans mon lit à 23 heures. Bien entendu, il m'est impossible de le prouver.

Il pivota vers le caddy.

— Tony, passe-moi un fer sept.

Eve le regarda préparer son coup, viser, puis frapper la balle d'un coup sec. Celle-ci décrivit un bel arc de cercle, rebondit sur le green, roula jusqu'à un mètre du trou.

D'après le sourire radieux de Hawthorne, elle comprit qu'il était satisfait.

— J'aimerais parler avec votre femme.

Il haussa les épaules, rendit le fer à Tony.

— Allez-y. Elle est là-bas, près des courts de tennis. Elle a une leçon aujourd'hui.

Vêtue d'un débardeur et d'une jupette à volants rose bonbon, Darla Hawthorne sautillait sur un court ombragé. Elle ratait la balle régulièrement, mais avec une grâce inégalable. Elle était belle à couper le souffle, la longueur et la finesse de ses jambes mises en valeur par la jupe et les tennis roses assorties.

Son bronzage frisait la perfection.

Ses cheveux, qui devaient lui arriver à la taille, étaient retenus par un ruban – rose, évidemment.

Son entraîneur, un athlète solide à la chevelure bigarrée et aux dents étincelantes, l'encourageait avec ferveur.

Au bout d'un moment, il vint se placer dans son dos, tout contre elle, pour corriger son coup droit. Elle le gratifia d'un sourire éclatant.

— Madame Hawthorne ?

Eve pénétra sur le court.

Aussitôt, le professeur se précipita vers elle.

— Vous n'avez pas le droit d'entrer en chaussures !

— Je ne suis pas là pour jouer, riposta-t-elle en agitant son insigne. J'ai besoin de discuter quelques instants avec Mme Hawthorne.

— Dans ce cas, déchaussez-vous, ou restez sur le bord. C'est le règlement.

— Quel est le problème, Hank ?

— Cette dame est de la police. Elle veut vous voir, madame H.

Darla se mordilla la lèvre.

— Ah ! Si c'est à propos du P.-V. pour excès de vitesse, je vais le payer. J'ai juste...

— Il ne s'agit pas de ça. Pouvez-vous m'accorder une minute ?

— Bien sûr. De toute façon, j'avais envie de faire une pause. Je ruisselle.

Elle se dirigea vers le banc en se déhanchant, ouvrit un immense cabas rose, en sortit une bouteille d'eau de marque.

— Pouvez-vous me dire où vous étiez avant-hier soir ? Entre minuit et 3 heures du matin.

— Pardon ?

Darla pâlit.

— Pourquoi ?

— Simple interrogatoire de routine. Je travaille sur une enquête.

— Choupinet sait que j'étais à la maison, gémit-elle, les larmes aux yeux. Je ne comprends pas pourquoi il me ferait surveiller.

— Je n'enquête pas sur vous, madame, précisa Eve.

Hank les rejoignit, tendit une serviette à son élève.

— Un souci, madame H ?

— Aucun ! lança Eve. Allez étirer vos muscles ailleurs, ajouta-t-elle, avant de s'installer aux côtés de Darla. Avant-hier soir, entre minuit et 3 heures du matin.

— J'étais chez moi, dans mon lit, répliqua Darla, le regard soupçonneux, à présent. Avec Choupinet. Où aurais-je pu être ?

Excellente question, songea Eve.

À propos du papier à lettres, Darla haussa les épaules. Oui, ils avaient passé quelques jours à

Londres au mois d'août. Oui, elle avait acheté des tas de choses. Pourquoi pas ? Comment pouvait-elle se rappeler tout ce qu'elle acquérait, ou ce que lui offrait Choupinet ?

Dallas tourna autour du pot un moment, puis se leva, afin que Darla puisse aller se faire consoler dans les bras de Hank. Ce dernier lui jeta un coup d'œil féroce, avant d'entraîner son élève vers le club-house.

— Intéressant, constata Eve. J'ai comme l'impression que Darla a passé au moins une partie de ce temps en compagnie de Hank.

— Histoire de travailler son revers, sans doute. Pauvre Choupinet ! murmura Peabody.

— Si Choupinet sait que sa douce moitié joue en single avec son professeur de tennis, il a pu en profiter pour descendre en ville. Votre femme s'envoie en l'air avec son coach. Il y a de quoi être énervé. Du coup, non seulement vous tuez une pute – car après tout, votre femme infidèle n'est qu'une pute –, mais en plus, vous vous servez d'elle comme alibi. Jeu, set et match. Impeccable.

— Oui. J'adore vos métaphores !

— C'est une hypothèse comme une autre. Allons nous pencher sur le fichier de Hawthorne.

Comme l'avait précisé Connors, Hawthorne en était à son troisième mariage, chaque épouse étant plus jeune que la précédente. Il s'était débarrassé des deux premières en leur accordant le strict minimum, comme prévu dans le contrat prénuptial. Un contrat en béton, apparemment.

Cet homme n'était pas un imbécile.

Rusé et prudent comme il l'était, pouvait-il ignorer les frasques de sa femme actuelle ?

Son casier judiciaire était vierge, malgré plusieurs procès pour malversations financières. Une vérification rapide permit à Eve d'établir que toutes les plaintes avaient été déposées par des investisseurs déçus.

Il possédait quatre demeures et six véhicules, dont un yacht. Il participait à d'innombrables œuvres de charité. Son revenu déclaré atteignait quasiment le milliard.

D'après les divers articles qu'elle put lire, le golf était sa passion.

Toutes les personnes figurant sur sa liste avaient un alibi, confirmé par un conjoint, un partenaire ou un employé. On ne pouvait donc pas s'y fier.

S'appuyant au dossier de son siège, Eve posa les pieds sur son bureau, ferma les yeux, se revit dans l'allée de Chinatown.

Elle le précède. Elle a mal aux pieds. Elle souffre d'un oignon. Ses sandales la blessent atrocement. Deux heures du matin. Il fait chaud, elle étouffe. Les affaires sont très calmes. Elle n'a que deux cents dollars dans son sac.

Elle a donc eu quatre, voire cinq clients, tout dépend de ce qu'ils voulaient.

Elle est dans la partie depuis assez longtemps pour savoir qu'elle doit exiger son fric dès le départ. L'a-t-il repris ? Sûrement pas. Il était pressé. Il la tourne face au mur.

Est-ce qu'il la touche ? Est-ce qu'il lui caresse les seins, les hanches, les fesses ?

Non. Pas le temps. Ce n'est pas ce qui l'intéresse. Surtout quand le sang jaillit sur ses mains.

Le sang chaud. C'est ce qui l'excite.

Elle est contre le mur. Il tire sa tête vers lui, en lui empoignant les cheveux. Avec la main gauche. Il lui tranche la gorge, avec la main droite. De gauche à droite, en diagonale vers le bas.

Le sang gicle, éclabousse le mur, le visage de Jacie, son corps, les mains du meurtrier.

Elle survit quelques secondes, incapable de crier. Quelques spasmes, et c'est fini.

Il l'allonge par terre, la tête vers le mur opposé. Il sort ses instruments.

La lumière. Il a besoin d'une source de lumière. Il ne peut pas opérer dans l'obscurité. La lampe du scalpel laser.

Il jette les organes dans un sac imperméable, se nettoie les mains. Il se change, range le tout dans une valise ou un cabas.

Il sort la lettre. Sourit. Il s'amuse. Il la dépose soigneusement sur le cadavre.

Il émerge de l'allée. Ça n'a duré qu'un quart d'heure, pas plus. Il s'éloigne. Il emporte son trésor vers sa voiture. Excité, mais maître de lui. Il doit conduire prudemment. Ce n'est pas le moment de se faire arrêter.

Il rentre chez lui. Remet en marche le système de sécurité. Prend une douche. Se débarrasse des vêtements.

Il a réussi. Il a imité l'un des plus grands tueurs des temps modernes.

Eve rouvrit les yeux, fixa le plafond. S'était-il débarrassé des organes, ou les avait-il conservés en guise de souvenir ? Une benne de recyclage domestique suffisait-elle pour ce genre de choses, ou fallait-il un appareil spécial destiné aux déchets médicaux ? Elle se renseignerait.

Affichant un plan sur l'écran, elle calcula le temps de déplacement et la distance entre les résidences de chacun des suspects et le lieu du crime. Elle y ajouta le quart d'heure dans l'allée, le temps de débusquer la victime – probablement repérée un peu plus tôt, celui de nettoyer, de rentrer. N'importe lequel d'entre eux aurait pu y arriver en moins de deux heures.

Se redressant, Eve entreprit de rédiger un rapport, dans l'espoir d'un sursaut d'inspiration. Puis, faute de mieux, elle relut son texte et l'archiva.

Elle passa encore une heure à se renseigner sur les bennes de recyclage et la disponibilité à l'achat de scalpels laser. Pour finir, elle décida de retourner sur les lieux du crime.

En plein jour, la rue grouillait d'activité. Les commerces les plus proches consistaient en deux bars, une sandwicherie, une superette et un bureau de change.

Seuls, les deux bars étaient ouverts après minuit, et tous deux se trouvaient au carrefour. Bien que ses collègues eussent déjà passé le secteur au peigne fin, Eve repassa partout, posa des questions. En vain.

Elle revint vers l'allée en compagnie d'un agent, du droïde de sécurité du quartier et de Peabody.

— Comme je vous l'expliquais, dit le flic, qui s'appelait Henley, je la connaissais comme on connaît les compagnes licenciées du coin. Elle n'a jamais posé le moindre problème. Normalement, elles n'ont pas le droit de travailler dans les lieux publics, mais la plupart d'entre elles le font. On les réprimande de temps en temps.

— Elle ne s'est jamais plainte d'avoir été agressée ?

Henley secoua la tête.

— Elle n'aurait rien dit. Elle m'évitait, ainsi que le droïde. Quand on se croisait, elle me saluait vaguement, mais elle n'était pas très avenante. C'est vrai que c'est un secteur chaud, les prostituées se font parfois tabasser, mais on n'a jamais rien vu de tel.

— Je veux que vous me fournissiez les rapports concernant ceux qui se sont servis d'un couteau, toutes lames confondues.

— Je peux vous les obtenir, lieutenant, intervint le droïde. Jusqu'à quelle date voulez-vous que je remonte ?

— Une année. Concentrez-vous sur les actes violents commis sur des femmes, notamment les prostituées. Peut-être qu'il s'est exercé d'abord.

— Oui, lieutenant. Où dois-je les adresser ?

— Envoyez-les-moi au Central. Henley, où peut-on se garer sans risques ? Dans la rue ou en sous-sol. Pas dans un parking en surface.

— Eh bien... du côté de Lafayette Street, c'est plutôt tranquille ; taux de criminalité réduit. Du côté de Canal Street, c'est plus agité. Les restaurants restent ouverts beaucoup plus tard.

— Très bien. Voici ce que nous allons faire. L'un d'entre vous part d'ici jusqu'à Lafayette, l'autre se dirige vers le nord. Interrogez les habitants, les commerçants qui auraient pu se trouver dans les parages à cette heure-là. Demandez-leur s'ils ont vu passer un homme seul, portant un sac. Il devait marcher assez vite. Discutez avec les compagnes licenciées. L'une d'entre elles a peut-être eu affaire à lui.

— C'est une bouteille à la mer, lieutenant, remarqua Peabody, quand les autres eurent disparu.

— Quelqu'un l'a aperçu. Forcément. Avec un peu de chance, cette personne s'en souviendra.

Sur le trottoir brûlant, elle scruta la rue.

— On va tenter d'étirer le budget pour renforcer la sécurité sur un rayon d'un kilomètre. S'il respecte le script, il reviendra. Ça s'est trop bien passé la première fois : il ne va pas patienter bien longtemps avant de récidiver.

6

La rencontre à venir s'annonçait difficile. Il fallait en passer par là, et Connors espérait bien être ensuite libéré du poids qu'il traînait depuis si longtemps.

Il n'avait déjà que trop tardé, ce qui ne lui ressemblait pas. Mais il n'était pas dans son assiette depuis qu'il avait rencontré Moira O'Bannion[1], et qu'elle lui avait raconté son histoire.

L'histoire de sa mère à lui.

Décidément, pensa-t-il en regardant par la large fenêtre de son bureau du centre-ville, la vie avait le don de vous prendre par surprise.

Il était plus de 17 heures. Connors avait volontairement fixé ce rendez-vous en fin de journée, afin de rentrer chez lui tout de suite après, pour se détendre en compagnie de sa femme.

Le communicateur interne bipa, et il faillit sursauter.

— Oui, Caro.

— Mlle O'Bannion est arrivée.

— Merci. Faites-la entrer.

Dehors, la circulation était dense. Les AéroTrams étaient déjà bondés, et de son perchoir, il apercevait les visages las des voyageurs serrés comme des sardines.

---

1. *Lieutenant Eve Dallas. 16: Portrait du crime*, Éditions J'ai Lu, n° 7953.

En bas, dans la rue, bus, taxis et véhicules particuliers encombraient la chaussée. Les tapis roulants réservés aux piétons étaient pris d'assaut.

Eve était quelque part dans cette foule. Sans doute exaspérée à la perspective de devoir se changer pour une soirée mondaine après une journée passée à pourchasser un meurtrier.

Elle déboulerait probablement à la toute dernière minute, énervée, pour effectuer cette étrange transition de flic à femme. Elle était loin d'imaginer combien cette métamorphose enchantait son mari.

On frappa à la porte, et Connors se retourna.

— Entrez.

Son assistante escortait Moira O'Bannion, et il ébaucha un sourire, amusé par cette vision de deux dames d'un certain âge, en tailleur strict.

— Merci, Caro. Merci d'être venue, mademoiselle O'Bannion. Asseyez-vous, je vous en prie. Puis-je vous offrir à boire ? Un café ? Un thé ?

— Non, merci.

Il lui serra la main, lui indiqua un fauteuil d'un geste.

— Je suis désolé de vous recevoir si tard dans la journée.

— Ce n'est pas un problème.

Elle embrassa la pièce du regard – l'immensité de l'espace, le style. Les œuvres d'art, les meubles, le matériel électronique, tous ces *objets* dont il pouvait s'entourer.

Dont il avait besoin.

— Je me serais bien rendu à Dochas, mais je me suis dit que la présence d'un homme dans le foyer risquait de perturber certaines femmes et certains enfants.

— C'est bon pour eux de voir des hommes. Des hommes qui les traitent comme des êtres humains et ne leur veulent aucun mal.

Elle croisa les mains sur ses genoux et le regarda droit dans les yeux.

— Pour briser le cercle vicieux de la maltraitance, il faut apprendre à surmonter sa peur, à retrouver confiance en soi.

— C'est vrai, mais… Bref… Pour commencer, j'aimerais vous présenter mes excuses pour avoir tant tardé à reprendre contact avec vous.

— J'attendais d'être renvoyée. Est-ce la raison pour laquelle vous m'avez convoquée aujourd'hui ? s'enquit-elle d'une voix teintée d'un accent irlandais.

— Pas du tout. Je suis navré. J'aurais dû me douter que vous seriez inquiète après mon départ, la dernière fois. J'étais en colère et… bouleversé.

Il laissa échapper un petit rire, se retint de passer la main dans ses cheveux. Il était nerveux.

— Vous étiez furieux, et sur le point de me botter les fesses.

— En effet. J'étais persuadé que vous m'aviez menti. C'était impossible autrement. Ce que vous m'aviez raconté était tellement contraire à ce que j'avais cru toute ma vie.

— Oui, je m'en suis aperçue.

— D'autres avant vous sont venus me trouver en prétendant être de ma famille, un oncle, un frère, une sœur… Je n'ai eu aucun mal à réfuter leurs arguments.

— Ce que je vous ai dit est la stricte vérité, Connors.

— Oui, eh bien…

Les mots moururent sur ses lèvres, et il contempla ses mains aux longs doigts fins – les mains de son père.

— Au fond de moi, je le savais. Et cela m'était insupportable.

Il releva la tête, la dévisagea.

— Vous êtes en droit de savoir que j'ai effectué des recherches approfondies sur vous.

— Je n'en attendais pas moins de vous.

— Sur elle, aussi. Sur moi-même. Je ne l'avais jamais fait auparavant. Pas soigneusement.

— J'ai du mal à comprendre cela. Je ne vous aurais pas parlé comme je l'ai fait si je n'avais pas été sûre que vous connaissiez une partie des faits.

— J'avais réussi à me convaincre que c'était sans importance. J'y mettais même un point d'honneur.

Moira émit un profond soupir.

— Tout à l'heure, j'ai refusé un café parce que mes mains tremblaient, avoua-t-elle. Si ça ne vous ennuie pas, j'en boirais volontiers un, maintenant.

— Bien sûr !

Il se leva, se dirigea vers la mini-cuisine encastrée dans le mur. Comme il programmait l'AutoChef, elle se mit à rire.

— Je n'ai jamais vu un bureau comme celui-ci ! Quel luxe. Mes pieds s'enfoncent dans la moquette jusqu'aux chevilles ! Vous êtes bien jeune pour posséder tant de choses.

Il eut un sourire un peu triste.

— J'ai débuté jeune.

— En effet.

Elle posa la main sur son estomac.

— J'en ai encore le ventre noué. J'étais sûre que vous m'aviez convoquée pour me renvoyer, que vous alliez me menacer d'un procès. Je me demandais comment j'allais annoncer ça à ma famille, aux pensionnaires à Dochas. Je n'avais pas envie de quitter le foyer. Je m'y suis attachée.

— Comme je vous l'ai dit, je me suis renseigné à votre sujet. Ils ont de la chance de vous avoir, au foyer. Comment aimez-vous votre café ?

— Avec de la crème, si cela ne vous ennuie pas. Le bâtiment entier vous appartient ?

— Oui.

— Il est magnifique. Élancé comme une fusée… Merci, ajouta-t-elle en acceptant la tasse qu'il lui tendait.

Elle but une gorgée, arrondit les yeux.

— C'est du *vrai* café ?

Connors se détendit enfin.

— Oui ! Je vous en enverrai. La première fois que j'ai rencontré ma femme, je lui en ai offert, et elle a eu la même réaction. C'est peut-être pour ça qu'elle m'a épousé.

— J'en doute, fit-elle avant de le regarder au fond des yeux. Votre mère est morte, et c'est lui qui l'a tuée, n'est-ce pas ? J'ai toujours pensé que Patrick Connors l'avait assassinée.

— C'est exact. Je suis allé à Dublin, et cela m'a été confirmé.

— Voulez-vous m'en parler, à présent ?

« Il l'a battue à mort, songea Connors. Puis, il l'a jetée dans la rivière. Cette pauvre fille qui l'avait suffisamment aimé pour lui donner un fils. »

— Non. Je vous dirai simplement que j'ai retrouvé un homme qui le connaissait à l'époque, et qui était au courant. Qui la connaissait, elle, et savait ce qui était arrivé.

— Si seulement j'avais eu plus d'expérience, et si j'avais été moins arrogante… commença Moira.

— Ça n'aurait rien changé, coupa-t-il. Qu'elle soit restée au foyer de Dublin, qu'elle ait rejoint sa famille dans le comté de Clare ou pris la fuite. Si elle m'avait emmené avec elle, ça n'aurait rien changé. Pour des raisons que j'ignore, par fierté, par méchanceté, que sais-je ? c'est moi qu'il voulait.

Cette idée le hanterait jusqu'à la fin de ses jours.

— Il aurait fini par la débusquer. Je suis allé dans le comté de Clare. J'ai rencontré sa famille. Ma famille.

— Vraiment ? s'exclama-t-elle en posant la main sur son bras. Comme je suis contente !

— Ils ont été... extraordinaires. La jumelle de ma mère, Sinead, m'a reçu les bras ouverts. Sans la moindre hésitation.

— Les habitants du comté de l'Ouest sont connus pour leur hospitalité, n'est-ce pas ?

— J'en suis encore étonné. Et je vous suis reconnaissant de m'avoir tout raconté, mademoiselle O'Bannion. Je tenais à ce que vous le sachiez.

— Elle aurait été heureuse, je crois. Non seulement que vous soyez au courant, mais que vous ayez pris ces initiatives.

Elle posa sa tasse, ouvrit son sac.

— Vous n'avez pas emporté ça, la dernière fois. La voulez-vous à présent ?

C'était la photo d'une jolie jeune femme aux cheveux roux et aux yeux émeraude, qui tenait dans ses bras un petit garçon très brun.

— Merci. Avec plaisir.

Un homme en costume blanc chantait un refrain sur l'amour censé être à la fois doux et difficile. Sirotant son champagne, Eve était bien obligée d'en convenir. Du moins pour la partie difficile. Car pour quelle autre raison était-elle là, dans cette salle de bal de Philadelphie, à écouter une dame en robe de satin lavande déblatérer sur les grands couturiers – Connors paierait cher sa désertion, un peu plus tard – sinon par amour.

Oui, oui, oui, elle connaissait personnellement Leonardo. Seigneur ! Il était marié avec sa meilleure amie. Si seulement Mavis avait été là ! Oui, c'était lui qui avait dessiné la tenue qu'elle portait ce soir.

Et alors ? Ce n'était qu'un vêtement. On s'habillait parce qu'il le fallait bien.

L'amour l'obligeait à contrôler ses pensées, afin de glisser de temps en temps une réponse hautement philosophique, du style : *oui*.

— Ah ! Voici la plus jolie femme de toutes ! s'exclama Charles Monroe en gratifiant l'interlocutrice d'Eve d'un sourire charmeur. Vous permettez ? Il faut absolument que je vous la vole quelques instants.

— Tuez-moi, marmonna Eve tandis qu'il l'attirait à l'écart. Prenez mon arme dans mon sac, pressez-la contre ma gorge et tirez. Mettez fin à mon martyre.

Il rit et l'entraîna sur la piste de danse.

— Quand je vous ai aperçue, j'ai eu l'impression que vous alliez pointer le canon de votre pistolet sur le front de cette horrible bonne femme.

— J'ai imaginé le lui enfoncer dans la bouche. Elle ne la ferme jamais. Brrrr ! En tout cas, merci d'être venu à la rescousse. Je ne savais pas que vous étiez là.

— J'étais en retard. Je viens tout juste d'arriver.

— Vous travailliez ?

Charles Monroe était un compagnon licencié de luxe.

— Je suis avec Louise.

— Ah !

Vu la façon dont il gagnait sa vie, Eve avait du mal à comprendre comment sa relation avec le dévoué Dr Louise Dimatto avait pu se développer et surtout, durer.

Le flic reprit le dessus.

— J'allais prendre contact avec vous, poursuivit-il. Au sujet de Jacie Wooton.

— Vous la connaissiez ?

— Je l'ai rencontrée, autrefois. Personne ne la connaissait vraiment. Mais nous fréquentions les mêmes milieux, nous nous croisions de temps à autre. Du moins, avant son arrestation.

— Trouvons-nous un petit coin tranquille.
— Je ne sais pas si c'est le moment de…
— Pour moi, c'est parfait.
Elle balaya la salle du regard et décida qu'ils seraient mieux dehors.
Il y avait aussi du monde autour des tables disposées sur la terrasse abondamment fleurie, mais l'ambiance était plus calme.
— Dites-moi ce que vous savez.
— Presque rien, répondit Charles en s'approchant de la rambarde. Elle était dans le métier bien avant moi. Elle aimait mener grand train. Vêtements de marques, restaurants chics, clients fortunés.
— Le meilleur dealer aussi, je suppose ?
— Je ne sais rien de lui. Je vous assure. Je ne vais pas prétendre que j'ignore cet aspect du boulot, mais je ne trempe pas là-dedans. Surtout maintenant que je sors avec un médecin, ajouta-t-il avec un sourire. L'arrestation de Jacie a pris tout le monde par surprise. Si elle était accro, elle le cachait bien. Si j'étais au courant de quoi que ce soit, Dallas, je vous le dirais sans détour. Elle ne semblait pas avoir d'amis. Pas d'ennemis non plus.
— Bien.
Eve voulut glisser les mains dans ses poches, se rappela que sa robe moulante couleur cuivre n'en avait pas.
— Si le moindre détail vous revient à l'esprit, tenez-moi au courant.
— Je vous le promets. Cette affaire m'a secoué. La façon dont ça s'est passé, ce qu'en disent les rumeurs. Louise est inquiète.
Il jeta un coup d'œil vers la salle de bal.
— Elle ne m'a rien dit, mais je la sens angoissée. Quand on aime quelqu'un, on perçoit tout de suite son stress.

— C'est vrai. Vous allez devoir vous tenir sur vos gardes, Charles. Vous ne correspondez pas au profil de la victime, mais soyez prudent.

— Je le suis toujours.

Sur le chemin du retour, elle ne parla pas à Connors de sa conversation. Mais elle y réfléchit sérieusement.

Dans leur chambre, alors qu'elle se déshabillait, elle lui fit part de ses doutes.

— Il ne va pas pouvoir t'aider beaucoup, apparemment, dit Connors.

— Non, mais ce n'est pas ce qui me tracasse. Quand nous sommes retournés dans la salle de bal, je les ai observés, Louise et lui. On dirait des tourtereaux. On se doute bien qu'ils vont s'envoyer en l'air cette nuit.

— Des tourtereaux tout nus. L'image ne me plaît pas. Laisse-moi en trouver une autre.

— Ha, ha! Ce que je veux dire, c'est comment peut-elle coucher avec lui ce soir en sachant qu'il aura je ne sais combien de clientes demain?

— Ce n'est pas pareil, répliqua Connors en rabattant le couvre-lit. Avec Louise, c'est personnel; avec les autres, c'est strictement professionnel. C'est son métier.

— Tu parles! Sois honnête: si j'étais une pro du sexe, ça ne te gênerait pas de m'imaginer à califourchon sur un autre type?

— Quelle poésie!

Il la contempla, debout devant lui, sa robe scintillante à la main. Elle ne portait rien d'autre qu'un slip assorti, un collier de pierres multicolores et des sandales à talons hauts.

Et une moue ennuyée.

— Si, ça me gênerait, et pas qu'un peu. Je ne suis pas du genre à partager. Dieu, que tu es sexy! Si tu venais ici, qu'on s'envoie en l'air, nus comme des tourtereaux ?

— Nous sommes en pleine conversation.

— Tu l'es, rectifia-t-il en s'approchant d'elle.

— D'ailleurs, à propos de conversations... enchaîna-t-elle en l'esquivant pour se réfugier derrière le canapé. Je vais t'étrangler pour m'avoir abandonnée en compagnie de cette espèce de squelette déguisé en lilas.

— J'ai été retenu malgré moi.

— Mon œil !

— Hmm, la prévint-il en contournant le canapé, tu as intérêt à courir très vite...

Elle n'avait rien. Pas la moindre piste intéressante. Elle jongla avec sa liste de suspects, chercha en vain des ouvertures. Elle retourna sur les lieux du crime, étudia les comptes rendus de laboratoire.

Elle se plongea dans les fichiers de l'IRCCA, en quête d'affaires similaires, en découvrit une datant d'environ un an, qui pouvait correspondre. L'assassin avait agi avec moins de soin.

Une séance d'entraînement ?

Il n'y avait pas de lettre sur le cadavre, juste le corps mutilé d'une jeune prostituée. Très différente de Wooton, constata Eve, en se demandant si elle ne se raccrochait pas à de faux espoirs.

Elle avait interrogé voisins, collègues et associés de ses suspects. Sans succès.

Elle redoutait ce dimanche. Elle n'était franchement pas d'humeur à pique-niquer. Sa seule consolation serait de pouvoir attirer Mira à l'écart pour discuter avec elle.

— Tu devrais t'accorder une journée de congé.

Elle fronça les sourcils tandis que Connors et elle traversaient la rue pour rejoindre la ravissante demeure de Mira, nichée dans un quartier élégant.

— Quoi ?

— Tu marmonnes, répliqua-t-il en lui tapotant l'épaule. C'est un comportement risqué quand on s'apprête à sonner chez un psy.

— Nous ne restons que deux heures. Tu t'en souviens ? Nous nous étions mis d'accord là-dessus.

— Mmm…

Il déposa un baiser sur son front. Et la porte s'ouvrit.

— Bonjour ! Vous devez être Eve et Connors. Je suis Gillian, la fille de Charlotte et de Dennis.

Eve marqua une hésitation : elle n'était pas habituée à appeler Mira par son prénom.

Gillian ressemblait de manière frappante à sa mère. Ses cheveux étaient plus longs et bouclés, mais du même blond foncé, et ses yeux du même bleu. Elle avait la silhouette élancée de son père et l'avait drapée d'un haut léger et d'un pantalon large qui dévoilait ses chevilles.

L'une d'entre elles arborait un tatouage, un trio de chevrons entrelacés. Des bracelets cliquetaient à ses poignets, des bagues scintillaient à ses doigts. Elle était pieds nus, les ongles vernis d'un rose discret.

— Très heureux de vous rencontrer, fit Connors en lui serrant la main avant de s'immiscer entre les deux femmes, qui se jaugeaient du regard. Vous êtes aussi ravissante que votre mère, que j'ai toujours considérée comme l'une des plus belles femmes du monde.

— Merci. Maman m'avait dit que vous étiez charmant. Entrez, je vous en prie. Nous sommes éparpillés un peu partout, comme vous pouvez le constater, mais la plupart sont à l'arrière. Je vais vous préparer un verre, afin que vous preniez des forces pour affronter une journée chez les Mira.

Ils étaient déjà nombreux, rassemblés dans une vaste cuisine. Le vacarme était assourdissant. À travers l'immense baie vitrée du fond, on apercevait d'autres personnes sur la terrasse semée de tables et de chaises. Dans un coin, le barbecue fumait déjà.

Eve repéra Dennis, l'adorable et distrait mari de Mira, en train de manipuler une longue fourchette. Il portait une casquette des Mets sur ses cheveux gris, et un short trop large qui couvrait à peine ses genoux cagneux.

Un autre homme se tenait à ses côtés, son fils, peut-être, et tous deux semblaient absorbés dans un débat animé ponctué de rires tonitruants.

Des enfants couraient un peu partout. Perchée sur un tabouret devant le comptoir, une fillette d'une dizaine d'années boudait.

Tandis qu'on procédait aux présentations, quelqu'un apporta un margarita à Eve.

Optant pour une bière, Connors fut cordialement invité à aller chercher lui-même sa bouteille dans la glacière. Un petit garçon – Eve avait déjà oublié son prénom – fut désigné pour l'escorter.

Alors que le gamin lui prenait la main pour l'entraîner dehors, Connors adressa un sourire espiègle à sa femme par-dessus son épaule.

— C'est le bazar, mais... ça ne va pas s'arranger.

Avec un éclat de rire, Mira sortit du réfrigérateur un énième saladier.

— Je suis si contente que vous soyez là ! Lara, cesse de bouder et monte à l'étage. Demande à ta tante Callie si elle a besoin d'aide avec le bébé.

— C'est toujours moi qui fais *tout*, bougonna-t-elle, en obéissant malgré tout.

— Elle est furieuse, parce qu'elle a enfreint la règle et qu'elle est privée de vidéo pour une semaine, expliqua Gillian.

— Ah !

— D'après elle, continua-t-elle en soulevant un enfant dont Eve était incapable de déterminer le sexe, sa vie est fichue.

— Quand on a neuf ans, une semaine, ça paraît interminable, intervint Mira. Gillian, goûte-moi cette salade, s'il te plaît. Il me semble que ça manque de sel.

Gillian s'exécuta docilement.

— Et de poivre, aussi.

Eve avait l'impression d'avoir atterri dans un monde parallèle.

— Vous... euh... vous attendez beaucoup de monde.

— Nous sommes nombreux, s'esclaffa Mira.

— Maman s'imagine qu'on a conservé notre appétit d'adolescents. Elle prépare toujours de quoi nourrir une armée !

— Elle prépare, répéta Eve. C'est vous qui avez *tout* fait ?

— Oui. J'adore cuisiner quand j'en ai l'occasion. Surtout pour la famille.

Ses joues étaient roses de plaisir, ses yeux pétillaient.

— Et je m'arrange pour que les filles me donnent un coup de main. C'est terriblement sexiste, je sais, mais aucun de mes hommes n'est à la hauteur devant un fourneau. Devant un barbecue, en revanche, ils sont parfaitement à l'aise.

— Tous nos hommes sont spécialistes des grillades, renchérit Gillian en faisant rebondir l'enfant sur sa hanche. Et Connors ?

Eve se tourna vers la fenêtre.

— Non. Je ne crois pas qu'il possède un barbecue.

Hot dogs au soja, hamburgers, salades de pommes de terre, de pâtes, de fruits, carpaccio de tomates, œufs mimosa... le buffet était somptueux. Bière et margaritas coulaient à flots.

Eve discutait base-ball avec l'un des fils de Mira lorsque, à son grand désarroi, un blondinet haut comme trois pommes vint grimper sur ses genoux.

— Z'en veux ! gazouilla-t-il, la bouche maculée de ketchup.

— Quoi ? s'écria-t-elle, affolée. Qu'est-ce qu'il veut ?

— Ce que vous avez.

Mira caressa la tête de l'enfant en passant, avant de prendre le bébé des bras de sa belle-fille pour le câliner.

— D'accord. Tiens !

Eve offrit son assiette, dans l'espoir que le garçonnet l'emporterait avec lui. Au lieu de quoi, il trempa ses doigts potelés dans la salade de fruits et en extirpa un quartier de pêche.

— Mmm ! Bon !

Il mordit dedans, puis lui tendit le reste, généreusement.

— Non, non, finis !

— Descends de là, Bryce ! intervint Gillian en soulevant le petit garçon, devenant à cet instant la nouvelle meilleure amie d'Eve.

Elle se laissa tomber près d'elle et regarda son frère en haussant les sourcils.

— Du balai, on est entre filles !

Ce dernier s'éloigna sans protester. Décidément, dans cette famille, tous les hommes étaient aimables, songea Eve.

— Vous vous sentez un peu dépassée, devina Gillian.

Eve mordit dans son hamburger.

— Simple observation ? Ou résultat d'un scanner psychique ?

— Un peu des deux. Et le fait d'être la fille de deux individus particulièrement observateurs et sensibles. Pour ceux qui n'ont jamais connu cela, les grandes réunions de famille peuvent dérouter. Votre mari s'adapte plus facilement... Il est moins solitaire que vous.

Gillian engloutit une bouchée de salade de pâtes.

— Il y a deux ou trois petites choses que je me sens obligée de vous dire. J'espère que vous ne vous en offusquerez pas. Ça ne me gêne pas d'offenser les gens, mais je préfère le faire de manière délibérée et là, ce ne serait pas le cas.

— Je suis solide.

— Je m'en doute... Eh bien, pour commencer, je dois dire que votre mari est, sans conteste, l'œuvre d'art la plus magnifique que j'aie jamais contemplée.

— Cela ne m'offusque pas du tout, à condition que vous ne me le piquiez pas.

— Ce n'est pas dans mes habitudes – du reste, je n'aurais aucune chance. Qui plus est, je suis très amoureuse de mon mari. Nous sommes ensemble depuis dix ans. Nous étions très jeunes, ce qui inquiétait énormément nos parents.

Elle grignota une carotte.

— Nous avons une vie satisfaisante, trois beaux enfants. J'aimerais en avoir un autre.

— Un autre quoi ?

Gillian éclata de rire.

— Un autre enfant ! Mais je m'éloigne du sujet... J'ai été très jalouse de vous.

Eve étrécit les yeux, glissa un regard rapide à Connors.

— Non, pas à cause de lui, la rassura Gillian. Jalouse de votre relation avec ma mère.

— Je ne saisis pas.

— Elle vous aime, lâcha Gillian, au grand embarras d'Eve. Elle vous respecte, s'inquiète pour vous, vous admire, pense à vous. Comme elle le fait avec moi. J'avoue que cela m'a agacée.

— Ce n'est pas du tout pareil, commença Eve.

— Si, si. Je suis la fille de son corps, de son cœur et de son esprit. Vous n'êtes pas de sa chair, mais vous êtes, sans conteste, de son cœur et de son esprit. Quand elle m'a annoncé votre venue, aujourd'hui, j'ai eu une réaction partagée. Ma première pensée a été purement égoïste : pourquoi vient-elle ? Tu es ma mère. Et puis, la curiosité a pris le dessus, et je me suis dit que ce serait l'occasion ou jamais de vous voir en chair et en os.

— Je ne suis pas en compétition avec...

— Non, coupa Gillian avec un sourire. Ce sont mes propres faiblesses qui ont suscité ces sentiments négatifs. Ma mère est la femme la plus extraordinaire que je connaisse. Sage, compatissante, forte, intelligente, attentionnée. Je n'ai pas toujours su apprécier ses qualités, comme c'est souvent le cas lorsqu'elles vont de soi. C'est en vieillissant, et en devenant mère à mon tour, que j'ai appris à les chérir.

Son regard balaya la terrasse, s'arrêta sur sa propre fille.

— J'espère qu'un jour Lana ressentira la même chose envers moi. Donc, je vous en ai voulu, parce que j'avais l'impression que vous me voliez des petits bouts de ma mère. J'étais prête à vous détester... mais voilà, c'est raté.

Elle s'empara de la carafe de margarita, remplit leurs verres.

— Vous êtes venue ici pour elle. Probablement sous la pression de votre beau mari, mais avant tout, pour elle. Elle compte pour vous. Et j'ai remarqué la façon dont vous regardez mon père, avec une espèce d'affection charmée. J'en déduis que vous avez le don de juger les gens. Je sais par ma mère que vous êtes un flic et une femme remarquable. Du coup, ça m'est plus facile de la partager avec vous.

Avant qu'Eve puisse concocter une réponse, Mira les rejoignit. Le bébé s'était endormi sur son épaule.

— Vous avez assez mangé ?

— Trop ! rétorqua Gillian. Si tu me donnais le petit ? Je vais aller le coucher.

— Non, non, il est bien ainsi, assura-t-elle en s'asseyant. Eve, je me dois de vous prévenir : Dennis a convaincu Connors qu'il ne pouvait plus vivre sans barbecue.

— Bof ! Il a tout le reste, commenta Eve en finissant son hamburger. Et ça marche bien.

— Dennis vous répondrait que c'est une affaire de cuisinier, pas d'appareil. Ce que je ne manquerai pas de rappeler quand vous goûterez ma tarte aux fraises.

— Une tarte ? Vous avez fait une tarte ? Je pourrais…

Le communicateur d'Eve bipa. Le sourire enjoué de Mira s'évanouit.

— Excusez-moi.

Eve se leva, alla dans la cuisine.

— Qu'est-ce qui se passe ? s'enquit Gillian.

— C'est le boulot, murmura Mira, le regard sombre. Sûrement un meurtre. Prends le bébé, tu veux ?

Eve reparut.

— Il faut que j'y aille, annonça-t-elle tandis que Mira se levait et lui prenait le bras pour l'entraîner à l'écart. Je suis navrée, mais je n'ai pas le choix.

— C'est la même chose ?

— Non. C'est lui, mais ce n'est pas pareil. Je vous communiquerai les détails dès que possible. Mince ! J'ai la tête à l'envers. J'ai trop bu.

— Je vais vous chercher du Sober-Up.

— Merci.

Connors la rejoignit.

— Tu peux rester. J'en ai pour un moment.

— Je t'emmène et, s'il le faut, je te laisserai la voiture. Encore une prostituée ?

Elle secoua la tête.

— Plus tard.

Elle prit une profonde inspiration, contempla la terrasse, les convives, les fleurs, la nourriture.

— La vie n'est pas toujours aussi simple, pas vrai ?

7

— Dépose-moi au carrefour. Tu n'as pas besoin d'aller jusqu'au bout de la rue.

L'ignorant, Connors passa à l'orange très mûr.

— Tes associés rateraient l'occasion d'assister à ton arrivée à bord de ce véhicule.

Le véhicule en question était un bijou étincelant aux vitres teintées, au toit rétractable et au moteur rugissant. Tous deux savaient combien Eve était mortifiée lorsque ses collègues s'exclamaient à propos des joujoux de Connors.

Ravalant son irritation, elle ôta ses lunettes de soleil d'un geste brusque. Elles étaient neuves : comme beaucoup d'autres choses, elles avaient surgi mystérieusement parmi ses affaires. Sans doute étaient-elles à la mode – et ridiculement coûteuses. Pour s'épargner une deuxième salve de remarques, elle les fourra dans sa poche.

— Ce n'est pas la peine de m'attendre. Je ne sais pas pour combien de temps j'en ai.

— Je vais traîner un peu dans le coin, sans te gêner, précisa-t-il en se garant derrière une ambulance.

— Waouh ! Belle bête, lieutenant ! commenta l'un des agents tandis qu'elle descendait. Un engin pareil, ça doit cracher.

— Bouclez-la, Frohickie. Qu'est-ce qu'on a ?

— Sympa, murmura-t-il en caressant amoureusement le capot. Une femme, étranglée dans son appartement. Elle vivait seule. Aucun signe d'effraction. Lois Gregg, soixante et un ans. Son fils s'est inquiété parce qu'elle tardait à arriver à une réunion de famille. Comme elle ne répondait pas à ses appels, il s'est déplacé.

— Étranglée ?

— Oui, lieutenant. Agression sexuelle avec objet. Quatrième étage, déclara-t-il tandis qu'ils s'engouffraient dans l'ascenseur. On dirait qu'il s'est servi d'un manche à balai. Ce n'est pas beau à voir.

Eve ne dit rien.

— Il a laissé un mot. À votre intention. Ce salaud avait coincé l'enveloppe entre ses orteils.

— DeSalvo, marmonna-t-elle. Seigneur !

Elle s'obligea à faire le vide dans son esprit, afin d'arriver sur la scène du crime sans préjugés.

— Il me faut un kit de terrain et une vidéocam.

— On les a apportés quand on a su que vous ne veniez pas directement de chez vous.

Elle lui pardonna ses commentaires sur la voiture.

— La scène a été sécurisée ?

— Oui, lieutenant. Le fils est dans la cuisine, en compagnie d'un officier et d'un médecin. Il est en piteux état. Il affirme ne pas l'avoir touchée.

— Mon assistante est en route. Envoyez-la-moi dès qu'elle sera là. Toi, tu restes dehors, ajouta-t-elle à l'adresse de Connors.

— Entendu, fit-il à contrecœur, tourmenté à l'idée de la laisser affronter seule un nouveau cauchemar.

Elle franchit le seuil, nota l'absence d'effraction ou de lutte dans le salon impeccablement rangé. Les fenêtres étaient ornées de simples rideaux bleu pâle.

Elle s'accroupit pour examiner quelques gouttes de sang sur le bord d'un tapis.

Des sanglots provenaient de la pièce voisine. Le fils dans la cuisine. Se redressant, elle fit signe à ses collègues de reculer. Elle s'enduisit les mains de Seal-It, mit la vidéocam en marche et pénétra dans la chambre.

Lois Gregg gisait sur son lit, nue, les pieds et les poings liés, le lien qui avait servi à l'étrangler noué sous le menton en un gros nœud.

L'enveloppe blanc cassé portant le nom d'Eve était calée entre ses orteils.

Il y avait du sang sur les draps – moins que pour Wooton –, sur ses cuisses, sur le manche à balai abandonné par terre.

C'était une femme de petite taille, menue, au teint caramel. Capillaires éclatés au visage et dans les yeux, langue distendue et gonflée : signes de strangulation. Le corps se rebellait, pensa Eve. Même lorsqu'elle avait perdu connaissance, son corps avait lutté pour respirer. Pour vivre.

Elle aperçut un peignoir près du lit. Il avait utilisé la ceinture pour la tuer.

Il voulait que vous soyez consciente. Il voulait lire l'horreur, la douleur, la terreur dans votre regard. Oui, cette fois-ci, c'était son but. Il voulait vous entendre crier. Dans un immeuble de cette qualité, l'insonorisation est bonne. Il avait pris ses repères.

Vous a-t-il dit ce qu'il allait vous faire ? Ou a-t-il œuvré en silence pendant que vous le suppliiez de vous épargner ?

Elle filma la scène, s'attardant sur la position du cadavre, l'emplacement du peignoir, du manche à balai, les rideaux soigneusement tirés.

Puis elle s'empara de l'enveloppe.

Re-bonjour, lieutenant Dallas. Quelle magnifique journée, n'est-ce pas ? Une journée idéale pour se pro-

mener au bord de l'eau. Je suis navré de vous déranger un dimanche, mais vous semblez tellement adorer votre travail – comme moi, le mien ! J'ai pensé que ça ne vous ennuierait pas.

Cependant, vous me décevez un peu et ce, pour deux raisons. Primo, votre façon d'écarter les médias. J'attendais avec impatience d'être sous le feu des projecteurs. Cela étant, vous ne pourrez pas garder très longtemps le couvercle sur le baril de poudre. Deuxio, j'étais persuadé qu'à ce stade vous seriez déjà plus avancée dans votre enquête.

Dans l'espoir que ma toute dernière offre vous inspire.

Bonne chance !

Al

— Espèce de salopard arrogant ! s'exclama-t-elle.

Elle glissa l'enveloppe et la lettre dans un sachet de plastique, puis ouvrit le kit de terrain.

Elle venait d'achever son examen préliminaire quand Peabody apparut.

— Je suis désolée, lieutenant. Nous étions dans le Bronx.

— Qu'est-ce que vous fichiez dans le… Qu'est-ce que c'est que ça ? Comment êtes-vous habillée ?

— C'est une robe bain de soleil, marmonna Peabody, rougissante, en lissant de la main la jupe rouge coquelicot. Nous étions coincés dans les embouteillages, alors j'ai préféré venir ici directement plutôt que de repasser chez moi me changer.

— Hmm.

Sur ses cheveux lissés à la perfection, Peabody portait un chapeau de paille à large bord. Ses lèvres étaient du même rouge que tout le reste.

— Comment voulez-vous travailler dans cette tenue ?

— Eh bien, je…

— Vous avez dit nous ? Vous avez amené McNab ?

— Euh, oui, lieutenant. Nous étions au zoo. Dans le Bronx.

— Tant mieux, c'est déjà ça. Dites-lui de vérifier la sécurité extérieure et de récupérer les disques du hall et des ascenseurs. Cet immeuble est sûrement équipé de caméras de surveillance.

— Oui, lieutenant.

Elle sortit transmettre l'ordre, pendant qu'Eve entrait dans la salle de bains attenante.

Il aurait pu se laver après, mais, apparemment, il n'en avait rien fait. La pièce était nette, les serviettes, fraîches. Lois n'aimait pas le désordre.

Soit il avait apporté son propre savon et une serviette, soit il les avait empruntés à la victime et emportés avec lui.

— Il faudra que les techniciens inspectent les tuyaux d'évacuation, dit-elle à Peabody qui venait de la rejoindre. Avec un peu de chance…

— Je n'y comprends rien. Ça ne ressemble en rien au cas Wooton. La victime est différente, la méthode aussi. Il y avait un mot ?

— Oui. Il est dans un scellé.

Peabody étudia la scène, s'efforça de la mémoriser. Elle remarqua – comme Eve, un peu plus tôt –, le vase de fleurs sur la table de chevet, la petite boîte ornée d'une inscription : *J'aime ma grand-mère,* les portraits et hologrammes sur la commode, le bureau près de la fenêtre.

Que c'était triste, songea-t-elle, de voir tous ces petits bouts de vie après que celle-ci s'en fut allée.

Peabody se ressaisit. Dallas ne se laisserait pas impressionner. Elle ne céderait pas à la pitié.

Elle poursuivit son inspection.

— Croyez-vous qu'il y ait plus d'un meurtrier ?

— Non, il opère seul, déclara Eve en soulevant l'une des mains de la victime.

Pas de vernis. Ongles courts. Pas de bagues, mais une trace pâle à l'endroit où elle en portait habituellement. Majeur, main gauche.

— Il nous montre juste à quel point ses talents sont variés.

— Je ne comprends pas.

— Moi, si. Tâchez de trouver sa boîte à bijoux. Je cherche une bague, style alliance.

Peabody s'attaqua aux tiroirs de la commode.

— Vous pourriez peut-être m'expliquer...

— Il s'agit d'une femme d'un certain âge. Aucune trace d'effraction ni de lutte. Elle l'a laissé entrer parce qu'elle pensait n'avoir rien à craindre. Il était probablement déguisé en ouvrier de maintenance. Elle lui tourne le dos, il l'assomme. Elle a une marque à l'arrière du crâne, et il y a du sang sur l'un des tapis du salon.

— C'était une compagne licenciée ?

— Ça m'étonnerait.

— Ah ! Voici le coffre au trésor ! annonça Peabody en s'emparant d'une boîte transparente à compartiments. Elle aimait les boucles d'oreilles. Et les bagues.

Peabody apporta le coffret à Eve, qui examina le contenu. Grâce à Connors, elle avait appris à distinguer les pierres précieuses de la pacotille. Lois Gregg possédait essentiellement des bijoux fantaisie, mais aussi quelques pièces de valeur.

Le tueur ne s'y était pas intéressé.

— D'après moi, elle portait un genre d'alliance, qu'il lui a ôtée. Un symbole, un souvenir.

— Je croyais qu'elle vivait seule ?

— Oui. Raison de plus pour la choisir.

Eve se détourna, contempla le corps inerte de Lois Gregg.

— Il la transporte jusqu'ici. Il a ses instruments, sans doute dans une mallette à outils. Il lui ligote les chevilles et les poignets. Il lui enlève son peignoir. Déniche ce qu'il voulait pour la violer. Il décide de la réveiller. Il n'avait pas envie de jouer avec la précédente, mais celle-ci est différente.

— En quoi ?

— Parce que c'est ce qu'il recherche. La diversité. Quand elle reprend connaissance, elle pousse un cri et se rend compte de ce qui est en train de se passer, de ce qui l'attend. Elle hurle, elle se débat, elle supplie. Ils adorent ça. Lorsque la douleur la déchire, elle se met à lutter de plus belle. Il est de plus en plus excité.

Eve souleva de nouveau l'une des mains de Lois, puis se pencha sur ses pieds.

— Elle s'est blessée en tentant de se libérer de ses liens. Elle n'a pas baissé les bras. Lui devait être aux anges.

— Dallas, murmura Peabody, en posant la main sur l'épaule de son lieutenant, qui avait blêmi.

Eve haussa les épaules, recula d'un pas. Elle savait précisément ce qu'avait ressenti Lois Gregg. Mais elle ne se laisserait pas submerger par les souvenirs, les cauchemars. Pas maintenant.

D'une voix calme et posée, elle enchaîna :

— Quand il a fini de la violer, il arrache la ceinture de son peignoir. Elle est en état de choc. Elle est incohérente, elle souffre. Il l'enfourche, la regarde droit dans les yeux et l'étrangle. Il guette son ultime soupir, sent les spasmes qui agitent son corps sous lui. C'est là qu'il jouit, quand elle tressaille pour la dernière fois, les yeux exorbités. C'est à ce moment qu'il se soulage. Quand il a repris son souffle, il noue la ceinture autour de son cou, glisse l'enveloppe entre ses orteils. Il ôte son alliance, la met dans sa poche ou dans sa mallette. Il est content de lui. Tout s'est passé comme prévu. L'imitation est parfaite.

— L'imitation de quoi ?

— De qui, rectifia Eve. Albert DeSalvo. L'étrangleur de Boston.

Elle émergea dans le couloir, où les flics erraient, s'efforçant de refouler les voisins trop curieux.

Connors était là. Assis sur le sol en tailleur, le dos contre le mur, concentré sur son mini-ordinateur.

Elle s'approcha, s'accroupit près de lui.

— J'en ai pour un bout de temps. Tu devrais rentrer à la maison. Quelqu'un m'accompagnera au Central.

— C'est moche ?

— Très. Il faut que je parle avec le fils. Il est...

Elle poussa un profond soupir.

— Le médecin lui a donné un calmant, mais il est terriblement secoué.

— On le serait à moins, murmura-t-il. Il s'agit de sa mère...

Malgré la présence de ses collègues, elle posa la main sur la sienne.

— Connors...

— Les démons ne meurent jamais, Eve. Nous apprenons à vivre avec. Nous le savons tous les deux depuis toujours. J'affronterai les miens à ma manière.

Elle s'apprêtait à lui répondre quand McNab déboula de l'ascenseur.

— Lieutenant, aucun enregistrement depuis 8 heures ce matin. Pas le moindre mouvement que ce soit dehors ou dedans. Selon moi, il a bloqué le système par télécommande avant de pénétrer dans le bâtiment. Je pourrais le vérifier, mais je n'ai pas mes outils.

Il écarta les bras avec un sourire penaud, indiquant son short rouge, sa veste bleue cintrée, ses sandales.

— Allez les chercher, aboya-t-elle.

— J'ai quelques instruments dans ma voiture qui pourraient vous être utiles, intervint Connors. Si vous voulez un coup de main, Ian...

— Ce serait super. Le système est assez sophistiqué.

Eve se redressa, tendit la main. Connors lui agrippa l'avant-bras et elle l'aida à se hisser sur ses pieds.

— Vous avez ma bénédiction.

Il avait dû entrer à 8 heures précises. D'après l'heure du décès, il n'avait pas passé plus d'une heure chez Lois Gregg. Plus de temps qu'avec Wooton, certes, mais...

Elle tourna les talons et se rendit dans la cuisine.

Jeffrey Gregg ne sanglotait plus, mais son visage était ravagé par la douleur. Rouge et enflé, un peu comme celui de sa mère.

Il était assis devant une petite table, les mains serrées autour d'un verre d'eau. Ses cheveux châtains étaient hirsutes, à force d'avoir fourragé dedans sans doute.

Âgé d'une trentaine d'années, il portait une tenue décontractée.

Elle s'installa en face de lui et attendit qu'il lève les yeux.

— Monsieur Gregg, je suis le lieutenant Dallas.

— Ils n'ont pas voulu que j'aille la voir. Je devrais y aller. Quand je... quand je l'ai trouvée, je ne suis pas entré. Je suis ressorti en courant, et j'ai appelé la police. J'aurais dû... j'aurais dû la recouvrir...

— Non, vous avez très bien réagi. Je suis désolée, monsieur Gregg. C'est un grand malheur.

Paroles inutiles, mots vides de sens. Elle détestait les prononcer.

— Elle n'aurait pas fait de mal à une mouche, souffla-t-il, en portant son verre à ses lèvres. Il faut que vous le sachiez. Je ne comprends pas comment quelqu'un a pu lui faire ça.

— À quelle heure êtes-vous arrivé ? s'enquit Eve.

Elle le savait déjà, mais elle tenait à ce qu'il le lui répète.

— Je... euh... vers 15 heures, je crois. Presque 16, peut-être. Non, plutôt 15. Je ne sais plus. Nous avions prévu un barbecue chez ma sœur, à Ridgewood. Maman devait passer chez nous. Nous habitons dans la Trente-Neuvième Avenue. Nous allions prendre le train tous ensemble pour nous rendre dans le New Jersey. Elle était censée être là à 13 heures.

Il avala une gorgée d'eau.

— Elle est souvent en retard. On la taquinait beaucoup à ce sujet. Mais vers 14 heures, j'ai décidé de l'appeler pour lui dire de se dépêcher. Elle n'a pas répondu. J'ai pensé qu'elle était en chemin. Au bout d'un moment, j'ai tenté de la joindre sur son portable. Pas de réponse. Ma femme et mon enfant commençaient à s'énerver. Moi aussi, d'ailleurs.

Il se remit à pleurer.

— J'étais vraiment exaspéré d'être obligé d'aller la chercher. Je n'étais pas franchement inquiet. Je n'imaginais pas une seule seconde que quelque chose lui soit arrivé, et pendant ce temps, elle...

— Vous êtes entré, dit Eve. Vous avez une clé ?

— Oui. Je me suis dit que ses communicateurs étaient déchargés. Elle oublie souvent de les recharger, vous comprenez ? En arrivant, j'ai crié : « Maman ? Bon sang, maman, on devait partir il y a deux heures ! » Comme elle ne répondait pas, j'ai pensé : « Merde ! On s'est croisés. » Je ne sais pas pourquoi, je suis tout de même allé jusqu'à sa chambre. Et elle était... Ô mon Dieu ! Mon Dieu ! Maman !

Sa voix se brisa, mais Eve refoula d'un signe de tête le médecin avant qu'il ne lui injecte une dose supplémentaire de tranquillisant.

— Monsieur Gregg. Jeff, vous devez absolument vous ressaisir. Il faut que vous m'aidiez. Avez-vous remarqué quelqu'un aux abords de l'appartement ? Dehors ?

— Je n'en sais rien, hoqueta-t-il en essuyant ses joues ruisselantes. J'étais pressé et en colère. Je n'ai rien remarqué de particulier.

— Votre mère était-elle soucieuse ces derniers temps ? Se sentait-elle menacée ?

— Non. Elle vit ici depuis plus de dix ans. C'est un immeuble cossu, sécurisé. Elle connaît ses voisins, ajouta-t-il en reprenant son souffle. Leah et moi ne sommes qu'à une dizaine de blocs. Si elle avait eu un problème, elle se serait confiée à moi.

— Et votre père ?

— Ils se sont séparés, mon Dieu, il y a au moins vingt-cinq ans. Il vit à Boulder. Ils ne se voient pas souvent, mais ils s'entendent à peu près. Seigneur ! Mon père n'aurait jamais pu faire ça... Il faut être fou !

— Ce ne sont que des questions de routine. Votre mère avait-elle un compagnon ?

— Pas récemment. Elle a vécu avec Sam. Ils sont restés ensemble dix ans. Sam est mort dans un accident d'AéroTram il y a six ans. Ils s'aimaient passionnément. Depuis, il n'y a eu personne.

— Elle portait une bague ?

— Une bague ? répéta Gregg, ahuri. Oui. Sam lui en a offert une quand ils se sont installés. Elle ne la quittait jamais.

— Pouvez-vous me la décrire ?

— Euh... C'était un anneau en or, je crois. Peut-être incrusté de pierres précieuses ? Je ne m'en souviens plus.

— Ce n'est pas grave.

C'était assez pour l'instant, se dit Eve. De toute façon, elle était dans une impasse.

— Un officier va vous ramener chez vous.

— Mais… c'est tout ? Je devrais faire quelque chose, non ?

— Allez retrouver les vôtres, Jeff. Je vais prendre soin de votre mère.

Elle le remit entre les mains d'un policier.

— Dites-moi tout, ordonna-t-elle à McNab.

— Il s'est servi d'une télécommande, c'est sûr. Soit il est expert en matière d'électronique, soit il est assez riche pour s'offrir un mécanisme de blocage au marché noir.

— Pourquoi ? Le système de sécurité est efficace, mais il n'a rien d'exceptionnel.

— Ce n'est pas le fait qu'il l'ait bloqué, c'est la manière dont il s'y est pris.

McNab sortit un paquet de chewing-gum d'une de ses nombreuses poches, en offrit un à Eve, en fourra un dans sa bouche après qu'elle eut refusé.

— Il a réussi à tout arrêter – du point de vue sécuritaire – sans toutefois intervenir sur le reste : éclairage, climatisation, électricité dans les appartements. Sauf…

Tout en mâchant avec énergie, il désigna les lampes du salon.

— … dans cette pièce. Lumière ! ordonna-t-il.

Il ne se passa rien.

— Je vois, dit-elle. « Excusez-moi de vous déranger, madame, mais on nous a avertis d'un problème électrique dans l'immeuble. » Il est déguisé en ouvrier. Il porte une boîte à outils. Affiche un large sourire. Il lui suggère peut-être même d'essayer d'allumer dans son salon. Quand elle se rend compte que ça ne fonctionne pas, elle lui ouvre.

McNab fit claquer une grosse bulle mauve.

— Pour moi, ça colle.

— Vérifiez les vidéocoms. Soyons minutieux. S'il y a du nouveau, je serai au Central. Peabody !

— Présente, lieutenant.

— Ôtez-moi ce chapeau ridicule ! glapit Eve en sortant au pas de charge.

— Moi, je l'aime bien, ton chapeau, lui murmura McNab. Je le trouve très sexy.

— McNab, à tes yeux, une brique serait sexy ! rétorqua Peabody.

Cependant, tout en s'assurant que la voie était libre, elle lui pinça les fesses.

— Je le remettrai peut-être plus tard… mais *uniquement* le chapeau.

— J'en frémis d'avance.

Il scruta à son tour les alentours, attira Peabody contre lui pour l'embrasser.

Elle rejoignit Eve en courant, le chapeau à la main, et la trouva devant un véhicule rutilant qui ne pouvait appartenir qu'à Connors.

— Ce n'est pas la peine, lui disait Eve. Nous repartons en voiture officielle. Si je vois que ça se prolonge, je te préviendrai.

— Tiens-moi au courant de toute façon, je m'arrangerai pour qu'on vienne te chercher.

— Je peux me débrouiller seule.

— Quel dommage ! ronronna Peabody en caressant la tôle étincelante.

— On pourrait se serrer un peu, insista Connors.

— Non. Il n'en est pas question ! gronda Eve.

— À ta guise. Peabody, vous êtes appétissante à souhait.

Il lui prit le chapeau des mains, le replaça sur sa tête.

— Je pourrais vous dévorer toute crue !

— Euh… ben, ça alors… bredouilla-t-elle en s'empourprant.

— Débarrassez-vous de ce sourire grotesque et de ce couvre-chef, et trouvez-nous une voiture, tonna Eve.

— Hein ? Ah, oui, lieutenant, soupira-t-elle. À vos ordres.

— Franchement, tu exagères, marmonna Eve, quand Peabody eut disparu.

— Je suis curieux de voir comment elle s'habillera une fois devenue inspecteur. À tout à l'heure à la maison, lieutenant… Tu es, comme toujours, belle à croquer ! ajouta-t-il en déposant un baiser sur ses lèvres.

— Ouais, ouais.

Fourrant les poings dans ses poches, elle s'éloigna.

Il faisait nuit, quand elle rentra. Par pure obstination, elle s'était gardée d'appeler Connors au secours en s'apercevant qu'elle n'avait pas d'argent sur elle pour payer un taxi. Elle avait trouvé un jeton au fond de sa poche et pris le métro bondé.

Elle préféra rester debout, oscillant au rythme du train, tandis qu'il remontait vers le nord.

Elle ne prenait plus assez le métro. Non pas que ça lui manquât vraiment. La moitié des publicités étaient rédigées dans un langage incompréhensible, la plupart des passagers, moroses ou courroucés. Et il y en avait toujours un ou deux qui empestaient.

Comme ce mendiant édenté, sa licence accrochée autour du cou, qui lui souriait bêtement. Elle lui coula un regard noir, et il se détourna aussitôt.

Elle changea de position, profitant du voyage pour examiner les gens qui l'entouraient. Étudiants concentrés sur leur ordinateur portable. Ados en route pour le cinéma. Un vieillard qui ronflait. Une femme à l'air harassé, avec ses enfants ; deux brutes impassibles.

Et un individu émacié, vêtu d'un imperméable, qui se masturbait tout au bout du wagon.

— Pour l'amour du ciel !

Elle allait intervenir, mais l'une des brutes la devança en assénant un coup de poing magistral à l'offenseur.

Le sang jaillit. Plusieurs personnes crièrent. Le malade ne broncha pas.

— Ça suffit ! lança Eve.

Elle se rua vers la brute numéro un, à l'instant où un voyageur paniqué bondissait sur ses pieds, la bousculant au passage et la renversant en plein sur le poing de la brute numéro deux.

— Nom de nom ! hurla-t-elle en secouant la tête pour en chasser les étoiles. Police !

Elle enfonça le coude dans les côtes de la brute numéro un, qui s'en donnait à cœur joie sur le pervers, et marcha sur le pied de la brute numéro deux.

Elle releva le vicelard, grogna, et tout le monde recula.

— Rangez-moi ça ! ordonna-t-elle en baissant les yeux sur sa braguette ouverte.

Au diable le métro ! songea-t-elle, furieuse, en remontant l'allée de la propriété. Elle avait la joue douloureuse, la migraine, et elle avait perdu un temps fou à descendre du train avec le pervers pour le remettre entre les mains des autorités.

Elle ignora la brise, où flottait un doux parfum de fleurs, et la lune qui brillait dans un ciel clair.

Bon d'accord, c'était beau, et alors ?

Elle pénétra dans le vestibule, interrogea le système électronique, qui lui indiqua que Connors était dans la salle de loisirs.

Elle fonça vers l'ascenseur.

La salle de loisirs était plus intime que la salle de réception, qui pouvait accueillir plus de cent personnes à l'aise. Couleurs foncées, sièges confortables. Deux écrans, l'un réservé aux films, l'autre, aux jeux. Un appareil ultra-sophistiqué sur lequel on pouvait écouter n'importe quoi, même les vieux disques en vinyle.

Un bruit infernal l'assaillit lorsqu'elle pénétra dans la pièce. Elle arrondit les yeux devant le combat effréné qui se déroulait sur l'écran mural.

Connors était vautré dans un fauteuil, le chat sur les genoux, un verre à la main.

Le plus sage serait de remonter travailler. D'approfondir ses recherches sur l'étrangleur de Boston, de continuer à creuser pour trouver des liens éventuels entre Wooton et Gregg.

Elle devrait harceler les techniciens, le médecin légiste, le labo. Mais à 10 heures un dimanche soir, personne ne lui prêterait attention. Ce qui ne l'empêcherait pas de les harceler.

Elle devrait lancer des calculs de probabilité, relire ses notes, sa liste de suspects.

Au lieu de quoi, elle s'avança dans la pièce, souleva le chat.

— Tu m'as pris ma place, lui dit-elle en le déposant sur un autre siège.

Elle s'installa sur les genoux de Connors, lui ôta son verre de vin de la main.

— C'est quoi, le thème ?

— L'eau. Sur cette planète, dans le quadrant Zéro…

— Ça n'existe pas !

— C'est une fiction, ma chérie, lui rappela-t-il en l'installant confortablement contre lui. Bref, sur cette planète, il n'y a pratiquement plus d'eau potable. Une équipe tente d'en fournir aux habitants. Mais il y a une autre faction, qui veut la récupérer. Il y a déjà eu quelques échanges bien sanglants.

Quelque chose explosa sur l'écran, un feu d'artifice de couleurs jaillit, accompagné d'un bruit assourdissant.

— C'est bien fichu, commenta Connors. En plus, il y a une femme, responsable de la police environnementale – les bons – qui aime malgré elle le douteux capitaine d'un cargo supposé livrer la marchandise... Ça a commencé il y a une trentaine de minutes. Je peux revenir en arrière, si tu veux.

— Non, non, je vais essayer de suivre.

Elle n'avait pas l'intention de s'attarder. Elle voulait juste décompresser un peu. Mais elle se laissa captiver par l'intrigue, et c'était tellement bon de pouvoir se blottir contre son mari tandis que des batailles fictives faisaient rage sur l'écran.

Et que le bien dominait le mal.

— Intéressant, reconnut-elle alors que le générique défilait. À présent, je vais aller travailler une heure ou deux.

— Tu veux en parler ?

— Plus tard, sans doute.

Elle se leva, s'étira langoureusement, cligna des yeux lorsqu'il alluma.

— Nom de nom, Eve, qu'est-ce qui t'est arrivé ?

— Ce n'était pas ma faute, bougonna-t-elle en effleurant sa joue enflée du doigt. Quelqu'un m'a bousculée, et je suis tombée sur le poing d'un type, alors que je tentais d'en empêcher un autre de passer à tabac un passager dans le métro. Je ne pouvais pas m'en prendre à celui qui m'avait frappée : il n'y était pour rien. Mais tout de même...

— Avant toi, ma vie était bien grise.

— Oui, je suis un véritable arc-en-ciel, railla-t-elle en remuant la mâchoire. Tu te sens d'attaque pour une mission fastidieuse ?

— Pourquoi pas ? Mais pas avant que tu aies mis quelque chose sur cet hématome.

— Ce n'est rien. Tu sais, le gars de la sécurité m'a dit que ce pervers voyageait régulièrement sur cette ligne. Ils l'ont baptisé Willy le Branleur.

— Fascinant ! rétorqua Connors en l'entraînant vers l'ascenseur. Je rêve de reprendre le métro !

8

Dans l'appartement minuscule de Peabody, McNab lui faisait faire toute une série de simulations sur l'ordinateur. Ces dernières semaines, il s'était révélé un instructeur exigeant et plutôt irritant.

La tête rentrée dans les épaules, elle inspectait une scène de crime, sélectionnant ses choix et ses options concernant l'enquête sur le terrain d'un double homicide.

Un juron lui échappa, tandis que sa réponse suscitait un bruit de sirène assourdissant – une petite touche personnelle de McNab, rajoutée au logiciel – et que l'écran affichait un juge en robe à l'expression menaçante.

Ah ! Ah ! Ah ! Erreur de procédure, contamination de la scène. Suppression de pièces à conviction. Le suspect est libre à cause de l'incompétence de l'inspecteur chargé de l'enquête.

— Il est *vraiment* obligé de dire ça ?

— Ça permet d'éviter le jargon juridico-policier. Il va droit au but, riposta McNab en engloutissant une poignée de chips.

— J'en ai marre des simulations, marmonna-t-elle avec une moue boudeuse qui mit McNab en émoi. Ma cervelle ne va pas tarder à me couler par les oreilles.

Il l'aimait suffisamment pour chasser toute pensée lubrique de son esprit.

— Écoute, tu es un as à l'écrit. Tu te rappelles les moindres détails et tu connais ton code comme ta poche. Tu réussis bien à l'oral, dès que ta voix cesse de couiner.

— Elle ne couine pas.

— Un peu comme lorsque je te mordille les orteils, enchaîna-t-il avec un sourire. Si moi ça m'excite, je crains que le jury soit moins indulgent. Il va falloir huiler tes cordes vocales.

Elle continua de bouder, puis ouvrit la bouche en grand, quand il l'empêcha de s'emparer du sachet de chips.

— Tu en auras quand tu seras allée jusqu'au bout.

— Enfin, McNab, je ne suis pas une bête de cirque qui quémande une friandise !

— Non, tu es un flic qui veut passer inspecteur. Et tu as la trouille.

— Pas du tout ! Certes, je suis anxieuse, ce qui est parfaitement compréhens…

Il la dévisagea sans broncher, et elle poussa un soupir.

— Je suis terrifiée.

Il l'entoura d'un bras réconfortant, et elle se lova contre lui.

— Je suis terrifiée à l'idée de tout rater et de décevoir Dallas. Ainsi que toi, Feeney, le commandant, ma famille… Seigneur !

— Tu ne rateras pas l'examen, et tu ne décevras personne. Le problème, ce n'est ni Dallas ni qui que ce soit d'autre. C'est toi.

— C'est elle qui m'a formée, elle qui a proposé ma candidature.

— Elle doit donc estimer que tu es prête. Ce n'est pas facile, ajouta-t-il en lui pinçant affectueusement la joue. Mais ce n'est pas censé l'être. Tu as travaillé dur, tu as l'expérience, l'instinct, l'intelligence. Tu as aussi les tripes et le cœur, mon ange.

Elle tourna la tête vers lui.

— Comme c'est gentil !

— C'est un fait, et en voici un autre : tu n'as pas de couilles.

L'air attendri de Peabody s'estompa.

— Tu exagères ! se hérissa-t-elle.

— Comme tu n'as pas de couilles, insista-t-il, tu ne fais confiance ni à tes tripes ni à tes connaissances. Tu te rabaisses. Au lieu de réagir en fonction de ce que tu sais, tu passes ton temps à te poser des questions sur ce que tu ne sais pas. C'est pour ça que tu échoues dans les simulations.

Elle s'écarta de lui.

— Je te déteste parce que tu as raison.

— Non. Tu m'aimes parce que je suis beau comme un dieu.

— Salaud.

— Froussarde.

— Froussarde, répéta-t-elle en ravalant un gloussement. Bon, d'accord, on en lance une autre. Choisis-en une difficile. Et quand j'aurai réussi, non seulement j'aurai droit aux chips, mais…

Son sourire s'élargit.

— … tu pourras porter le chapeau.

— Vendu.

Elle se leva pour arpenter la pièce et s'éclaircir les idées, pendant qu'il programmait le prochain exercice. Elle avait avoué ses craintes. Elle avait peur de trop désirer ce poste. Au lieu de mettre à profit son ambition, elle s'était laissé dévorer par elle. Il fallait que ça cesse. Quand bien même elle avait les mains moites et l'estomac noué, il fallait que ça cesse.

Dallas ne cédait jamais sous la pression, songea-t-elle. Elle se ressaisissait toujours. Aujourd'hui, devant le cadavre de Gregg, elle avait pâli visiblement. Elle se trahissait ainsi de temps en temps, sur les scènes de crimes sexuels. Comme si un drame horrible remontait à la surface.

Un viol, Peabody en avait la certitude. Quand elle était très jeune, sans doute. Bien avant de devenir flic. Peabody avait étudié la carrière d'Eve au NYSPD d'un bout à l'autre. Il n'était nulle part mentionné qu'elle avait été victime d'une agression sexuelle.

C'était donc avant, avant l'Académie. Il fallait des tripes et des couilles pour surmonter cela, pour ne pas craquer. Pour s'en servir, plutôt que d'en être esclave, il fallait davantage.

— C'est prêt ! annonça McNab. Je te préviens, celle-ci est coton.

Peabody respira un bon coup, carra les épaules.

— Parfait. Si tu allais t'occuper ailleurs ? Je veux m'y attaquer seule.

— Très bien. Coince ce salopard, mon chou.

— Compte sur moi.

Elle eut du mal, mais demeura concentrée. Elle ne s'interrogea pas sur la façon dont Dallas souhaiterait qu'elle réagisse, elle se contenta d'exécuter. Préserver, observer, collectionner, identifier. Questionner, rapporter, enquêter. Petit à petit, elle commença à entrevoir une solution à l'énigme. Elle franchit toutes les étapes : témoignages conflictuels, souvenirs douteux, faits et mensonges, rapports d'autopsie, procédures.

De plus en plus excitée, elle constata qu'elle était bel et bien en train de mener son enquête jusqu'au bout.

Bien qu'hésitant à la toute dernière minute, elle s'en tint à ses convictions, sélectionna un bouton. Et fut récompensée par l'apparition d'un représentant du ministère public.

Arrêtez-le. Homicide volontaire.

— Oui ! s'écria Peabody en se levant d'un bond. Je l'ai eu ! Je l'ai coincé. Hé ! McNab, apporte-moi mes chips !

— Pas de problème.

Il surgit sur le seuil, le sourire aux lèvres. Nu comme un ver, il portait le sachet dans une main et le chapeau de Peabody sur le sexe.

Elle s'esclaffa.

— Décidément, tu es incorrigible !

Pour Eve, il s'agissait de faire fusionner les faits et les hypothèses.

— Il devait connaître leurs habitudes. Ce qui ne signifie pas que les victimes le connaissaient. Mais lui savait. Il est trop malin pour les avoir choisies au hasard. Il a fait son marché d'abord.

— C'est comme ça que ça se passe, en général, non ? s'enquit Connors en inclinant la tête. Si l'amour de ma vie était dentiste, je me pencherais sur les toutes dernières découvertes en matière d'hygiène dentaire et de traitements.

— Ne prononce pas le mot dentiste, répliqua Eve en passant machinalement la langue sur ses dents.

— Non, tu as raison, le meurtre, c'est beaucoup plus drôle. Aller à la pêche, sélectionner sa cible, la filer, planifier. Pour le serial killer typique – si l'on peut employer ce terme –, ce sont les parties essentielles d'un tout. C'est excitant, ce pouvoir, cette maîtrise des détails. Elle est vivante maintenant parce que je le permets, elle sera morte tout à l'heure parce que je l'aurai décidé. De toute évidence, il admire les tueurs en série célèbres, Jack l'Éventreur, l'Étrangleur de Boston, il les imite. Mais il se veut unique. Meilleur qu'eux, parce qu'il a des talents diversifiés. Et il tient à ce que tu le poursuives, parce qu'il t'admire aussi. Tuer ne lui suffit pas. Ce qui lui plaît, c'est d'être à la fois chasseur et chassé. Ces femmes, il les a chassées.

Eve se tourna vers le tableau sur lequel elle avait accroché les photos de Jacie Wooton et de Lois Gregg, vivantes et mortes.

— Il les a surveillées. Pour sa première imitation, il lui fallait une prostituée, un certain type de compagne licenciée. Elle entrait dans le moule. Il s'attendait qu'elle soit dans la rue à cette heure-là. Ce n'était pas un hasard. De même, Lois Gregg correspondait au profil qu'il recherchait, et il savait qu'elle serait seule chez elle un dimanche matin.

— À ton avis, il savait aussi que quelqu'un la découvrirait avant la fin de la journée ?

— Oui, confirma-t-elle. La gratification est plus rapide. Je suis presque certaine que c'est lui, l'interlocuteur anonyme qui a appelé les secours. Il tenait à ce qu'on trouve Wooton le plus vite possible, afin que commencent l'horreur et la flatterie.

— Ce qui laisse supposer qu'il se sent en sécurité.

— En effet. Il se considère comme un être supérieur. Si Gregg n'avait pas eu de proches susceptibles de prendre de ses nouvelles dans les heures qui suivaient, il aurait dû patienter jusqu'à son prochain crime, ou risquer un deuxième coup de fil au 911.

Eve s'assit, se frotta les yeux.

— Il a déjà choisi la prochaine. Il imitera un autre assassin. Mais ce sera quelqu'un qui a fait parler de lui, qui a abandonné les cadavres là où on les trouverait forcément. On élimine tous les tueurs en série qui ont enterré, éliminé ou consumé leurs victimes. Il ne s'amusera pas à copier le Chef Jourard, ce Français qui a sévi dans les années 1920…

— Celui qui les conservait dans sa chambre froide ?

— Avant de les découper, de les cuisiner et de les servir aux clients de son élégant bistro parisien. Ils ont mis plus de deux ans pour le coincer.

— Ses ris de veau avaient un succès fou.

Eve eut un frémissement.

— Qu'on puisse ingurgiter les organes de quelque espèce que ce soit me dépasse complètement. Du coup, j'ai perdu le fil.

Connors lui caressa tendrement le bras.

— Tu es fatiguée.

— C'est possible.

Elle retourna se planter devant son tableau.

— Il continuera à s'attaquer à des femmes. Visiblement, il a un problème de ce côté-là. Il suffit de voir la façon dont il les a massacrées. Mais il n'a aucun lien avec elles. Je ne vais pas lâcher la piste du papier à lettres. Je vais reprendre ma liste. L'une de ces personnes s'intéresse peut-être aux tueurs célèbres.

— Tu pourrais interroger Thomas A. Breen, suggéra Connors. Il a écrit plusieurs ouvrages de référence sur les tueurs en série à travers l'histoire.

— Breen. Ça me dit quelque chose. J'ai dû lire certains de ses bouquins.

— Il vit à New York. Je me suis renseigné pendant que tu étais au Central. J'ai pensé que ça pourrait t'intéresser.

— Excellente initiative.

Comme elle se penchait pour remplir sa tasse de café, il l'en empêcha d'un geste.

— Tu as largement dépassé ta ration quotidienne, et malgré ça, tu tombes de sommeil.

— Je veux simplement effectuer quelques calculs de probabilités.

— Programme-les et laisse l'ordinateur travailler pendant que tu dors. Tu liras les résultats demain.

Elle aurait volontiers protesté, mais elle n'en avait plus la force. Elle suivit son conseil, mais son regard était irrésistiblement attiré vers la photo de Lois Gregg.

Elle entendait encore les sanglots de son fils, un homme adulte. Elle revoyait son visage ravagé par le chagrin, son désarroi absolu. « Maman », avait-il dit, comme un petit garçon perdu.

Connors avait dû éprouver la même détresse en apprenant que la mère qu'il n'avait jamais connue avait été assassinée. Elle était morte depuis trente ans. Ça n'avait en rien atténué sa peine.

Qu'est-ce qui liait inexorablement un enfant à sa mère ? Le sang ? se demanda-t-elle en se déshabillant. Ce sentiment existait-il dès la conception, ou se développait-il après la naissance ?

Les meurtriers qui s'en prenaient aux femmes avaient souvent souffert dans leur relation avec leur mère. Celui-ci avait-il haï la sienne ? Était-ce elle qu'il cherchait à éliminer ?

Elle s'endormit en pensant aux mères.

Les cheveux. Ils étaient magnifiques, blonds et brillants, longs et bouclés. Elle aimait les toucher, même si c'était interdit. Elle aimait les caresser.

Il n'y avait personne à la maison. Tout était calme et silencieux. Quand ils étaient absents, le papa et la maman, personne ne criait, personne ne lui donnait des ordres.

Personne ne frappait ni ne giflait.

Elle n'avait pas le droit d'entrer dans la chambre où le papa et la maman dormaient, où la maman ramenait de temps en temps d'autres papas pour jouer tout nus sur le lit.

Mais il y avait tant de choses, dans cette pièce. Comme les longs cheveux blonds, ou la perruque rousse, et tous ces flacons qui sentaient bon les fleurs.

Toute menue dans son jean trop large et son T-shirt jaune taché de jus de raisin, elle s'approcha sur la pointe des pieds de la commode. Elle tendit l'oreille, prête à s'enfuir.

Elle laissa courir ses doigts dans les boucles blondes. La seringue négligemment oubliée entre les mèches ne l'intéressait pas. Elle savait que la maman prenait des médicaments tous les jours, voire plusieurs fois dans la journée. Parfois, les médicaments l'abrutissaient, parfois, ils la rendaient euphorique. Elle était plus gentille quand elle avait envie de danser. Et si son rire était terrifiant, c'était toujours mieux que les cris et les coups.

Dans la glace, elle ne voyait que le haut de son visage, même en se dressant sur la pointe des pieds. Elle se trouvait moche, avec ses cheveux châtains, courts et raides comme des baguettes.

Incapable de résister à la tentation, elle chaussa la perruque blonde. Elle se sentait belle. Heureuse.

Il y avait différents jouets, sur la commode, pour se peindre la figure. Un jour, quand la maman était de bonne humeur, elle lui avait maquillé les lèvres et les joues, et lui avait dit qu'elle avait l'air d'une poupée.

Si elle ressemblait à une poupée, peut-être que le papa et la maman l'aimeraient davantage. Peut-être qu'ils cesseraient de crier et de frapper. Peut-être qu'elle pourrait aller dehors jouer avec les voisines.

En fredonnant, elle se colora la bouche, pinçant les lèvres comme le faisait la maman. Elle mit du rouge sur ses joues, enfila les sandales à talons aiguilles devant la commode. En équilibre précaire, elle se voyait mieux.

— Comme une poupée, chuchota-t-elle, enchantée.

Elle était tellement prise par son jeu qu'elle n'avait rien entendu.

— *Petite* pute*!*

Le hurlement la fit sursauter, trébucher. Elle était déjà en train de tomber quand la main l'atteignit en plein visage. Les larmes giclèrent, la maman l'empoigna et la remit sur ses pieds.

— Je t'avais dit de ne jamais entrer ici. Je t'avais interdit de toucher à mes affaires.

Les mains de la maman étaient blanches, si blanches, avec des ongles vernis d'un rouge écarlate.

La fillette ouvrit la bouche pour gémir, tandis que les coups pleuvaient.

— Nom de nom, Stella !

Le papa fit irruption, se jeta sur la maman, la poussa violemment sur le lit.

— Tu sais bien que l'insonorisation dans cet immeuble est nulle. Tu veux que les assistantes sociales débarquent une fois de plus ?

— Cette petite conne a joué avec mes affaires ! rétorqua la maman en se relevant d'un bond. Regarde-moi ce bazar. J'en ai par-dessus la tête de ranger derrière elle et de l'écouter geindre.

Par terre, enroulée sur elle-même, les bras sur la tête, la fillette s'efforçait de ne pas émettre le moindre bruit. Pour qu'ils l'oublient. Pour se rendre invisible.

— Je n'en ai jamais voulu ! reprit la maman d'une voix mordante. C'est toi qui voulais un môme. Débrouille-toi avec elle.

— Je m'en charge.

Il la souleva. Elle avait peur de lui, mais elle avait encore plus peur de la maman, de ses paroles cruelles, de ses mains qui frappaient si fort.

Elle se blottit contre lui, frissonna quand la main du papa glissa le long de son dos, s'attarda sur son derrière.

— Prends-toi une dose, Stella. Tu te sentiras mieux. Si je conclus cette affaire, on achètera un droïde pour s'occuper de la gosse.

— Ouais, c'est ça. Et la maison, et les belles voitures que tu me promets depuis des lustres. Tout ce que j'ai obtenu jusqu'ici, c'est cette brailleuse.

— Un investissement sur l'avenir. Un de ces jours, on sera récompensés. N'est-ce pas, ma fille ? Prends-toi une dose, Stella, répéta-t-il. Je vais changer la petite.

En quittant la pièce, elle posa un ultime regard sur la maman. Ses yeux noisette, aux paupières maquillées d'or, trahissaient, comme ses paroles, la méchanceté et la haine.

Eve se réveilla, submergée par une sensation glaciale. La chambre était obscure, et elle se rendit compte qu'elle avait roulé jusqu'au bord du lit, comme pour préserver l'intimité de son rêve.

Bouleversée, le cœur au bord des lèvres, elle revint se lover contre Connors. Il l'entoura du bras et l'étreignit très fort. Réchauffée, elle feignit de se rendormir.

Elle ne raconta pas son rêve à Connors, le lendemain matin. Elle ne savait ni si elle en avait envie, ni si elle en serait capable. Elle aurait voulu le chasser de ses pensées, mais il la harcela tout au long de la matinée.

À son grand soulagement, Connors avait prévu plusieurs réunions d'affilée, et elle put vaquer à ses occupations dans la maison en évitant toute conversation.

Il la connaissait bien – trop bien. Il avait ce don de lire facilement en elle, ce qui l'émerveillait et l'agaçait à la fois. Elle n'était pas prête à explorer la signification de son rêve avec lui.

Sa mère était une pute et une junkie. Elle n'avait jamais souhaité avoir d'enfant, et l'avait haïe et méprisée. Son père était un monstre. Était-ce pire de savoir que sa mère était comme lui ? Ça ne changeait rien.

Eve se gara au Central et gagna son bureau. Dès qu'elle mettait le pied dans cette ruche, elle se sentait mieux. Le poids de son arme la réconfortait, de même que la présence de son insigne au fond de sa poche.

Connors les avait un jour qualifiés de symboles. Il avait raison. L'arme et l'insigne symbolisaient qui et ce qu'elle était.

Elle traversa la grande salle, fit un détour par le box de Peabody alors que celle-ci avalait la dernière gorgée d'un café acheté au GlissaGrill.

— Thomas A. Breen, lança Eve. Domicilié dans l'East Village. Appelez-le et prenez rendez-vous immédiatement. C'est nous qui nous déplacerons.

— Bien, lieutenant. La nuit a été difficile ?

Eve lui coula un regard noir, et Peabody haussa les épaules.

— On dirait que vous n'avez pas beaucoup dormi, c'est tout. Moi non plus, du reste. J'ai bossé pour l'examen. C'est bientôt.

— Si ce sont les horaires de fonctionnaire qui vous intéressent, oubliez votre insigne. Organisez cette rencontre. Ensuite, nous reprendrons notre liste, en commençant par Fortney.

Elle s'éloigna, s'immobilisa, se retourna.

— Vous savez, Peabody, trop étudier, ce n'est pas forcément la solution.

— Je sais, mais je ratais toutes mes simulations. Hier, j'en ai réussi deux. Pour la première fois, j'ai eu l'impression de dominer mon sujet.

— Tant mieux.

Eve crocheta les pouces dans ses poches.

— Tant mieux, répéta-t-elle, avant de disparaître.

La lecture du rapport d'autopsie la rassura. Dans le cas de Wooton, Morris penchait pour l'utilisation d'instruments chirurgicaux. Les analyses toxicologiques confirmaient que la jeune femme n'avait rien ingurgité de suspect.

Dans la mesure où elle ne se droguait plus, il était inutile de perdre du temps à rechercher son fournisseur.

— Aucune trace de sperme sur Gregg, annonça Eve à Peabody, alors qu'elles prenaient le chemin de l'East Village. D'après le médecin légiste, elle a été violée et sodomisée uniquement avec le manche à balai. Aucune empreinte relevée sur la scène, hormis les siennes, ceux de membres de sa famille et de deux voisines qui n'ont rien à se reprocher. Fibres de cheveux synthétiques. Dick pense perruque et moustache, mais il ne peut pas le confirmer.

— Donc, il était déguisé.

— Au cas où on l'apercevrait dans le quartier. À mon avis, il a dû la surveiller pendant plusieurs semaines. Vérifier son emploi du temps dominical. Mais pourquoi elle ? Comment l'a-t-il choisie ? En tirant son nom d'un chapeau ? Pourquoi cette prostituée plutôt qu'une autre, pourquoi Gregg ?

— Il y a peut-être un lien. Un endroit où elles faisaient leurs courses, prenaient leurs repas, réglaient leurs affaires. Un cabinet médical, une banque.

— C'est possible, et je vous conseille de creuser la question. Il me semble pourtant que c'est avant tout un problème de secteur. De voisinage. Sélectionner le lieu, puis le personnage, avant de mettre en scène la pièce.

— À propos de voisinage, c'est plutôt chic, ici, constata Peabody en admirant les trottoirs ombragés, les vieilles demeures cossues, les plates-bandes fleuries. Personnellement, j'adorerais habiter ici. Quand je serai stabilisée, que je songerai à fonder une famille. Vous y pensez, parfois ? À avoir des enfants ?

L'espace d'un éclair, Eve replongea dans son rêve.

— Non.

— J'ai le temps, bien sûr. Je me dis que ce sera envisageable d'ici à six, huit ans. J'ai bien l'intention de tester McNab un bon moment avant de m'engager avec lui au-delà d'une simple cohabitation. Tiens ! Vous ne réagissez pas ?

— Parce que je ne vous écoute pas.

— Bien sûr que si, marmonna Peabody tandis qu'Eve se garait. Il travaille énormément pour m'aider à préparer mon examen. Ça change tout d'avoir quelqu'un à vos côtés pour vous encourager. Ça lui tient à cœur parce qu'il sait combien j'ai envie de réussir. C'est… c'est formidable.

— McNab est un crétin, la plupart du temps, mais il vous aime.

— Dallas ! Vous avez prononcé « McNab » et « aime » dans la même phrase ! Délibérément !

— Bouclez-la.

— Avec plaisir ! Je vais savourer en silence, déclara Peabody avec un sourire rêveur.

Elles se dirigèrent à pied vers une demeure à deux étages qui avait dû abriter autrefois une famille nombreuse. À en juger par l'élégance des lieux, l'activité de Breen était lucrative.

Gravissant les marches du perron, Eve repéra le système de sécurité hypersophistiqué.

Breen était marié et avait un fils de deux ans. Il touchait une allocation du gouvernement en tant que parent au foyer pendant que sa femme gagnait un salaire substantiel comme rédactrice en chef d'un magazine de mode.

Eve appuya sur la sonnette et présenta son insigne devant le scanner.

Breen lui ouvrit en personne, son fils sur les épaules. Le petit garçon tenait les cheveux de son père comme les rênes d'un cheval.

— Allez ! Allez ! cria-t-il en lui donnant des coups de pied.

— Nous sommes arrivés à destination, fiston, annonça Breen en lui immobilisant les chevilles. Lieutenant Dallas ?

— Oui. Merci de m'accorder un peu de votre temps, monsieur Green.

— Aucun problème. Je suis toujours content de discuter avec les flics, et je suis votre carrière de près. J'ai en projet un ouvrage sur les meurtres à New York. Je pense que vous serez l'une de mes sources principales.

— Vous devrez passer par le service de relations publiques du Central. Pouvons-nous entrer ?

— Oh, oui, bien sûr ! Excusez-moi.

Il s'écarta. Il avait une trentaine d'années, un visage agréable et un corps solidement bâti. Vu la musculature de ses bras, il ne devait pas passer ses journées devant un ordinateur.

— Pan ! Pan ! hurla le petit garçon en apercevant l'arme d'Eve. Zappit !

Breen s'esclaffa, tout en le déposant délicatement à terre.

— Jed est un assoiffé de sang. C'est de famille. Je le confie au droïde et je suis à vous.

— Pas le droïde ! geignit l'enfant. Veux rester avec Papa !

— Ce ne sera pas long, champion. Ensuite, on ira au parc.

Tout en chatouillant son fils, il le propulsa vers l'escalier.

— C'est sympa de voir un type s'occuper comme ça d'un môme, et y prendre plaisir, commenta Peabody.

— Ouais. Je me demande comment un homme qui réussit aussi bien peut supporter de rester à la maison toute la journée à jouer les papas modèles, alors que sa femme occupe un poste important dans une grosse entreprise. Certains le vivraient mal, reprocheraient à la dame d'être trop autoritaire, dominatrice. Peut-être que sa mère était comme ça – la mère de Breen est neurologue, son père a opté pour la voie de la paternité professionnelle. Oui, murmura Eve en jetant un coup d'œil vers l'escalier, d'aucuns en voudraient à leur femme de leur imposer un tel fonctionnement.

— C'est très sexiste, ce que vous dites.

— Oui. Certaines personnes sont sexistes.

Peabody fronça les sourcils.

— Il faut être sacrément intelligent pour découvrir un tableau idyllique tel que celui-ci et le transformer en un éventuel mobile de meurtre.

— C'est un de mes nombreux talents, Peabody.

9

Breen les fit entrer dans un vaste bureau attenant à la cuisine. Deux larges fenêtres surplombaient une sorte de patio cerné par un muret derrière lequel se dressaient des arbres feuillus. On se serait cru dans une banlieue tranquille, plutôt qu'en plein cœur de la métropole.

La terrasse était meublée de deux chaises longues et d'une table ronde surmontée d'un parasol. Deux énormes camions en plastique reposaient sur le flanc entre les bacs de fleurs.

Pourquoi, se demanda Eve, les enfants s'obstinaient-ils à malmener leurs jouets ? Peut-être s'agissait-il d'une sorte de disposition primitive innée qu'ils finissaient – à condition que tout se passe bien – par surmonter, ou du moins réprimer en devenant adultes ?

Assis sur le siège à roulettes qui était initialement devant l'ordinateur, le père de Jed avait l'air d'un homme civilisé. Certes, il gagnait sa vie en racontant les histoires d'individus qui n'avaient reculé devant rien et qui, loin de maîtriser leurs instincts destructeurs, étaient passés des camions en plastique à la chair humaine.

Mais il fallait de tout pour faire un monde, songea Eve.

— En quoi puis-je vous aider ?

— Vous avez mené des recherches approfondies sur les tueurs en série.

— Des figures historiques, essentiellement. Bien qu'il me soit arrivé d'interviewer quelques contemporains.

— Pourquoi, monsieur Breen ?

— Tom. Pourquoi ? répéta-t-il, étonné. Parce qu'ils me fascinent. Vous en avez approché plus d'un. Ne les trouvez-vous pas fascinants ?

— Je ne sais pas si c'est le terme que j'emploierais.

Il se pencha en avant.

— Mais on ne peut que se demander ce qui a fait d'eux ce qu'ils sont, non ? Ce qui les différencie du reste d'entre nous ? Est-ce un petit quelque chose en plus, ou en moins ? Sont-ils nés pour tuer, ou ce besoin évolue-t-il en eux au fil des ans ? Est-ce un incident en particulier qui les a fait basculer, ou toute une série d'événements ? En fait, la réponse est toujours la même, et c'est *cela* qui est fascinant. Un individu grandit dans la misère et la maltraitance, et devient un membre utile de la société. Président de banque, mari fidèle, bon père, ami loyal. Il joue au golf le week-end et promène son chien chaque soir. Il se sert de son passé pour aller toujours plus loin, toujours plus haut.

— Tandis qu'un autre l'utilisera comme prétexte pour plonger. Oui, je comprends. Pourquoi avoir choisi d'écrire sur le sordide ?

Il se cala dans son fauteuil.

— Je pourrais vous débiter un discours savant sur les effets positifs de ce genre d'étude. Comprendre, être informé, c'est prendre le pouvoir sur la peur. Ce ne serait pas un mensonge. Mais sur un tout autre plan, ajouta-t-il en ébauchant un sourire, c'est tout simplement parce que ça m'amuse. Je baigne là-dedans depuis que je suis môme. Jack l'Éventreur m'a occupé pendant des heures. J'ai tout lu, visionné les vidéos qui existent sur lui, surfé sur l'Internet, inventé des histoires dans lesquelles j'étais un flic de l'époque, à sa poursuite. En chemin, j'ai élargi ma palette, je me suis penché sur les profils des criminels, les étapes...

Il haussa les épaules.

— Un moment, j'ai pensé que j'allais devenir flic, pourchasser les méchants. Mais ça n'a pas duré. Ensuite, j'ai envisagé une carrière de psy, mais ça ne me convenait pas. Ce qui m'intéressait vraiment, c'était l'écriture, et j'étais doué pour ça.

— Il paraît que certains auteurs éprouvent le besoin d'expérimenter avant de rédiger.

Breen éclata de rire.

— Vous me demandez si je suis allé découper des prostituées au nom de la recherche ?

Comme Eve le dévisageait, impassible, il cessa brusquement de rire, cligna des yeux, puis déglutit audiblement.

— Merde alors, j'ai deviné juste ! Je suis suspect ? s'écria-t-il en blêmissant. Pour de vrai ?

— J'aimerais savoir où vous étiez le 2 septembre, entre minuit et 3 heures du matin.

— Chez moi, je suppose. Je ne sais pas...

Il se frotta les tempes.

— Je n'en crois pas mes oreilles. Je pensais que vous veniez me consulter. J'étais plutôt flatté. Euh... j'étais ici. Julietta, ma femme, avait une réunion tardive et n'est rentrée que vers 22 heures. Elle était épuisée. Elle est montée directement se coucher. J'ai continué à écrire. Avec Jed, la maison n'est tranquille qu'au milieu de la nuit. J'ai dû travailler jusqu'aux environs de 1 heure, peut-être un peu plus tard. Je peux vérifier sur mon disque de sauvegarde.

Il ouvrit des tiroirs, fouilla.

— Je… euh… Seigneur ! Après ça, j'ai joué mon rôle de maître de maison, comme chaque soir. Je m'assure toujours que tout est fermé à clé, que l'alarme est branchée. Je jette un coup d'œil sur Jed.

— Et dimanche matin ?

— Ce dimanche ? Ma femme s'est levée en même temps que Jed.

Il marqua une pause, et Eve nota un changement dans son expression. Le premier choc passé, il commençait à se prêter au jeu, comme s'il était fier de figurer parmi les suspects.

— Le dimanche, en général, je m'offre une grasse matinée, et elle prend le relais avec le petit. Elle le voit beaucoup moins que moi. Elle l'a emmené au parc. Quand il fait beau, ils emportent un petit-déjeuner pique-nique. Jed adore ça. J'ai dû faire surface aux alentours de midi. Pourquoi dimanche ? Je ne saisis pas… Ah, si, bien sûr ! La femme que l'on a retrouvée étranglée dans son appartement. La soixantaine, elle vivait seule. Agression sexuelle et strangulation.

Ses joues avaient retrouvé des couleurs. Il plissa les yeux.

— Les informations étaient assez floues, mais l'agression sexuelle et la strangulation, ce n'est pas le style de l'Éventreur. Le choix de la victime non plus. Où est le lien ?

Devant l'impassibilité d'Eve, il avança vers elle sans quitter son siège.

— Écoutez, si c'est moi le meurtrier, je le sais déjà, donc vous ne m'apprendrez rien. Si je suis juste l'expert en matière de tueurs en série, quelques détails supplémentaires pourraient me permettre de vous aider. Dans un cas comme dans l'autre, qu'avez-vous à perdre ?

Eve avait déjà décidé ce qu'elle allait lui révéler ou non, mais elle soutint son regard encore un instant.

— C'est la ceinture du peignoir de la victime qui a servi d'arme du crime. Elle formait un nœud sous son menton.

— L'Étrangleur de Boston. C'était sa signature.

Il claqua des doigts et se mit à fourrager parmi la pile de disques sur son bureau.

— J'ai énormément de notes sur lui. Waouh ! Vous avez deux tueurs imitateurs ? Ils forment une équipe, comme Leopold et Loeb ? À moins que... Non, ils ne sont pas deux. Il n'y en a qu'un, et il a toute une liste de héros. C'est pour ça que vous vous intéressez à moi. Vous vous demandez si les personnages que je décris sont mes héros, si je mélange ma vie professionnelle avec ma vie personnelle.

Il se leva, arpenta la pièce de long en large, d'une démarche plus énergique que nerveuse.

— C'est incroyable ! Il a probablement lu mes ouvrages. C'est assez terrifiant, mais bizarrement excitant en même temps. DeSalvo. Tout l'opposé de Jack. Col bleu, avec une famille, sans envergure. Jack était probablement cultivé, et sans doute issu d'un milieu aisé.

— Si les informations que je viens de vous communiquer parviennent aux médias, je saurai d'où vient la fuite, l'avertit Eve. Je vous pourrirai l'existence.

— Pourquoi m'adresserais-je aux journalistes ? Pourquoi leur donner la primeur ?

Il se rassit.

— C'est du matériel de best-seller. Je sais que ça peut paraître cruel, mais dans mon métier, je me dois d'avoir du recul, comme vous. Je vous aiderai de mon mieux. J'ai des montagnes de données accumulées au fil des ans sur tous les grands tueurs en série depuis l'Éventreur. Je vous les soumettrai, je participerai en tant que consultant civil – sans honoraires. Et quand ce sera terminé, je publierai un livre.

— Je vais y réfléchir, dit Eve.

En se levant, elle remarqua sous le bureau un carton contenant du papier à lettres blanc cassé.

— Joli papier à lettres, commenta-t-elle en allant ramasser la boîte.

— Hein ? Ah, oui ! Je m'en sers quand j'ai quelqu'un à impressionner.

— Pas possible ! s'exclama-t-elle, ses yeux rivés sur lui tels des rayons laser. Qui avez-vous tenté d'impressionner, dernièrement ?

— Mon Dieu, je n'en sais rien. Je crois que j'ai dû m'en servir il y a deux semaines, pour adresser un courrier à mon éditeur. Je voulais le remercier pour un dîner. Pourquoi ?

— Où l'avez-vous acheté ?

— C'est sûrement ma femme qui l'a acheté. Non, attendez... Non, non, reprit-il en s'approchant d'Eve, l'air ahuri. Ce n'est pas ça. C'était un cadeau. Oui, je m'en souviens, à présent. Je l'ai reçu par l'intermédiaire de mon éditeur, de la part d'un admirateur. Les lecteurs m'envoient sans arrêt des trucs comme ça.

— Un petit présent d'une valeur de cinq cents dollars ?

— Vous plaisantez ? Cinq cents dollars ! Alors, ça ! Je devrais faire attention à ne pas le gaspiller.

— J'aimerais en emporter un échantillon, monsieur Breen. Ce papier correspond à celui laissé sur les deux victimes.

— C'est insensé ! souffla-t-il en se laissant retomber sur son siège. Tenez, prenez-le, ajouta-t-il en se ratissant les cheveux. Il me connaît. Il a lu mes bouquins. Qu'est-ce qu'il disait dans son mot ? Je ne me rappelle plus exactement. Il m'expliquait combien il appréciait mon travail, l'attention que je portais aux détails et... et mon enthousiasme quant au sujet.

— Vous l'avez encore, ce message ?

— Non. Je ne les garde pas. Je réponds personnellement à certains courriers électroniques. Pour le reste, c'est un droïde qui s'en charge. Lorsqu'il s'agit d'un courrier normal, on recycle le papier après avoir répondu. Vous croyez qu'il s'appuie sur mes livres pour ses recherches ? C'est à la fois horrible et très flatteur.

Eve tendit une feuille et une enveloppe à Peabody, qui les glissa dans un sachet transparent.

— Donnez-lui un reçu, ordonna-t-elle. À votre place, je ne serais pas flattée, monsieur Breen. Il ne s'agit pas de recherches ou d'écrits.

— Je ne suis plus qu'un simple observateur. Je suis dans le coup malgré moi.

— J'ai l'intention de l'arrêter très vite, monsieur Breen. Si les choses se passent comme prévu, vous n'aurez pas grand-chose à mettre dans votre prochain livre.

— Je ne sais pas quoi penser de lui, avoua Peabody quand elles furent dehors.

Elle se retourna, examina la maison, imagina Breen hissant son fils sur ses épaules pour l'emmener au parc. Et rêvant de célébrité et de fortune grâce à sa plume trempée dans le sang.

— Le carton était bien visible. Il n'a pas cherché à le cacher.

— Où serait l'excitation si on ne le trouvait pas ?

— Certes... Pas de doute, un rien l'excite. Mais son histoire tient debout, surtout si le tueur a lu ses ouvrages.

— Il ne peut pas prouver ce qu'il avance, et nous allons devoir perdre du temps à remonter jusqu'à la source, remarqua Eve. Ce qui le fait saliver.

Elles regagnèrent la voiture.

— Qu'avez-vous pensé de lui ? risqua Peabody.

— Je n'en sais rien encore. S'il n'est rien de plus que ce qu'il prétend, il ne me pose aucun problème. Les gens sont galvanisés par le meurtre, Peabody. Ils lisent des romans qui traitent du sujet, regardent des films, écoutent les informations chaque soir. Ils adorent ça, du moment que ça ne se passe pas trop près de chez eux. Les jeux du cirque n'existent plus, mais l'homme est toujours aussi fasciné par le sang. De manière abstraite. Parce que c'est rassurant. Quelqu'un est mort, mais ce n'est pas moi.

En montant dans le véhicule, elle se revit enfant, repliée dans un coin de cette pièce glaciale, à Dallas, le regard fixé sur le corps ensanglanté de ce qui avait été son père.

— On ne peut pas ressentir ça quand on y est confronté jour après jour, murmura Peabody. Quand on fait notre métier.

— Non, concéda Eve en démarrant. Mais certains en sont capables. Tous les flics ne sont pas des héros. Tous les pères ne sont pas des hommes bons sous prétexte qu'ils promènent leur gamin sur les épaules. Que je l'apprécie ou non, la faiblesse de son alibi, son boulot, le fait qu'il possède le fameux papier à lettres m'obligent à le rajouter à notre liste. Nous allons effectuer une recherche soigneuse sur Thomas A. Breen. Sur sa femme, aussi. Que n'a-t-il pas dit au cours de cette conversation, Peabody ?

— Euh... je ne vous suis pas...

— Il nous a dit qu'elle était rentrée tard après une réunion. Qu'elle était montée se coucher aussitôt. Que lui avait continué à travailler. Le lendemain, il a fait la grasse matinée. Elle a emmené le petit au parc. Mais jamais il n'a prononcé le mot « nous ». Ma femme et moi, Julietta et moi. Moi, ma femme et Jed. Voilà ce qu'il n'a pas dit. Que peut-on en déduire, selon vous ?

— Que le couple bat de l'aile, qu'il y a des frictions entre eux, ou du désintérêt. Oui, c'est possible, mais quand on bosse tous les deux et qu'on a un enfant, on finit par tomber dans une sorte de routine.

— Peut-être. Dans ce cas, à quoi bon rester ensemble ? Il est séduisant, il commence peut-être à en avoir assez, justement. Surtout s'il a l'impression de revivre son enfance. Un homme de trente ans qui se regarde dans la glace n'a pas envie d'y voir l'image de son père. Nous allons nous pencher sérieusement sur le cas de Thomas A. Breen, conclut Eve. Nous verrons bien où cela nous mènera.

Eve décida de passer chez Fortney.

— Je veux le titiller sur le deuxième meurtre, revenir sur le premier. Son alibi ne tient pas. Comme j'ai tendance à être à cran quand les gens me mentent, je ne serai pas particulièrement amicale.

— Vu que vous êtes d'ordinaire la joie et la bonne humeur incarnées, lieutenant, cela risque d'être quelque peu tendu.

— Ce véhicule empeste l'ironie.

— On le fera désinfecter.

— Je laisse passer pour cette fois. Après quelques minutes de conversation désagréable avec Fortney, mon communicateur va biper.

— C'est curieux, ce soudain talent pour la voyance ne me surprend pas outre mesure.

— Je serai ennuyée, mais obligée de prendre la communication. Je vous passerai donc le relais.

— Savez-vous aussi qui sera au bout du fil ?... Quoi ? Moi ? Prendre le relais ?

Le petit sourire insolent de Peabody s'était volatilisé.

— Vous poursuivrez, en qualité de gentil flic. La débutante timide, qui manque d'expérience. Jouez le jeu.

— Lieutenant. Dallas. Je *suis* une débutante timide qui manque d'expérience. Je n'ai pas besoin de feindre...

— Débrouillez-vous pour que ça marche, l'interrompit Eve. Laissez-le croire que c'est lui qui vous mène par le bout du nez. Il ne verra devant lui qu'un officier en uniforme obéissant docilement aux ordres de son supérieur, moi, en l'occurrence. Il sera loin de se douter qui vous êtes vraiment.

« Je ne le sais pas moi-même », pensa Peabody, qui aspira toutefois une grande bouffée d'air.

— Je vois.

— Débrouillez-vous pour que ça marche, répéta Eve en se garant devant l'immeuble de bureaux pour programmer la minuterie de son communicateur.

Eve fonça dans le bureau de Fortney et s'empressa de créer l'ambiance. En y prenant un malin plaisir. Elle commença par interrompre son holo-conférence avec un réalisateur de vidéos.

— Leo, je vous conseille de reporter votre réunion. À moins que vous ne teniez à ce que Hollywood participe à notre conversation.

— Vous n'avez pas le droit de faire irruption de cette manière !

Elle agita son insigne afin qu'il soit bien visible à l'écran.

— On parie ?

Le visage de Fortney avait pris une teinte violacée.

— Je suis désolé, Thad. Il faut que je règle ce... cet incident. Je demande à mon assistante de reprendre rendez-vous avec vous, à votre convenance.

Il éteignit l'hologramme avant que Thad puisse répondre.

— Je ne tolère pas ce genre de piège ! gronda-t-il, ses cheveux magenta sévèrement tirés en une queue-de-cheval qui se balançait tandis qu'il agitait les bras. J'appelle mon avocat. Je veillerai à ce que vous soyez sanctionnée par votre supérieur.

— Faites, je vous en prie. Nous irons au Central, où vous pourrez m'expliquer, en présence de votre avocat et de mon supérieur, pourquoi vous m'avez fourni un alibi de merde.

Eve s'approcha, pointa l'index sur la poitrine de Fortney.

— Mentir à la personne chargée d'une enquête pour homicide ne peut que vous desservir, Fortney.

— Si vous insinuez que je cherche à couvrir...

— Je n'insinue rien du tout. J'affirme. Votre gagne-pain vous a trahi, camarade. Vous n'êtes pas, comme vous l'avez affirmé, allé vous coucher avec elle cette nuit-là. Elle s'est endormie seule et *suppose* que vous l'avez rejointe à un moment ou à un autre. Alors, reprenons de zéro. Chez vous ou chez moi, à votre guise.

— Comment *osez*-vous ! explosa-t-il. Vous croyez que je vais me laisser insulter, laisser la femme que j'aime se faire insulter par une espèce de gouine de flic...

— Et que comptez-vous faire ? M'éliminer, comme Jacie Wooton et Lois Gregg ? Ce sera plus compliqué. Je ne suis ni une pute sur le retour ni une dame de soixante ans.

— Je ne sais pas de quoi vous parlez !

— Vous n'avez pas été fichu de la lever, n'est-ce pas, Leo ? enchaîna-t-elle en faisant attention de ne pas le toucher, bien qu'elle l'eût volontiers frappé. Elle avait beau être ligotée, à votre merci, vous étiez incapable de bander.

— Écartez-vous ! Vous êtes complètement cinglée ! Vous avez perdu la boule.

— Vous allez voir de quoi je suis capable si vous ne me précisez pas où vous étiez la nuit du 2 septembre et le matin du 5. Fichez-vous de moi, Leo, et vous verrez comment je suis quand je perds la boule.

Son communicateur bipa. En grognant, elle l'arracha de sa poche.

— Texte seulement ! glapit-elle.

Elle laissa passer quelques secondes, comme si elle lisait.

— Nom de nom ! Peabody, faites cracher ce crétin. J'ai une urgence. Cinq minutes, Leo ! annonça-t-elle par-dessus son épaule en se dirigeant vers la porte. Dans cinq minutes, je reviens pour le deuxième round.

Il s'assit lourdement.

— Cette femme est une véritable plaie ! Un peu plus, et elle me frappait.

— Vous vous trompez, monsieur, fit Peabody. Mon lieutenant est... ces derniers jours ont été assez pénibles, monsieur Fortney. Le lieutenant Dallas est sous pression. Je suis navrée qu'elle se soit emportée. Voulez-vous un verre d'eau ?

— Non. Non, merci.

Il s'essuya le front.

— J'ai besoin de me calmer. Je n'ai pas l'habitude d'être traité ainsi.

— Elle est très vive, expliqua Peabody en esquissant un sourire lorsqu'il leva les yeux vers elle. Je suis sûre que nous pourrons arranger tout ça avant son retour. Nous avons noté quelques incohérences dans votre dernière déclaration, monsieur. Quand on ne s'attend pas à devoir rendre compte de ses mouvements, il est normal de confondre les heures et les dates.

— C'est évident ! s'exclama-t-il, visiblement soulagé. Je ne m'attendais certes pas à être interrogé au sujet d'un meurtre !

— Je comprends. D'ailleurs, si vous aviez tué Mlle Wooton ou Mme Gregg, il me semble que vous auriez prévu un alibi solide. Vous êtes un homme intelligent.

— Merci, officier…

— Peabody, monsieur. Si vous permettez, je vais sortir mes notes et nous allons reprendre de zéro.

Elle le gratifia d'un sourire indulgent.

— Je peux m'asseoir ?

— Oui, oui. Cette femme m'a perturbé ! J'en ai oublié mes bonnes manières. Je ne sais pas comment vous supportez de travailler avec elle.

— C'est vraiment pour elle, monsieur. Je suis en formation.

— Je vois.

Il se détendait. Peabody en était consciente. De même, elle savait qu'il était amusé à la pensée d'avoir échappé au lion et récupéré un chaton.

— Vous appartenez depuis longtemps à la police ?

— Pas trop. Je m'occupe surtout de la paperasserie. Le lieutenant a horreur de ça.

Elle leva les yeux au ciel, feignit de se ressaisir et parvint même à rougir. Fortney ne put s'empêcher de rire.

— Votre secret ne craint rien avec moi. Néanmoins, je me demande ce qui peut pousser une femme aussi séduisante que vous à exercer un tel métier ?

— Dans cette profession, les hommes sont plus nombreux que les femmes, répondit-elle. C'est une motivation en soi. Je tiens à vous dire combien j'admire votre travail. Je suis une passionnée de théâtre musical, et vous avez accompli des merveilles. Pour quelqu'un comme moi, c'est un univers si excitant.

— Si cela vous dit, je pourrais vous faire visiter les coulisses.

— Ce serait…

Elle laissa les mots mourir sur ses lèvres, jeta un bref coup d'œil vers la porte.

— … avec grand plaisir… Mais vous ne direz rien, n'est-ce pas ? En principe, je ne suis pas censée accepter ce genre d'invitation.

Il fit mine de tirer une fermeture Éclair sur ses lèvres. Elle gloussa.

— Si on pouvait revoir votre déclaration avant qu'elle ne revienne… Sinon, elle va m'étrangler.

— Ma chérie, vous ne croyez tout de même pas que je suis capable de tuer quelqu'un.

— Oh, non, monsieur Fortney, mais le lieutenant…

Il se leva, contourna son bureau, se percha sur le bord.

— Cette femme ne m'intéresse pas. Le fait est que Pepper et moi… eh bien, disons que notre relation n'est plus ce qu'elle était. Nous sommes toujours associés, mais nous ne restons ensemble que pour sauver les apparences. Elle travaille très dur sur cette pièce, je ne veux pas qu'elle soit perturbée. Malgré nos difficultés, j'ai beaucoup d'affection et de respect pour elle.

Il afficha un air de chien battu, et Peabody s'efforça de réagir avec compassion. Tout en pensant : « Crétin, tu me prends pour qui ? »

— Ce doit être très pénible.

— Le show-business est une maîtresse exigeante, des deux côtés du rideau. Je ne vous ai pas complètement menti à propos de cette fameuse nuit. J'ai omis de signaler que Pepper et moi n'avions pratiquement pas parlé à son retour du théâtre. J'ai passé cette nuit-là comme bien d'autres. Seul.

— Personne ne peut donc corroborer vos dires ?

— Je crains que non, pas directement, bien que Pepper et moi ayons passé la nuit sous le même toit. C'était une soirée comme les autres, et j'avoue que je les confonds toutes, désormais. Dites-moi, on pourrait peut-être dîner ensemble ?

— Euh...

— En toute discrétion, précisa-t-il. Il n'est pas question que je sois vu en charmante compagnie tant que Pepper et moi sommes ensemble officiellement. Les ragots la blesseraient. Elle est très sensible. Il faut qu'elle reste concentrée sur la pièce.

— C'est... c'est très touchant. J'accepterais volontiers, à condition de trouver le temps. Avec ces meurtres, le lieutenant est sur le terrain vingt-quatre heures sur vingt-quatre. Et quand elle bosse, je bosse.

— Ces meurtres, répéta-t-il, sincèrement perplexe. C'est donc ça ? Une deuxième prostituée a été tuée ?

— Il y a eu une autre agression, éluda Peabody. Cela me serait très utile de savoir où vous étiez dimanche matin, entre 8 heures et midi. Cela vous couvrirait, et je pourrais sans doute arranger les choses avec le lieutenant Dallas afin qu'elle ne vienne plus vous importuner.

— Dimanche matin ? J'ai dormi jusqu'à 10 heures, environ. Le dimanche, je me fais plaisir. Pepper a dû se lever tôt. Elle ne rate jamais son cours de danse. J'ai dû manger un brunch en lisant le journal. Je ne me suis sans doute pas habillé avant midi.

— Vous étiez seul de nouveau ?

Il eut un sourire triste.

— Oui. Pepper se sera rendue directement au théâtre pour la matinée. Je suis allé au club, mais pas avant au moins 13 heures. Natation, sauna, massage… Je n'ai vraiment rien d'intéressant à vous raconter sur cette journée. Si j'avais été accompagné… nous serions allés nous promener à la campagne, nous nous serions arrêtés dans une auberge de charme pour un déjeuner au champagne, bref, nous aurions passé un dimanche agréable. Mais en l'occurrence, ma vie n'est que travail, désillusions et solitude.

— Pouvez-vous me communiquer le nom de votre club ? Que j'ai du solide à donner au lieutenant Dallas.

— Le *Gold Key*, sur Madison Avenue.

— Merci.

Peabody se leva.

— Je vais tâcher de l'amadouer.

Il lui prit la main, la porta à ses lèvres tout en la regardant droit dans les yeux.

— Un dîner ?

— Super ! Je vous contacte dès que je suis libre… Leo.

Elle sortit précipitamment et tomba nez à nez avec Eve.

— Je ne suis pas certaine de l'avoir complètement cerné, lui confia-t-elle. Il va peut-être demander à l'une de ses bimbos ce qui s'est passé ici. Je vous conseille de prendre un air exaspéré, comme si vous étiez sur le point de me botter le derrière.

— Parfait. Je n'aurai pas un gros effort à fournir pour entrer dans mon personnage.

— C'est un salaud, et ses alibis sont nuls. J'ai du mal à l'imaginer dans la peau de l'assassin, mais il n'a pas de couverture.

Elle fixa ses chaussures dans l'espoir de paraître soumise.

— De plus, il trompe Pepper. Régulièrement, selon moi. Il m'a draguée, et ça m'a paru très naturel de sa part. Il manque singulièrement d'imagination.

— Vous avez répondu à ses avances ?

— Suffisamment pour ne pas le décourager, pas assez pour être réprimandée en cas d'enquête officielle. Vous pourriez peut-être foncer vers l'ascenseur au pas de charge. J'ai du mal à conserver mon air docile et naïf.

Eve obtempéra, en s'arrangeant pour que Peabody ait à peine le temps de s'engouffrer dans la cabine avant que les portes se referment.

— Ça fait plus vrai, non ?

— Heureusement que je ne suis pas encore obèse… Il a modifié sa déclaration concernant la nuit du meurtre de Wooton. Il prétend que Pepper et lui ne sont plus qu'associés, qu'ils restent ensemble pour éviter toute publicité négative jusqu'à la fin de la pièce. Il maintient avoir passé la nuit chez lui, mais seul, de même que la matinée du dimanche.

— Je me demande bien quel genre d'idiote pourrait s'apitoyer sur son sort.

— À mon avis, elles sont nombreuses, assura Peabody avec un haussement d'épaules. En fait, il ne se débrouille pas si mal. Mais il est trop rapide, trop direct. Bref, il affirme avoir passé l'après-midi du dimanche au *Gold Key*, sur Madison Avenue. D'après moi, il fait joujou avec au moins l'une de ses bimbos de secrétaires. Il n'est pas du genre à s'adresser à une compagne licenciée. Il ne va pas payer ce qu'il peut avoir gratos. Et, toujours d'après moi, Pepper serait très surprise d'apprendre qu'ils ne sont plus qu'associés. Je dois dire qu'il n'a pas grand respect pour la gent féminine.

Bravo, Peabody ! songea Eve en s'adossant contre la paroi de l'ascenseur.

— Il pense aux femmes, parce qu'il veut sauter tout ce qui porte un jupon. Mais il ne les aime pas. En parlant de vous, il disait « cette femme ». Il ne vous a jamais appelée par votre nom ou votre rang.

— Beau travail.

— Je ne sais pas si j'ai appris quoi que ce soit d'utile. Sauf qu'à bien y réfléchir je peux l'imaginer en train de commettre ces meurtres.

— Vous avez découvert qu'il mentait à sa maîtresse, et que, si ce n'est pas déjà le cas, il est prêt à la tromper. Vous avez aussi découvert qu'il avait eu l'occasion de perpétrer les deux crimes. C'est un menteur. Ça ne fait pas de lui un meurtrier, mais c'est un menteur avec une opportunité, l'accès au papier à lettres retrouvé sur les deux scènes de crime, et qui en veut aux femmes. Pas mal, pour aujourd'hui.

Carmichael Smith était en studio – à New Los Angeles. Elle décida donc de faire l'impasse pour le moment. Niles Renquist était tellement absorbé dans ses paperasses qu'elle opta pour sa femme.

Les Renquist habitaient une superbe demeure ancienne. Le vestibule, où elles furent admises à contrecœur par un majordome digne de Summerset, était de couleur crème et bordeaux, meublé d'antiquités.

Un vase de cristal empli de lys blancs et rouges trônait sur une table étroite le long de la cage d'escalier.

— On se croirait dans un musée, chuchota Peabody.

Un claquement de talons sur le parquet empêcha Eve de répondre. La femme qui se dirigeait vers elle était ravissante, aussi parfaite et élégante que sa demeure. Ses cheveux, d'un blond doré, étaient coupés au carré. Son teint était laiteux, ses joues et ses lèvres, légèrement rosies. De toute évidence, songea Eve, elle ne sortait jamais sans s'être enduite d'écran total de la tête aux pieds. Elle portait un pantalon large, des talons hauts et une chemise ample, blanc cassé.

— Lieutenant Dallas ! s'exclama-t-elle avec un léger accent anglais en lui tendant la main. Pamela Renquist. Je suis désolée, mais j'attends des invités. Si vous aviez contacté ma secrétaire, elle aurait pu vous donner un rendez-vous à un moment plus approprié.

— Je m'efforcerai d'être brève.

— S'il s'agit du papier à lettres, vous auriez tout intérêt à vous adresser à ma secrétaire. C'est elle qui se charge de ma correspondance.

— Est-ce vous qui l'avez acheté, madame Renquist ?

— C'est possible. J'aime faire du shopping quand je suis à Londres, mais je garde rarement souvenir de mes multiples petits achats. J'avais cru comprendre que mon mari avait déjà discuté de cela avec vous.

— En effet. Dans une enquête pour homicide, les recoupements sont importants. Pouvez-vous me dire où vous vous trouviez, votre mari et vous, la nuit…

— La nuit du meurtre de cette malheureuse personne, nous étions exactement là où Niles vous l'a dit. Mon mari est un homme fort occupé, lieutenant, et je sais qu'il a déjà pris sur son temps pour parler avec vous de cette affaire. Je n'ai rien à ajouter et j'attends des invités.

Pas si vite, ma chérie !

— Je n'ai pas encore interrogé votre mari à propos du deuxième meurtre. Pouvez-vous me dire où vous étiez dimanche, entre 8 heures et midi ?

Pour la première fois depuis son arrivée, Mme Renquist parut mal à l'aise. La réaction fut éphémère, un imperceptible froncement de sourcils, une légère coloration des joues. Puis elle reprit son air impassible.

— Je trouve tout cela très fastidieux, lieutenant.

— Oui, moi aussi. Dimanche, madame Renquist.

Les narines finement ciselées de Pamela frémirent.

— Le dimanche, nous prenons un brunch à 10 h 30. Avant cela, mon mari s'est offert une séance de relaxation bien méritée, entre 9 et 10 heures. Pendant ce temps, je faisais ma gymnastique. À 11 h 30, notre fille a dû partir avec la jeune fille au pair visiter un musée, pendant que mon mari et moi nous apprêtions à aller jouer au tennis, en double avec des amis. Cela vous suffit-il, lieutenant ?

— Vous étiez donc chez vous entre 8 heures et midi.

— Je viens de vous le dire.

— Maman...

Toutes deux tournèrent la tête, tandis qu'une fillette jolie comme un cœur apparaissait en haut de l'escalier. Une jeune femme brune d'environ vingt-cinq ans, les cheveux sévèrement attachés en queue-de-cheval, lui tenait la main.

— Pas maintenant, Rose. C'est impoli d'interrompre une conversation entre adultes. Sophia, ramenez-la dans sa chambre. Je vous préviendrai quand les invités seront là.

— Oui, madame.

La petite la suivit à contrecœur.

— Si vous le souhaitez, lieutenant, vous pouvez prendre rendez-vous avec mon mari ou moi, en passant par nos assistantes respectives.

Elle se dirigea vers la porte, l'ouvrit.

— J'espère que vous trouverez rapidement votre coupable.

— Je suis sûre que Jacie Wooton et Lois Gregg sont de cet avis. Merci de nous avoir reçues.

10

Eve établit les grandes lignes de l'emploi du temps quotidien de Lois Gregg avec l'aide de sa belle-fille.

Leah Gregg s'activait à préparer du thé glacé derrière le petit comptoir qui séparait la salle de séjour de la minuscule cuisine. Elle avait besoin de s'occuper les mains. L'esprit, aussi. Mais surtout, elle voulait participer activement à défendre la mère de son mari.

— Nous étions proches. À vrai dire, Lois m'était plus chère que ma propre mère. La mienne vit à Denver, avec mon beau-père. Nous avons une relation conflictuelle, avoua-t-elle avec un sourire grimaçant. Lois était formidable. Beaucoup de mes amies ont des soucis avec leurs beaux-parents. Conseils malvenus, piques, interventions intempestives.

Elle haussa les épaules et vint s'asseoir de l'autre côté du bar. Du menton, elle désigna l'alliance d'Eve.

— Vous êtes mariée, vous aussi. Vous savez ce que c'est, surtout avec les mères qui répugnent à couper le cordon avec leur fils.

Eve grogna une vague réponse. À quoi bon lui expliquer qu'elle n'en avait pas la moindre idée ? La mère de son mari avait été contrainte de couper le cordon il y avait fort longtemps.

— Lois ne m'embêtait pas avec ça. Ce n'est pas qu'elle n'aimait pas ses enfants, bien au contraire.

Elle savait maintenir l'équilibre. Elle était drôle, intelligente, et vivait sa vie. Elle aimait ses enfants, ses petits-enfants, et elle m'aimait, moi.

Leah dut reprendre son souffle.

— Jeff et sa sœur… nous sommes tous effondrés. Lois était encore jeune et en bonne santé, vive et active. Le genre de femme que l'on imagine immortelle. La perdre ainsi, c'est tellement cruel. Mais je suppose que vous avez l'habitude, dans votre métier. Et ce n'est pas la raison de votre visite.

— Je sais combien c'est douloureux pour vous, madame Gregg, et j'apprécie que vous m'accordiez un peu de temps.

— Je ferais n'importe quoi pour vous aider à retrouver ce salaud. Je suis sincère.

Eve vit qu'elle l'était.

— Je suppose que vous vous parliez souvent ?

— Deux, trois fois par semaine. Nous nous réunissions souvent : repas dominical, séances de shopping, journées entre filles. Nous étions amies, lieutenant. Lois et moi… Je… En fait, je m'aperçois qu'elle était ma meilleure amie. Merde !

Sa voix se brisa, et elle se précipita pour prendre un mouchoir en papier.

— Je ne dois pas craquer. Ça ne servirait à rien. Donnez-moi une seconde pour me ressaisir.

— Prenez votre temps.

— Nous organisons une cérémonie en sa mémoire, demain. Elle ne voulait rien de solennel ou de déprimant. Elle plaisantait souvent, à ce sujet. « Quand mon heure viendra, disait-elle, je veux une cérémonie digne, mais arrangez-vous pour que ce soit court. Ensuite, allez boire une coupe de champagne à ma santé. » C'est ce que nous ferons. Mais nous ne nous attendions pas que ce soit *maintenant*. Ça ne devait pas se passer ainsi.

Je ne sais pas comment nous allons surmonter cette épreuve.

Elle se rassit, respira à fond.

— Bien. Je sais ce qui lui est arrivé. Jeff m'a raconté. Il voulait me le cacher, mais il n'a pas pu. N'essayez pas de m'épargner, ce serait inutile.

— Elle devait vous apprécier énormément, intervint Peabody, prenant la parole pour la première fois.

Les yeux de Leah s'embuèrent de nouveau.

— Merci. En quoi puis-je vous être utile ?

— Elle portait une bague à la main gauche.

— En effet. Elle la considérait comme une alliance, bien que Sam et elle ne se soient jamais mariés. Sam était l'amour de sa vie. Il est mort il y a quelques années dans un accident, mais elle a continué de la porter.

— Pouvez-vous me la décrire ?

— Bien sûr. C'était un anneau d'or, incrusté de saphirs. Cinq minuscules saphirs, parce qu'il la lui avait offerte pour fêter le cinquième anniversaire de leur rencontre. Le modèle était sobre, très classique. Lois avait horreur des bijoux clinquants.

Elle marqua une pause.

— Il l'a prise ? Il lui a pris sa bague ? Le salopard ! Elle y tenait comme à la prunelle de ses yeux !

— Le fait qu'il ait emporté cette bague peut nous mettre sur sa piste. Quand nous l'aurons retrouvée, vous pourrez l'identifier.

— Très bien, très bien. Merci. Vu sous cet angle, si c'est un élément qui peut vous aider à le coincer, ça m'aide.

— A-t-elle évoqué, même sans s'y attarder, quelqu'un qu'elle aurait rencontré ou repéré en train de traîner dans le quartier ?

— Non.

Le communicateur de la cuisine bipa. Leah l'ignora.

— Vous pouvez décrocher, dit Eve.

— Non, ce sont des amis qui veulent nous présenter leurs condoléances. Tous ceux qui l'ont connue nous appellent. Pour l'instant, ceci est plus important.

Eve inclina la tête de côté.

— L'officier Peabody a raison. Elle devait vous apprécier énormément.

— Elle aurait voulu que je sois forte, comme elle-même l'aurait été. Alors j'essaie.

— Réfléchissez bien. Une rencontre, ces dernières semaines…

— Lois était très sociable. Elle n'hésitait pas à s'adresser aux inconnus sur le marché ou dans le métro. Elle ne m'en aurait pas parlé, à moins que ça sorte vraiment de l'ordinaire.

— Dites-moi où elle allait, les chemins qu'elle empruntait. De façon quotidienne. Quelles étaient ses habitudes. Le genre de choses qu'un individu qui la filait aurait pu utiliser pour déterminer qu'elle serait seule chez elle un dimanche matin.

Leah se lança courageusement, et Eve prit des notes.

Lois Gregg avait mené une existence simple et active. Cours de gymnastique trois fois par semaine, séances bihebdomadaires chez le coiffeur, marché le vendredi, restaurant ou cinéma le jeudi soir avec des amis, bénévolat le lundi après-midi dans une garderie, emploi à mi-temps de vendeuse dans une boutique de vêtements pour femme le mardi, le mercredi et le samedi.

— Elle a eu quelques rendez-vous, précisa Leah, mais rien de sérieux. Comme je vous l'ai dit, Sam était tout pour elle. Si elle avait fréquenté un homme régulièrement, je l'aurais su.

— Les clients de la boutique ? Des hommes ?

— Parfois, des hommes venaient acheter un cadeau pour leur compagne. Mais pas dernièrement. Attendez.

Elle se raidit brusquement.

— Attendez… Elle m'a parlé d'un homme qu'elle avait rencontré en faisant ses courses. Il y a une quinzaine de jours. Elle m'a dit qu'il semblait désemparé devant l'étal de tomates.

Comme pour réactiver sa mémoire, Leah se frotta les tempes.

— Elle l'a aidé à choisir des fruits et des légumes. C'était elle tout craché. Elle m'a expliqué que c'était un père célibataire, récemment installé à New York avec son petit garçon. Il cherchait un mode de garde, elle lui a donc signalé l'existence de *Kid Time*, l'établissement où elle est bénévole. La connaissant, elle a dû lui poser des questions. Il était plutôt bel homme, très attaché à son enfant. Elle espérait lui faire rencontrer une jeune femme qui travaillait à *Kid Time*. Comment a-t-elle dit qu'il s'appelait, déjà ? Ed, Earl… Non, non ! Al. Oui, c'est ça. Al.

— Al, répéta Eve, l'estomac noué.

— Elle m'a raconté qu'il avait porté ses sacs et l'avait raccompagnée presque jusque chez elle. Ils ont discuté enfants. Sur le moment, je n'y ai pas vraiment prêté attention : ce genre de choses lui arrivait sans arrêt. Telle que je la connais, elle a dû lui parler de nous. Elle a dû lui dire qu'on se retrouvait le dimanche et qu'elle attendait toujours ces réunions avec impatience. Et qu'elle savait ce que c'était que d'être seul pour élever ses enfants.

— Elle vous l'a décrit ?

— Elle m'a simplement précisé que c'était un beau garçon. Ce qui ne signifie pas grand-chose. À ses yeux, n'importe quel homme âgé de moins de quarante ans était un garçon.

Parfait, songea Eve. Voilà qui éliminait Elliot Hawthorne.

— Elle était très maternelle. En voyant ce type hésiter devant ses tomates, elle se sera précipitée vers lui pour lui donner un coup de main. Un gars du Sud, ajouta Leah. Oui, c'est ça. Un beau garçon du Sud.

— C'était une perle. Vous voyez ce que je veux dire ?

Rico Vincenti, propriétaire du magasin où Lois Gregg effectuait ses courses hebdomadaires, essuya sans honte ses larmes avec un bandana rouge, qu'il s'empressa de fourrer dans la poche arrière de son pantalon kaki.

— C'est ce que j'ai entendu dire. Elle venait ici régulièrement.

— Chaque vendredi. Parfois, elle passait dans la semaine, mais son jour, c'était le vendredi. Elle prenait des nouvelles de ma famille, se plaignait des prix – jamais méchamment. Elle était très agréable. J'ai des clients qui ne disent même pas bonjour. Si jamais je tombe sur ce salaud... *finito* ! s'exclama-t-il en ponctuant ce mot d'un geste obscène.

— Je m'en charge, répliqua Eve. Avez-vous remarqué quelqu'un qui traînait dans les parages, qui l'observait discrètement ?

— Si je vois quelqu'un qui importune un de mes clients, je le fiche dehors. Je suis là depuis quinze ans. Ici, c'est chez moi.

— Il y a environ deux semaines, Lois Gregg a aidé un monsieur à choisir des tomates. Elle a discuté avec lui.

— Ça ne m'étonne pas d'elle, marmonna Rico en ressortant son bandana.

— Il est parti en même temps qu'elle. Il portait ses sacs. Plutôt bel homme, sans doute moins de quarante ans.

— Mme Gregg, elle bavardait avec tout le monde. Laissez-moi réfléchir.

Il ratissa ses cheveux poivre et sel, fronça les sourcils.

— En effet, il y a deux semaines, elle a pris un gars sous son aile. Elle lui a choisi du beau raisin, des tomates, une romaine, des radis, des carottes, deux livres de pêches.

— Pouvez-vous m'en dire autant sur cet individu que sur ce qu'il a acheté ?

Pour la première fois, Vincenti sourit.

— Pas vraiment. Elle me l'a amené, et elle m'a dit : « Monsieur Vincenti, je veux que vous preniez soin de mon nouvel ami, Al, quand il reviendra ici tout seul. Il a un petit garçon qui a besoin de manger ce qu'il y a de meilleur. » J'ai répondu un truc du genre : « Je ne vends que ce qu'il y a de meilleur. »

— Et lui, qu'a-t-il dit ?

— Rien, il me semble. Il souriait beaucoup. Il portait une casquette. Des lunettes de soleil, aussi, maintenant que j'y pense. Par cette chaleur, tout le monde porte une casquette et des lunettes.

— Grand ? Petit ?

— Euh… mince, alors ! souffla-t-il en s'essuyant le front. Plus grand que moi, mais qui ne l'est pas ? Je mesure un mètre soixante-cinq. J'étais un peu débordé, je n'ai pas fait attention. C'était elle qui parlait, comme toujours. Elle m'a demandé de lui mettre de côté des pêches pour la semaine suivante. Elle allait chez sa fille dans le New Jersey, le dimanche, une grande réunion de famille, et sa fille en rafole.

— Elle est passée les prendre ?

— Bien sûr. Vendredi dernier. Cinq livres. Je lui ai même prêté un petit panier, parce que c'est une bonne cliente.

— L'individu en question est-il revenu ?

— Je ne l'ai pas revu. Remarquez, je ne suis jamais là le mercredi. Je joue au golf. Il est peut-être passé, je n'en sais rien. Vous pensez que c'est lui ? Vous pensez que c'est le malade qui a tué Mme Gregg ?

— Je mène mon enquête, monsieur Vincenti. Merci de votre aide.

— Si vous avez besoin d'autres renseignements, n'hésitez pas. C'était une perle.

— Vous pensez que c'est notre tueur ? demanda Peabody, alors qu'elles traversaient le quartier en suivant le chemin que leur avait indiqué Leah Gregg.

— Je pense qu'il faisait le malin en prétendant s'appeler Al – Albert DeSalvo, la méthode qu'il avait prévue pour le meurtre. Selon moi, c'était le meilleur moyen de tâter le terrain : la suivre jusqu'au marché, endosser le rôle de papa paumé. Il avait dû préparer son coup, la repérer, effectuer des recherches sur elle… Il savait qu'elle était bénévole à *Kid Time*.

Il savait comment effectuer des recherches, songea-t-elle. Il n'était pas pressé, se renseignait avant d'agir.

— Une femme qui donne de son temps à une crèche aime forcément les enfants. Donc, il lui dit qu'il en a un, ce qui lui permet d'établir un premier contact.

Elle hocha la tête, tout en scrutant le voisinage. Coquet. Simple.

— Idéal, le marché. Il lui demande conseil, il évoque ses soucis. Il la raccompagne presque jusque chez elle. Pas tout à fait. C'est inutile : il sait où elle habite. De même, il connaît ses projets pour le dimanche en huit. Il a largement le temps de l'observer, de planifier, de savourer son plaisir.

Elle s'immobilisa au carrefour, regarda les gens passer, la plupart affichant un air préoccupé. Pas de touristes, ici.

— Elle devait marcher lentement, en bavardant. Sans le savoir, elle lui révélait des détails de sa vie privée. Les pêches pour sa fille... mais il n'y avait pas de panier de pêches chez elle, ce dimanche-là. Il a dû les emporter. Un souvenir à déguster, en plus de la bague.

Elle glissa les pouces dans les poches de son pantalon, trop absorbée par ses pensées pour remarquer les réactions des passants devant son arme.

— C'est une erreur. Une erreur stupide. Un type qui quitte un appartement avec une boîte à outils peut passer inaperçu. En revanche, un type qui porte une boîte à outils et un panier rempli de pêches, c'est déjà plus étrange.

Elle traversa la rue, s'arrêta de l'autre côté.

— Le dimanche matin, tôt, il ne doit pas y avoir de GlissaGrill. En revanche, les cafés, kiosques à journaux, traiteurs devaient être ouverts. Je veux qu'on interroge tous les commerçants. Je veux savoir s'ils ont vu un homme en tenue d'ouvrier avec une boîte à outils et un panier de pêches.

— Oui, lieutenant. Lieutenant ? Je tiens juste à vous dire que c'est un réel plaisir de vous observer au travail.

— Où voulez-vous en venir, Peabody ?

— Non, sérieusement, j'apprends énormément avec vous. Je m'efforce de voir ce que vous voyez et comment. Cela étant, il fait vraiment très chaud. On pourrait peut-être s'acheter une boisson fraîche au GlissaGrill, là-bas. J'ai l'impression que je vais fondre sur place.

Eve chercha des jetons crédits dans le fond de sa poche.

— Prenez-moi un tube de Pepsi, et dites au vendeur que s'il n'est pas frais, je me vengerai.

Tandis que Peabody s'éloignait, Eve laissa courir son imagination. Il avait dû la laisser ici, songea-t-elle.

Oui, à deux blocs de chez elle. Se séparer au coin d'une rue, c'était logique. Il avait dû lui expliquer qu'il habitait tout près, lui raconter des anecdotes sur son fils. Des mensonges, bien entendu, s'il était l'assassin.

Et le flic en elle lui criait que c'était lui.

Un beau garçon du Sud. Lui avait-il dit qu'il venait du Sud ? Probablement. Il avait un léger accent, ou alors, il l'avait imité. Imité, décida-t-elle. Une petite fioriture supplémentaire.

Peabody revint avec la boisson, une portion de frites et un kebab végétarien.

— Je vous ai pris les frites avec beaucoup de sel, pour que vous évitiez de ricaner sur mon kebab.

— L'un n'empêche pas l'autre. Les légumes sur un bâton, ça me fait toujours ricaner.

Elle engloutit néanmoins une poignée de frites.

— On va se diriger par là, faire un saut à la boutique de vêtements. Peut-être qu'il y est passé.

Les deux vendeuses de service dans la boutique fondirent en larmes dès qu'Eve prononça le nom de Lois Gregg. L'une d'entre elles alla fermer la porte et y accrocher un panneau *Fermé*.

— Je n'arrive pas à y croire. Je m'attends à chaque instant qu'elle déboule ici et nous annonce que c'était une plaisanterie de mauvais goût.

La plus grande tapota le dos de sa collègue, qui sanglotait bruyamment.

— J'ai failli fermer le magasin pour la journée, mais on aurait tourné en rond.

— Vous êtes la propriétaire ?

— Oui. Lois a travaillé pour moi pendant dix ans. Elle était formidable, avec le personnel, les clients, le stock. Elle aurait pu gérer l'affaire toute seule si elle l'avait voulu. Elle va tellement me manquer.

— Elle était comme une mère pour moi ! hoqueta la seconde. Je me marie en octobre, et elle m'aidait beaucoup. Nous nous amusions comme des folles, à tout préparer et maintenant… maintenant, elle ne viendra pas.

— Je sais combien c'est dur, mais j'ai des questions à vous poser.

— Nous voulons vous aider. N'est-ce pas, Addy ?

— Oh, oui ! Absolument !

Au bout de quelques minutes, Eve en vint à l'homme que lui avait décrit Vincenti.

— Ça ne me dit rien du tout. Addy ?

— Non. Du moins, pas tout seul. Je ne vois pas.

— Est-ce que quelqu'un vous a demandé des renseignements sur elle ?

— C'est vrai qu'il y a eu un homme, la semaine dernière, non, celle d'avant. Tu te rappelles, Myra ? Il portait un superbe costume et une mallette en cuir griffée Mark Cross.

— Oui. Il nous a expliqué que Lois l'avait aidé à choisir un cadeau pour sa femme le mois précédent, et qu'il voulait la remercier.

— Pouvez-vous me le décrire ?

— Mmm… la trentaine avancée, grand, bien bâti, une barbichette impeccablement taillée, des cheveux châtains, souples, assez longs. Il les portait attachés. Il n'a jamais ôté ses lunettes de soleil.

— Des Prada, précisa Addy. Continental Style. J'en ai offert une paire à mon fiancé. Elles coûtent une fortune. Il respirait l'argent, et avait un accent yankee. J'ai tenté de le diriger vers les accessoires, parce qu'il avait l'air d'avoir du fric à dépenser. On venait de recevoir de magnifiques sacs à main. Mais il n'a pas mordu à l'appât. Il a juste répété qu'il tenait à remercier Mme Gregg. Je lui ai répondu que j'étais désolée, qu'elle n'était là que les mardi, mercredi et samedi, et je lui ai précisé ses horaires. Ô mon Dieu !

Elle avait pâli.

— J'ai eu tort ?

— Ne vous inquiétez pas. C'est juste un interrogatoire de routine. Vous ne vous rappelez rien d'autre ?

— Non. Il a dit qu'il essaierait de repasser s'il était dans le quartier, et il est parti. J'ai trouvé ça gentil. C'est rare que les clients prennent cette peine, surtout les hommes.

Eve et Peabody découvrirent rapidement que chacun des commerçants se rappelait avoir vu un homme – répondant à des descriptions subtilement variées – qui leur avait posé des questions, mine de rien, sur Lois Gregg.

— Il l'a filée, déclara Eve. Il a pris tout son temps : il avait deux semaines devant lui. Il allait d'abord s'occuper de Wooton, et c'était facile. Sélectionner une prostituée dans la rue, ça n'a rien de compliqué. Pour Lois, il devait sévir dans son appartement s'il voulait une imitation parfaite. Il fallait qu'elle soit chez elle, seule, et qu'elle n'attende personne.

— Il dispose de beaucoup de temps libre en journée, apparemment, observa Peabody.

— En effet. Et si l'on revient à notre liste, quasiment tous ont des horaires flexibles.

Eve avait demandé à Baxter et à Trueheart de passer le secteur au peigne fin et attendait des nouvelles d'une minute à l'autre.

Le temps pressait. Il avait déjà tué à deux reprises, et elle était à peu près certaine qu'il avait déjà choisi sa troisième cible.

Elle confia à Peabody la tâche d'approfondir les recherches sur Breen et sa femme, tandis qu'elle-même allait essayer d'arracher une brève consultation au Dr Mira.

Elle dut patienter dans la salle d'attente. Arpentant la pièce, elle se demanda pour la centième fois qui il imiterait la prochaine fois.

Jusqu'ici, il avait jeté son dévolu sur deux personnages célèbres, décédés. Selon toute vraisemblance, il continuerait d'appliquer cette méthode. Il n'opterait pas pour quelqu'un de vivant. L'Éventreur n'avait jamais été arrêté ; DeSalvo était mort en prison. La capture et l'incarcération ne lui posaient aucun problème. Les possibilités étaient donc nombreuses, même en excluant tous ceux qui avaient éliminé, dissimulé ou dévoré leurs victimes.

Son communicateur bipa, alors qu'elle avait le regard rivé sur la porte du bureau de Mira, priant pour que celle-ci s'ouvre enfin.

— Dallas.

— Baxter. Je crois que j'ai un tuyau. Un témoin de l'immeuble voisin, qui se rendait à l'église, a aperçu un homme en tenue d'employé de maintenance de la ville – du moins, c'est ce qu'elle croit. Il émergeait du bâtiment de la victime et portait une boîte à outils et un panier à fruits en plastique.

— L'heure correspond ?

— Pile poil. Notre témoin connaissait Gregg. Elle veut à tout prix venir vous en parler personnellement.

— Amenez-la-moi.

— Nous sommes en route. On se retrouve dans la salle de repos.

— Mon bureau.

— La salle de repos, insista-t-il. Certains d'entre nous n'ont pas encore déjeuné.

Elle ouvrit la bouche pour protester, perçut le déclic de la porte de Mira.

— Parfait. Je suis en réunion. J'arrive dès que possible.

Avant que son assistante puisse rappeler à Eve que le docteur n'avait que dix minutes devant elle, Mira invita Dallas à entrer.

— Je suis contente que vous ayez trouvé le temps de passer. J'ai lu toutes les données disponibles.

— J'ai du nouveau.

— J'ai envie d'une boisson fraîche. Il fait bon, ici, poursuivit Mira en ouvrant le mini-réfrigérateur, mais le seul fait de penser à la température extérieure me donne chaud.

Elle remplit deux verres de jus de fruits.

— Je sais que vous carburez à la caféine, sous une forme ou une autre, mais ceci est bien meilleur pour votre santé.

— Merci. Les deux victimes sont très différentes.

— En effet, dit Mira en s'asseyant.

— La première, une prostituée junkie en voie de guérison, travaillait dans la rue. Pas d'amis, pas de famille, personne, bien que cela semble un choix personnel. Il ne s'est pas soucié de qui elle était, mais de ce qu'elle était. Une pute de bas étage. La deuxième... La deuxième était une célibataire, vivant seule dans un quartier agréable. Une femme qui avait élevé ses enfants et entretenait avec eux d'excellentes relations. Active, sociable, appréciée de tous. Peut-être plus qu'il ne le pensait, ou n'était capable de le comprendre.

— Il n'éprouve de sentiments pour personne en dehors de lui-même, aussi ne peut-il entretenir de rapports avec ceux qui en ressentent. Ça lui échappe totalement, renchérit Mira. C'est sa situation – son âge, son adresse, le fait qu'elle vive seule et qu'elle serait découverte rapidement – qui l'a attiré vers elle.

— Mais c'était une erreur, parce qu'elle a marqué tous ceux qu'elle a côtoyés. Les gens l'adoraient. Non seulement ils sont prêts à coopérer avec la police, mais ils ne demandent que ça. On ne l'oubliera pas, comme Wooton. Toutes les personnes que j'ai interrogées ont eu des choses personnelles et positives à dire de Lois Gregg. J'imagine que c'est ce qu'on dirait de vous si vous...

Elle s'interrompit, toussota, mais il était trop tard.

— Seigneur ! Je suis désolée, je voulais dire...

Mira inclina la tête en souriant.

— C'est très flatteur. Pourquoi avez-vous dit cela ?

Eve regrettait amèrement ses paroles, mais elle était coincée à présent.

— C'est simplement que... je...

Elle avala son jus de fruits d'un trait.

— ... j'ai interrogé la belle-fille de Gregg, et ça m'a rappelé la manière dont votre fille parlait de vous. Une complicité totale. Et j'ai ressenti la même chose avec le vendeur de primeurs, les femmes avec lesquelles elle travaillait, tout le monde. Elle a laissé son empreinte partout. Comme vous. Il n'a pas prévu cela.

— Vous avez raison. Il s'attendait à être le centre d'intérêt. Elle n'était qu'un pion qui lui permettait d'avancer. Bien que la première victime ait gagné sa vie en vendant son corps, et que la seconde ait été violée, il ne s'agit pas vraiment d'agressions sexuelles, mais d'agressions contre le sexe. De haine envers les femmes. Cet acte lui donne du pouvoir, tout en les réduisant, elles, à néant.

— Il a filé Gregg, précisa Eve, avant de raconter à Mira tout ce qu'elle avait appris.

— Il est prudent. Méticuleux à sa façon. Il soigne ses imitations, prête attention aux détails. Quand il réussit, il prouve non seulement sa supériorité par rapport à ses victimes, mais aussi sa supériorité par rapport à ceux qui l'ont inspiré. Il ne se sent pas obligé de s'en tenir à un seul schéma, ou du moins, c'est ce qu'il se dit. Car, bien entendu, il obéit à un schéma. Il se croit capable de commettre n'importe quelle sorte de meurtre, et de s'en sortir. Il vous a lancé un défi à vous, la femme qu'il a choisie délibérément comme adversaire. Chaque fois qu'il vous laisse un mot, il prouve votre infériorité.

— Ces messages me rendent perplexe. Ils sont rédigés sur le ton de la plaisanterie. Or, il n'a rien d'un marrant.

— Encore un déguisement, décréta Mira. Il entre dans la peau d'un autre.

— Monsieur Plein de ressources.

— L'essentiel, pour lui, c'est de ne pas être étiqueté, catalogué. Il l'a probablement été beaucoup trop dans son enfance, et par une figure féminine autoritaire. C'est la mère qu'il cherche à tuer, Eve. La mère pute comme Wooton, la mère maternelle comme Lois Gregg. La troisième sera, dans son esprit, une autre forme de mère.

— Je vais effectuer des calculs de probabilités. Mais en admettant que je parvienne à réduire la liste des personnages qu'il pourrait copier, je ne vois pas comment ça me mènera jusqu'à sa prochaine victime avant qu'il l'élimine.

— Il va avoir besoin de temps pour se préparer, endosser un nouveau rôle, peaufiner une nouvelle méthode.

— Pas tant que ça, argua Eve. Parce qu'il a déjà tout planifié. Depuis longtemps.

— C'est vraisemblable. Sa haine a dû naître il y a des années. Son malaise a dû se manifester dès l'enfance. Le comportement typique : on torture ou on tue des petits animaux, on brutalise ses camarades.

Si sa famille ou ceux qui s'occupaient de lui s'en sont rendu compte, il a peut-être suivi une thérapie.

— Et sinon ?

— Qu'il en ait suivi ou pas, nous savons que ç'a été l'escalade. D'après le profil et les témoignages que vous avez recueillis, cet homme a entre trente-cinq et trente-neuf ans. Il n'a pas débuté sa carrière d'assassin avec Jacie Wooton. Il y en a eu d'autres. Vous les trouverez, et elles vous conduiront jusqu'à lui.

— Oui, je les trouverai. Merci.

Eve se leva.

— Je sais que vous êtes débordée, et j'ai rendez-vous au Central avec un témoin... Ah ! Et, euh... merci pour dimanche. Je suis désolée d'avoir été obligée de m'esquiver comme je l'ai fait.

— J'étais enchantée de vous avoir tous les deux au moins un moment, répliqua Mira en se levant à son tour. J'espère que vous me confierez ce qui vous tracasse. Nous sommes suffisamment amies pour que vous vous sentiez en confiance.

— J'ai épuisé mes dix minutes.

— Eve, murmura Mira en posant la main sur son bras.

— J'ai fait un rêve... Une sorte de rêve. Au sujet de ma mère.

— Asseyez-vous, ordonna Mira.

Elle appela son assistante pour la prévenir qu'elle en avait encore pour quelques minutes et raccrocha avant que celle-ci puisse protester.

— Je ne veux pas vous retarder. Ça n'avait rien de tragique. Ce n'était pas un cauchemar. Pas exactement.

— Jusqu'ici, vous n'aviez aucun souvenir de votre mère.

— Non. Une seule fois, je me suis rappelé sa voix, quand elle lui hurlait dessus, qu'elle se plaignait de moi. Mais cette fois, j'ai vu son visage. J'ai les mêmes yeux qu'elle. Merde !

Elle se laissa tomber sur son siège et pressa les paumes sur ses yeux.

— Pourquoi, bon sang ?

— Les hasards de la génétique, Eve. Vous êtes trop intelligente pour penser que la couleur de vos yeux signifie quoi que ce soit.

— Au diable la science ! J'ai vu la façon dont elle me dévisageait. Elle me haïssait, de toutes ses forces. Je ne comprends pas. J'avais... je ne sais pas, moi, trois, quatre ans ? Elle me détestait comme si j'étais son ennemie de toujours.

Mira aurait voulu l'étreindre, la réconforter. *La materner.* Mais elle savait que ce n'était pas la solution.

— Vous, ça vous fait souffrir.

— Je suppose que... je me suis demandé s'il ne m'avait pas arrachée à elle, à un moment. S'il ne lui avait pas flanqué une raclée, avant de s'enfuir avec moi. Je me suis demandé si, bien que complètement droguée, elle éprouvait un minimum de sentiments pour moi. On ne porte pas un bébé pendant neuf mois sans *rien* ressentir.

— Il n'y a pas de règle, répondit Mira avec douceur. Certaines personnes sont incapables d'aimer. Vous le savez bien.

— Mieux que beaucoup. Je nourrissais un fantasme. Je ne m'étais pas rendu compte à quel point. Je voulais qu'elle s'inquiète pour moi, j'espérais qu'elle avait cherché à me retrouver parce que au fond... tout au fond d'elle-même, elle m'aimait. Je me suis trompée. Je n'ai vu que de la haine dans son regard.

— Ce n'est pas vous qu'elle détestait : elle ne vous a jamais connue. Pas vraiment. Le problème, c'était elle, pas vous. Vous êtes une femme compliquée, Eve.

— Ah, oui ? Et alors ?

— Une femme compliquée, bourrue, souvent acerbe, exigeante et impatiente.

— Et mes qualités ? C'est pour bientôt ?

Mira sourit.

— Je suis pressée par le temps, riposta-t-elle. Sachez simplement que vos défauts n'empêchent pas ceux qui vous connaissent de vous aimer, de vous respecter et de vous admirer. Racontez-moi votre rêve.

Eve aspira une grande bouffée d'air et se lança, exposant les faits d'un ton monocorde, comme s'il s'agissait d'un rapport de police.

— Je ne sais pas où nous étions. Dans quelle ville. Je sais qu'elle se prostituait pour l'argent et la drogue, et qu'il n'y voyait pas d'inconvénient. Elle voulait se débarrasser de moi, mais là, il n'était plus d'accord, parce qu'il avait d'autres projets. J'étais un investissement.

— Ce n'étaient pas vos parents.

— Pardon ?

— Ils vous ont conçue – l'œuf et le sperme. Elle vous a incubée, puis expulsée, l'heure venue. Mais ce n'étaient pas vos parents. Il y a une différence, vous le savez.

— Sans doute...

— Une dernière chose avant que mon assistante défonce la porte. Vous avez laissé votre empreinte et marqué plus de vies que nous ne pouvons en compter. Pensez-y, quand vous vous regarderez dans la glace, les yeux dans les yeux.

11

Lorsque Eve pénétra dans la salle de repos, Baxter engloutissait un énorme sandwich qui sentait trop bon pour sortir de l'AutoChef, des distributeurs automatiques ou de la cantine.

Il avait l'air absolument délicieux.

À ses côtés, Trueheart, avec son visage angélique, faisait un sort à une somptueuse salade parsemée de morceaux de poulet. En face d'eux, une femme âgée les contemplait avec un grand sourire.

— Là ! s'exclama-t-elle d'une voix flûtée. C'est bien meilleur que ce qu'on peut obtenir d'une machine, non ?

— Mmm ! approuva Baxter, la bouche pleine, en hochant la tête avec enthousiasme.

Trueheart, qui était plus jeune, et presque aussi vert que sa salade, recula sa chaise en apercevant Eve.

— Lieutenant !

Il se mit au garde-à-vous. Baxter leva les yeux au ciel, avala.

— Tu pourrais au moins attendre que j'aie digéré, avant de faire du lèche-cul au chef. Dallas, voici la merveilleuse Mme Elsa Parsky. Madame Parsky, je vous présente le lieutenant Dallas, la chargée d'enquête que vous souhaitiez rencontrer.

— Merci d'être venue, madame.

— C'est mon devoir, n'est-ce pas ? En tant que citoyenne, sans compter que c'était une voisine et une amie. Lois s'est occupée de moi quand j'en ai eu besoin. À mon tour de l'aider, dans la mesure de mes moyens. Asseyez-vous, ma chère. Vous avez déjeuné ?

Eve fixa le sandwich, la salade, refoula l'envie qui lui étreignait l'estomac.

— Oui, madame.

— J'ai dit à ces messieurs que je pouvais préparer autre chose. Je ne supporte pas la nourriture crachée par une machine. Ce n'est pas naturel. Inspecteur Baxter, offrez le reste de votre sandwich à cette petite. Elle est beaucoup trop mince.

— Je vais bien, merci. D'après l'inspecteur Baxter, vous avez vu un homme quitter l'immeuble de Mme Gregg dimanche matin.

— Oui. Je n'ai pas contacté la police plus tôt, car je suis allée chez mon petit-fils tout de suite après l'office et j'y ai passé la nuit. Je ne suis rentrée que ce matin. J'ai entendu parler de Lois aux informations hier, bien sûr.

Son petit visage fripé se teinta de tristesse.

— Je n'avais pas éprouvé un tel choc et un tel chagrin depuis que mon Fred – qu'il repose en paix ! – est tombé sous le train numéro trois en 2035. C'était une femme généreuse, une bonne voisine.

— Oui, j'en suis consciente. Que pouvez-vous nous dire à propos de cet individu ?

— Je l'ai à peine remarqué. J'ai pourtant de bons yeux. Je me suis fait opérer en mars dernier. Mais je n'ai pas fait vraiment attention à lui.

Distraitement, elle sortit une pile de serviettes en papier de son cabas et les tendit à Baxter.

— Merci, madame Parsky, murmura-t-il d'une voix humble et respectueuse.

— De rien, mon garçon, répondit-elle en lui tapotant la main, avant de se retourner vers Eve. Où en étais-je ? Ah oui ! Je venais de sortir et j'attendais mon petit-fils. Il vient me chercher chaque dimanche à 9 h 15 pour m'emmener à l'église. Vous allez à l'église ?

Une lueur dansa dans ses prunelles, et Eve hésita brièvement entre la vérité et le mensonge pieux.

— Oui, madame, intervint Trueheart, on ne peut plus sérieusement. Quand je peux me rendre dans le centre, j'aime bien aller à Saint-Patrick. Sinon, je vais à Notre-Dame-de-la-Douleur.

— Vous êtes catholique ?

— Oui, madame.

— Ah, bon ! Vous…

— Vous avez vu cet homme sortir de l'immeuble de Mme Gregg, coupa Eve.

— J'ai dit cela ? Il a surgi une minute après que j'ai franchi le seuil de ma porte, de l'autre côté de la rue. Il était vêtu d'un uniforme gris et avait une boîte à outils à la main. Dans l'autre, il tenait un panier en plastique bleu, comme ceux qu'ils ont au marché. Je n'ai pas vu ce qu'il contenait parce que j'étais un peu loin.

— Pouvez-vous me le décrire ?

— Il ressemblait à un réparateur, voilà tout. Blanc, ou peut-être métissé. Difficile à dire : le soleil était aveuglant. Quel âge, je n'en sais trop rien. Trente, quarante, cinquante, soixante… c'est du pareil au même quand on est soi-même plus que centenaire. J'ai passé le cap au mois de mars, il y a dix-sept ans. Enfin, je pencherais pour trente à quarante.

— Félicitations, madame Parsky ! lança Trueheart, qu'elle gratifia d'un sourire chaleureux.

— Vous êtes un charmant jeune homme. L'autre, il avait une casquette, celle de son uniforme, et des lunettes de soleil. J'avais chaussé les miennes. Il était tôt, mais le soleil était déjà violent. Il m'a vue. Je le sais, parce qu'il m'a adressé un grand sourire et s'est incliné. C'était plutôt culotté de sa part, et j'ai détourné la tête. Je m'en mords les doigts, maintenant. Je regrette de ne pas l'avoir mieux observé.

— Dans quelle direction est-il parti ?

— Vers l'est. Il avait la démarche légère, comme s'il était content de lui. C'est terrifiant, de penser qu'il gambadait presque alors qu'il venait de tuer une femme. Lois me faisait les courses, quand j'étais souffrante, et m'apportait des fleurs pour me remonter le moral. Elle trouvait toujours une minute pour bavarder. Si seulement j'avais pu deviner ce qu'il avait fait quand je l'ai vu ! Mon petit-fils est arrivé une ou deux minutes plus tard. Il est ponctuel. Je lui aurais dit de rattraper ce monstre. Dieu m'est témoin, je l'aurais fait.

Eve acheva son interrogatoire, puis confia Mme Parsky à Trueheart, le chargeant de lui dénicher une voiture pour la ramener chez elle.

— Baxter, un instant !

Elle fouilla dans sa poche, se rendit compte qu'elle avait donné tous ses crédits à Peabody un peu plus tôt.

— Vous avez de quoi m'offrir un Pepsi ?

— Pourquoi ne pas utiliser votre numéro d'insigne ? Vous avez épuisé votre crédit ?

Elle eut une petite moue.

— Si je fais ça, la machine va m'exploser à la figure. Celle de ma brigade me déteste, elle m'en veut personnellement. Et elles communiquent entre elles, Baxter, croyez-moi.

Il la dévisagea longuement.

— Vous avez besoin de vacances.

— J'ai besoin d'un Pepsi. Vous voulez une reconnaissance de dette ?

Il alla se planter devant le distributeur, composa son numéro, commanda le tube de soda.

Bon après-midi. Vous avez commandé un tube de Pepsi de 33 cl. Il est glacé ! Passez une excellente journée, et n'oubliez pas de recycler l'emballage.

Il s'empara de la boisson et la tendit à Eve.

— Cadeau.

— Merci. Écoutez, je sais que vous êtes débordé. Je vous remercie d'avoir pris le temps de me donner un coup de main.

— Précisez-le dans votre rapport. Ça peut servir.

D'un signe de tête, elle lui indiqua la porte, afin qu'ils puissent discuter tout en marchant.

— Trueheart paraît en forme. Il est solide ?

— Le médecin l'a déclaré physiquement apte. Ce môme a une santé de fer. Le psy a donné son feu vert, lui aussi.

— J'ai lu les évaluations, Baxter. C'est votre opinion que je veux.

— À dire vrai, j'ai l'impression que ce qui lui est arrivé – a failli lui arriver – il y a deux semaines m'a perturbé plus que lui. C'est un bon, Dallas. De l'or en barre. Je n'avais jamais envisagé de chausser la casquette de formateur, mais Trueheart est un cadeau.

Baxter hocha la tête tandis qu'ils s'engageaient sur un tapis roulant.

— Il adore son métier. Il le respire littéralement, comme personne hormis vous. Je vous le dis, il me réjouit.

Ils empruntèrent le couloir qui menait à l'entrée.

— À propos de formation, enchaîna-t-il. Il paraît que Peabody passe son examen d'inspecteur dans quelques jours.

— En effet.

— Elle est stressée, la maman ?

Eve lui jeta un regard noir.

— Très drôle. Pourquoi serais-je stressée ?

Il ébauchait un sourire lorsqu'un hurlement les fit tous deux sursauter. Un jeune homme maigre, menotté, échappa au policier qui l'escortait, gratifia le second d'un coup de genou magistral dans les parties, avant de se ruer vers le tapis roulant.

Eve lança son tube de Pepsi, qui atteignit le détenu entre les yeux. Surpris, celui-ci vacilla, reprit son équilibre, puis, baissant la tête, fonça sur elle comme un taureau en furie.

Elle eut juste le temps de pivoter. Elle remonta brutalement le genou, l'atteignit en plein menton. Un méchant craquement retentit. Soit elle lui avait brisé la mâchoire, soit elle venait de massacrer le cartilage de son genou.

Quoi qu'il en soit, l'individu était à terre. Deux agents et un flic en civil se précipitèrent pour l'immobiliser.

Baxter rengaina son arme, se gratta le front en contemplant la mêlée au sol.

— Vous voulez un autre Pepsi, Dallas ?

Le sien n'était plus qu'une mare brune sur le carrelage.

— Merde ! Qui était responsable de ce crétin ?

— Moi, lieutenant, fit l'un des agents en se redressant tant bien que mal. Je l'emmenais...

— Pourquoi n'avez-vous pas maîtrisé votre prisonnier ?

— Je pensais le maîtriser, lieutenant. Il...

— De toute évidence, vous vous trompiez. Vous avez besoin de vous rafraîchir la mémoire concernant les procédures à respecter.

Ignorant la douleur, Eve s'accroupit, saisit le fugitif par les cheveux, lui tira violemment la tête en arrière et le fixa droit dans les yeux.

— Fermez-la. Si vous ne cessez pas immédiatement de résister, je vous arrache la langue, je vous l'enroule autour du cou et je vous étrangle avec !

À en juger par son regard vitreux, il était drogué. Cependant, la menace porta ses fruits, à moins que ce ne fût le ton sur lequel elle l'avait prononcée.

Comme il se ratatinait sur lui-même, Eve se releva.

— Ajoutez résistance et voies de fait sur un officier à la liste de griefs à l'encontre de notre invité. Je veux voir une copie de votre rapport avant archivage, officier... Cullin, ajouta-t-elle en jetant un coup d'œil à son insigne.

— Oui, lieutenant.

— Si vous le lâchez de nouveau, je me servirai de sa langue pour vous étrangler. Dégagez !

Policiers et détenu s'éloignèrent sans demander leur reste.

Baxter offrit un tube de Pepsi tout neuf à Eve.

— Vous l'avez bien mérité.

— Bon sang, oui ! gronda-t-elle.

Elle fonça en boitillant vers la division des Homicides.

Elle rédigea son propre compte rendu et le porta au commandant Whitney. D'un geste, il l'invita à s'asseoir. Elle accepta, soulagée de pouvoir ménager son genou.

Lorsqu'elle eut terminé son rapport oral, il hocha la tête.

— Votre barrage contre les médias va-t-il l'inspirer ou le frustrer ?

— Avec ou sans les médias, il est reparti à la chasse. Il choisit soigneusement ses victimes, et cela prend du temps. Quant aux journalistes, je leur ai fourni quelques bribes d'informations via notre bureau de relations publiques. Ils se focalisent sur le premier crime, plus tape-à-l'œil que le viol et le meurtre d'une sexagénaire, seule dans son appartement. Tant que personne n'aura établi un lien entre les deux affaires, ils devraient nous laisser tranquilles. Mais cela ne durera pas, surtout si l'assassin frappe de nouveau.

— Vous les avez induits en erreur ?

— Non, commandant. Je ne les ai pas mis sur la voie, c'est tout. J'ai fait une déclaration à Quinton Post, de Channel 75, plutôt qu'à Nadine Furst, afin d'éviter toute accusation de favoritisme. Il est malin, mais encore un peu vert. Quand Nadine y fourrera le bout de son nez, elle comprendra tout de suite. D'ici là, je me borne à ne pas répondre aux questions qu'on ne me pose pas.

— Bien.

— D'un autre côté, commandant, je ne suis pas convaincue qu'il tienne tant que ça à attirer leur attention. Pas pour le moment. C'est la mienne, qu'il veut, et il l'a. Le profil établi par le Dr Mira confirme son désir de dominer et de détruire les femmes. Pour lui, l'autorité féminine est l'instrument de sa perte. C'est ce que je représente, et c'est pourquoi il m'a choisie.

— Vous êtes une cible ?

— Je ne le pense pas.

Whitney grogna.

— Je dois vous dire que j'ai reçu des plaintes à votre sujet.

— Commandant ?

— Leo Fortney crie au harcèlement et menace de vous traîner devant les tribunaux. Un certain Niles Renquist a manifesté son… déplaisir à l'idée que l'épouse d'un diplomate ait été interrogée par un membre de la police de New York. Enfin, l'avocat de

Carmichael Smith s'est élevé avec vigueur contre la publicité négative qui risque de ternir l'image de son client, ce dernier se plaignant d'avoir été agressé par… comment a-t-il dit, déjà ? Ah, oui ! Une huile arrogante et insensible portant un insigne.

— C'est sûrement moi. Leo Fortney nous a fourni de fausses informations lors de notre rencontre initiale. Questionné de nouveau, cette fois par mon assistante, il a modifié ses déclarations, mais je n'y crois pas. Niles Renquist et son épouse ont été questionnés, et non interrogés. Ils ont bien voulu coopérer mais n'ont pas été très bavards. Quant à Carmichael, si quelqu'un révèle son implication dans mon enquête à la presse, ce sera lui.

— Vous considérez toutes ces personnes comme des suspects.

— Oui, commandant.

— Parfait, opina-t-il, satisfait. Je ne vois aucun inconvénient à filtrer ces plaintes, mais allez-y doucement, Dallas. Ces individus ont tous un pouvoir considérable, chacun à sa manière, et sont très habiles à manipuler les médias.

— Si l'un d'entre eux est le meurtrier, je réunirai les preuves. Ils pourront raconter tout ce qu'ils voudront, mais depuis leur cellule.

— Coincez ce criminel, mais soyez prudente, fit-il en guise de conclusion.

Elle se leva. Comme elle se dirigeait vers la porte, Whitney haussa les sourcils.

— Vous boitez ?

— C'est mon genou, marmonna-t-elle, furieuse contre elle-même de ne pas avoir pensé à dissimuler sa claudication. Une histoire stupide, ajouta-t-elle avec une ombre de sourire.

Elle partit plus tard que prévu et se retrouva bloquée dans les embouteillages. Plutôt que de s'énerver, elle en profita pour réfléchir.

Elle avait une liste de suspects, mais des preuves bien minces. Plusieurs fils se tissaient entre les deux meurtres. Les lettres, leur ton, l'imitation.

Elle n'avait aucun échantillon d'ADN, aucune trace, aucune piste lui permettant de penser que le tueur connaissait ses victimes. Les témoins décrivaient un homme blanc, ou peut-être métissé, âge et couleur de cheveux indéterminés. Il s'amusait à prendre des accents, se rappela-t-elle. Parce que sa voix était reconnaissable ?

Renquist, aux intonations britanniques. Carmichael, au timbre célèbre.

Fortney aussi s'exprimait assez souvent devant les journalistes. Il pouvait craindre qu'on reconnaisse sa voix.

À moins que ce ne soit, une fois de plus, une simple question d'ego. Je suis tellement important, tout le monde saura qui je suis si je ne déguise pas ma voix.

« Cherche la figure féminine autoritaire, se dit-elle. C'est la clé. »

Tandis qu'elle gagnait la maison, elle se débarrassa de sa veste. L'air était lourd, électrique. Une petite pluie ne ferait pas de mal, pensa-t-elle en drapant son vêtement sur le pilastre. Un bon orage inciterait peut-être son tueur à retarder son prochain exploit.

Avant de se remettre au travail, elle décida d'aller à la recherche de Connors.

D'après le localisateur, il se trouvait sur le patio attenant à la cuisine. Quelle idée de s'installer là, alors qu'il faisait merveilleusement frais à l'intérieur !

En le découvrant, elle s'immobilisa, stupéfaite.

— Ah, te voilà ! s'écria-t-il. Parfait. On va enfin pouvoir commencer.

Il portait un jean et un T-shirt blanc. Il était pieds nus et luisant de transpiration, ce qui ajoutait à sa séduction. Pour l'heure, cependant, elle était beaucoup plus intéressée par l'énorme appareil argenté qui trônait à ses côtés.

— Qu'est-ce que c'est que ce truc ?

— Un système de cuisson pour l'extérieur.

Méfiante, elle s'approcha.

— Une sorte de barbecue ?

— Encore mieux, assura-t-il en caressant le couvercle comme un homme caresserait une femme fascinante. Superbe, non ? Il est arrivé il y a une heure.

L'engin était massif, le reflet du soleil sur le métal, aveuglant. Eve l'examina, constata qu'il comptait trois couvercles, des compartiments dans la partie basse. Un nombre incalculable de boutons, de commandes et de cadrans.

— Euh... il ne ressemble pas vraiment à celui de Mira.

— C'est un modèle plus récent.

Connors souleva le couvercle principal, révélant une grille étincelante.

— Autant acheter ce qu'il y a de mieux.

— C'est énorme ! On pourrait presque dormir dedans.

— Après quelques séances d'essai, je me suis dit qu'on pourrait organiser un barbecue à notre tour. Dans quelques semaines.

— Par « séance d'essai », je suppose que tu ne fais pas allusion à un circuit automobile.

Elle donna un petit coup de pied dans une des roues. Connors s'accroupit, ouvrit l'une des portes.

— Unité réfrigérante, annonça-t-il. Nous avons des steaks, des pommes de terre et des légumes, que nous allons enfiler sur ces brochettes.

— Pas possible !

— Ce n'est pas trop compliqué, rétorqua-t-il. J'ai prévu une bouteille de champagne pour le baptême. Mais je préfère qu'on la boive, plutôt que de la briser sur le carénage.

— Tu sais faire cuire un steak, toi ?

Il lui coula un regard ironique tout en débouchant la bouteille.

— J'ai lu le mode d'emploi, et vu comment s'y prenaient les Mira. Ce n'est pas sorcier. De la viande. Une source de chaleur.

— Très bien, concéda-t-elle en acceptant la coupe qu'il lui tendait. On commence par quoi ?

— Je l'allume puis, si je me fie au tableau du mode d'emploi, je mets d'abord les pommes de terre. Pendant qu'elles cuisent, nous attendrons à l'ombre.

Eve recula prudemment.

— Oui, bon, moi, je vais directement à l'ombre.

À plusieurs mètres de là. Enfin ! Elle l'aimait, aussi était-elle prête à se porter à son secours si jamais la machine s'emballait. Elle le regarda disposer deux pommes de terre sur le plus petit des deux grils, tripoter les commandes.

Dès qu'il tournait un bouton, une minuscule lumière rouge se mettait à clignoter méchamment. Apparemment satisfait, il referma le couvercle, le gratifia d'une tape affectueuse, puis sortit un plateau de gâteaux apéritif d'un des compartiments.

Il était mignon, avec son plateau, les pieds nus et les cheveux attachés.

Eve lui sourit, engloutit un cube de fromage.

— C'est toi qui as tout préparé.

— Oui. Et j'y ai pris grand plaisir. Je me demande pourquoi je ne m'y suis pas mis plus tôt.

Le parasol les protégeait du soleil, et le champagne était frais. Pas mal, pour conclure une longue journée, pensa Eve.

— Comment sais-tu quand les pommes de terre sont cuites ?

— Il y a un minuteur. Il est conseillé par ailleurs de les piquer avec une fourchette.

— Pourquoi ?

— Une histoire de fermeté. Je suppose que ça ira de soi. Qu'as-tu fait à ton genou ?

— Un imbécile en uniforme a laissé échapper son prisonnier. Je me suis servie de mon genou pour empêcher ce crétin de me renverser sur le tapis roulant. À présent, il pleure toutes les larmes de son corps parce qu'il a la mâchoire démise et un léger traumatisme crânien.

— Le genou contre le menton. Pas mal. Et le traumatisme ?

— Il prétend que c'est à cause du tube de Pepsi que je lui ai jeté à la figure, mais je n'y crois pas une seconde. C'est sûrement arrivé quand deux flics lui ont sauté dessus.

— Tu lui as jeté ton tube de Pepsi à la figure.

— Je l'avais à la main.

— Ma douce Eve, fit-il en lui prenant la main pour l'embrasser. Jamais prise au dépourvu.

— C'est possible, mais j'avais des paperasses à remplir. L'officier Cullin va regretter cette journée.

— Je n'en doute pas.

Connors remplit leurs coupes, et ils burent tranquillement leur champagne. Comme un lointain grondement de tonnerre se faisait entendre, Eve haussa les sourcils et jeta un coup d'œil au gril.

— La pluie risque de tout gâcher.

— On a le temps. Je vais monter la température et mettre les steaks.

Un quart d'heure plus tard, Eve vit une petite flamme surgir à un bout de l'appareil. Comme ce n'était pas la première, elle ne s'en inquiéta pas.

Elle préféra contempler Connors qui s'affairait devant son nouveau joujou, pestant et jurant.

Dûment piquées à la fourchette, les pommes de terre se révélèrent dures comme du bois sous leur peau noircie. Les brochettes de légumes, qui avaient pris feu à deux reprises, étaient brûlées à point.

Quant aux steaks, ils étaient gris d'un côté, noirs de l'autre.

— Ça ne va pas du tout, grommela Connors. Cet appareil est défectueux.

Il souleva l'un des steaks, le fixa en grimaçant.

— Il n'a pas l'air très saignant.

Quand le jus qui en dégoulinait ranima les flammes, il le rejeta sur la grille.

La machine infernale cracha, comme plusieurs fois déjà, une mise en garde sévère.

Les flammes actives ne sont ni conseillées ni recommandées. Veuillez reprogrammer d'ici à trente secondes, sans quoi l'appareil se mettra en mode sécurité, comme expliqué dans le mode d'emploi, et s'éteindra automatiquement.

— Merde alors ! Combien de fois faut-il te reprogrammer, espèce de garce ?

Eve se consola au champagne, tout en se retenant de lui signaler que ce ne pouvait être une « garce », sa voix étant on ne peut plus masculine.

Quand ils s'emportaient, les hommes avaient une fâcheuse tendance à traiter les objets inanimés de tous les noms – de préférence féminins. Bon, d'accord, elle en faisait autant.

Un éclair zébra le ciel, le tonnerre gronda de nouveau, nettement plus près, cette fois. Eve sentit une première goutte de pluie. Le vent se levait.

Elle s'empara de la bouteille, tandis que Connors foudroyait sa nouvelle acquisition du regard.

— Je mangerais volontiers une pizza ! lança-t-elle en se dirigeant vers la cuisine.

Connors déversa les restes carbonisés dans la poubelle.

— Je recommencerai demain, annonça-t-il en suivant Eve à l'intérieur.

— Tu sais, ce n'est pas désagréable de te voir rater un truc, comme nous autres mortels.

— C'est sûrement un défaut de fabrication.

Mais il souriait, à présent.

— Je verrai ça demain.

— J'en suis sûre. On s'installe ici ?

— Bonne idée. Nous n'en aurons plus beaucoup l'occasion : Summerset rentre demain.

Elle se figea, sa coupe à mi-chemin de ses lèvres.

— Demain ? C'est impossible. Il est parti il y a cinq minutes à peine !

— Demain, midi. Et ça fait plus longtemps que ça.

— Demande-lui de prolonger ses vacances. Dis-lui de faire un tour du monde. En bateau. Un de ces bateaux qu'on manie avec des rames. Ça lui fera du bien.

— Je lui ai proposé de retarder son retour. Il est prêt à rentrer.

— Oui, mais *moi*, je ne le suis pas !

Connors sourit, se pencha vers elle, l'embrassa sur le front. Elle souffla, comme une enfant récalcitrante.

— Bon, d'accord. D'accord. Mais maintenant, il faut qu'on fasse l'amour sur le carrelage de la cuisine.

— Pardon ?

— C'est sur ma liste des choses à faire. Le temps presse. La pizza peut attendre.

— Une liste de choses à faire ?

— Ce devait être spontané et sauvage, mais nous devrons nous contenter de ce que nous avons.

Elle vida son verre, le posa, se débarrassa de son étui.

— Allez, mon vieux, déshabille-toi !

Amusé, fasciné, il la regarda jeter son arme sur le comptoir, puis se déchausser.

— L'épisode de la semaine dernière, sur la table de la salle à manger, c'était aussi sur ta liste ?

— Parfaitement !

— Montre-la-moi !

Il tendit la main, agita les doigts.

— Tout est dans ma tête. Tu n'es pas déshabillé. Grouille-toi, qu'on...

Les mots moururent sur ses lèvres, tandis qu'il la soulevait dans ses bras, puis l'asseyait sur le comptoir. Lui empoignant les cheveux, il captura sa bouche en un baiser ravageur.

— C'est assez spontané pour toi ? murmura-t-il.

— Je... c'est...

Il écarta brutalement les pans de son chemisier.

— Et ça ? Ça te convient, question sauvage ?

Elle pouvait difficilement lui répondre, car il avait de nouveau pris ses lèvres d'assaut. Il tira sur son chemisier, qui resta coincé au niveau des poignets. Les mains prisonnières, elle eut un sursaut de panique, mêlé d'excitation, tandis qu'il continuait de massacrer le tissu.

Ses mains étaient derrière son dos, ses oreilles bourdonnaient. Le champagne lui faisait tourner la tête, les muscles de ses cuisses tremblaient.

— Mes... mains, bredouilla-t-elle.

— Pas encore.

Il était fou de désir. Fou d'elle. De ses courbes, de son parfum, de sa peau. Il savoura la douceur de son sein en écoutant les battements affolés de son cœur. Elle gémit, frémit, s'abandonna.

Rien ne l'émoustillait plus que de la sentir s'abandonner.

Elle avait du mal à respirer, mais elle s'en fichait. Les sensations la submergeaient, trop brutales pour être simplement qualifiées de plaisir.

Elle se laissa prendre. Elle l'aurait supplié de prendre plus encore si les mots lui étaient venus à l'esprit. Quand il baissa son pantalon, elle s'offrit à lui. Un cri lui échappa tandis que l'orgasme explosait en elle telle de la lave en fusion.

Elle laissa tomber la tête sur son épaule.

— Encore.

— Toujours, chuchota-t-il en l'embrassant. Toujours.

Il l'enlaça et, une fois libérée, elle se blottit contre lui, enroulant les jambes autour de sa taille.

— On n'est pas par terre, murmura-t-elle.

— Ça ne saurait tarder.

12

Luisants de transpiration, jambes entrelacées, ils gisaient sur le sol. Eve mourait de soif, mais n'était pas certaine de pouvoir avaler. Le seul fait de respirer réclamait le peu d'énergie qui lui restait.

Question spontanéité et sauvagerie, songea-t-elle, ils avaient gagné sur toute la ligne. Les doigts de Connors effleurèrent les siens. Il avait déjà récupéré : un point pour lui.

— Il te reste des expériences à tenter, sur ta liste ? demanda-t-il doucement.

— Non, souffla-t-elle. C'est bon.

— Dieu soit loué !

— Il faudrait qu'on réussisse à se relever avant demain midi.

— Plus vite que ça. J'ai une faim de loup.

Elle réfléchit.

— Moi aussi. Tu ne pourrais pas jouer ta scène du macho et me porter, par hasard ?

— À vrai dire, j'espérais que ce serait le contraire.

— Eh bien, on pourrait essayer ensemble.

— À trois.

Il compta. À trois, ils réussirent à se hisser en position assise, puis restèrent ainsi, immobiles, à se sourire.

— C'était génial. Mon idée, commenta-t-elle.

— Digne du *Livre des records*. On ferait mieux de se lever.

— D'accord, mais tout doucement.

Ils se mirent debout, vacillèrent, se soutinrent tels deux ivrognes.

— Je meurs d'envie d'une pizza et d'une bonne douche, déclara Eve. Non, la douche d'abord, la pizza ensuite.

— Très bien. Ramassons ces lambeaux de vêtements.

Lorsqu'ils eurent récupéré toutes leurs affaires, ils quittèrent la cuisine.

Ils savourèrent leur pizza dans le coin salon de leur chambre.

— Qu'as-tu fait aujourd'hui ? s'enquit-elle enfin, presque rassasiée au bout de la troisième part.

— Pourquoi ?

— De temps en temps, j'aime bien savoir ce que tu fabriques exactement. Ça me rappelle que tu n'es pas seulement un merveilleux amant.

— Ah, je vois. J'avais des réunions.

Comme elle le dévisageait, il haussa les épaules.

— En général, quand je t'explique mes activités, tu te contentes de m'observer, le regard vide, ou de sombrer dans l'inconscience.

— Pas du tout ! Bon, d'accord, le regard vide, peut-être, mais je n'ai jamais perdu connaissance.

— J'ai eu un rendez-vous avec mon conseiller financier. Nous avons parlé des tendances actuelles du marché et...

— Épargne-moi les détails. Conseiller financier : actions, obligations et *tutti quanti*. O.K. Ensuite ?

— Une conférence au sujet de la station Olympus. Deux nouveaux complexes hôteliers vont bientôt ouvrir. Je renforce la police et la sécurité. L'inspecteur Angelo t'envoie ses amitiés.

— Et réciproquement. Tu as eu des problèmes, là-bas ?

— Rien de bien grave, répondit-il en vidant sa coupe de champagne. Darcia nous attend avec impatience.

Eve se lécha les doigts.

— On verra. Quoi d'autre ?

— Une réunion interne du personnel, une série de vérifications de sécurité. La routine. Une discussion sur le rapport préliminaire concernant un élevage de moutons que j'envisage d'acheter en Nouvelle-Zélande.

— Des moutons ? Bêeeeh ?

— Moutons, laine, côtelettes et autres produits dérivés.

Il lui tendit une serviette en papier, et elle eut une pensée pour Mme Parsky.

— J'ai déjeuné avec deux promoteurs immobiliers et leur avocat, qui veulent m'embarquer dans un de leurs projets. Un gigantesque centre de loisirs intérieur dans le New Jersey.

— Tu vas accepter ?

— J'en doute. Mais c'était amusant de les écouter, et de manger à leurs frais. Ça te suffit ?

— Tu es un type très occupé. Est-ce plus difficile pour toi de traiter toutes ces affaires depuis New York qu'à l'époque où tu voyageais ?

— Je continue à voyager.

— Pas autant qu'autrefois.

— J'en ai moins envie. Depuis que j'ai une femme qui exige que je la prenne sur le carrelage de la cuisine.

Elle ébaucha un sourire, mais il la connaissait comme sa poche.

— Qu'est-ce qui te tracasse, Eve ?

Elle faillit lui raconter son rêve, son souvenir, mais se ravisa, sachant combien le sujet des mères était encore douloureux pour lui. Au lieu de cela, elle lui parla de son travail. Ce n'était pas une fuite. Son enquête la préoccupait.

— Au fond de moi, je sais déjà qui c'est, depuis la première fois que je l'ai vu. Sauf que je ne le *visualise* pas. Pas dans ma tête. Il change et changera encore. Il est doué. Il endosse la personnalité de celui qu'il imite. Je ne sais pas si je vais réussir à l'arrêter.

— N'est-ce pas ce qu'il cherche, justement ? À te frustrer en se mettant chaque fois dans la peau d'un autre, en modifiant la méthode, la victime ?

— Jusqu'ici, il peut se targuer d'avoir accompli sa mission. Je m'efforce de distinguer le fond de la forme, si je peux dire. De le voir tel que je sens qu'il est. Afin de pouvoir passer de l'instinct à la certitude et à l'arrestation.

— Et que sens-tu ?

— L'arrogance, l'intelligence, la rage. L'acharnement. La peur, aussi, je crois. Je me demande si ce n'est pas la peur, précisément, qui l'incite à singer d'autres tueurs célèbres, plutôt que d'agir à sa façon. Mais que craint-il ?

— D'être capturé ?

— L'échec. Je penche pour l'échec. Peut-être cette terreur de l'échec trouve-t-elle ses racines dans un modèle d'autorité féminine.

— Tu le vois mieux que tu ne le crois.

— Je vois les victimes, enchaîna-t-elle. Les deux qu'il a déjà éliminées, l'esquisse de la prochaine. Je ne sais ni qui ce sera, ni l'endroit, ni la raison pour laquelle il la choisira. Si je ne le découvre pas très vite, il la tuera avant que je puisse l'en empêcher.

Son appétit, son euphorie s'étaient volatilisés.

— Il faut que je revoie ma liste de suspects. Je dois absolument trouver ce fichu modèle féminin. C'est le seul moyen de le traquer. J'aurais besoin de ton aide.

Il lui prit la main, la pressa tendrement.
— Quand tu veux.

Le plus logique était de procéder par ordre alphabétique, décida-t-elle. Et, bien que son orgueil en prenne un coup, de confier la manipulation de l'ordinateur à Connors.

S'il s'était laissé dominer par le barbecue, devant un ordinateur, il était le roi.

— Commençons par Breen, suggéra-t-elle. Je veux tout ce que tu peux me fournir sur Thomas A. Breen et sa femme, sans piétiner la loi informatique et liberté.

Il lui coula un regard chagrin.

— Ce n'est pas drôle !

— Respectons les règles, camarade.

— Dans ce cas, je veux un café. Et un gâteau.

— Un gâteau ?

— Oui.

Le chat bondit sur le bureau et frotta sa joue contre le bras de Connors.

— Je sais que tu en caches un paquet ici même. J'en veux un.

Elle plaqua les mains sur les hanches, pianota.

— Comment le sais-tu ?

Il caressa Galahad en souriant.

— Si je ne suis pas là pour te surveiller, tu as tendance à oublier de manger. Et quand tu y penses, tu te rues sur les sucreries.

Les yeux plissés, elle s'approcha de lui.

— Ce ne serait pas toi, par hasard, qui te faufiles dans mon bureau au Central pour me piquer mes friandises ?

— Certainement pas ! Je peux m'en offrir.

Elle laissa passer un silence.

— Il se pourrait bien que tu mentes.
— Où est mon café ?
— Ça vient, ça vient ! bougonna-t-elle. Thomas A. Breen.

Elle disparut dans la cuisine attenante à son bureau, sentit le chat s'enrouler autour de ses jambes, alors même qu'il avait eu droit à un morceau de pizza. Elle programma la cafetière, sortit les tasses, puis, après avoir jeté un coup d'œil par-dessus son épaule, chercha le paquet de cookies aux pépites de chocolat (soigneusement dissimulé dans le placard à balais, derrière les croquettes).

Elle en prit un pour Connors et un pour elle, puis changea d'avis. Après tout, il lui donnait un coup de main. Tant pis s'ils finissaient le paquet.

Flairant un dessert, Galahad se mit à ronronner bruyamment. Elle déposa une poignée de croquettes dans son plat et le regarda se jeter dessus tel un fauve sur une gazelle.

— Les données préliminaires sont affichées, bien que tu les aies déjà, je suppose. La suite arrive. Pourquoi t'intéresses-tu à Breen ?

— Primo, par principe, comme pour toutes les personnes que j'interroge au cours d'une enquête, répondit-elle en posant le plateau. Si j'approfondis la recherche, c'est parce qu'il m'a énervée. Je ne sais pas pourquoi, exactement.

Elle alla se planter devant l'écran mural.

— Thomas Aquinas Breen, trente-trois ans, marié, un enfant de sexe masculin, deux ans. Écrivain et papa professionnel. Revenus déclarés confortables. Arrêté en possession de Zoner, à l'âge de vingt et un ans. À l'époque, il était étudiant, ça n'a rien de surprenant. Né à New York, diplômé de l'université du même nom : beaux-arts avec un travail de troisième cycle en criminologie – voilà qui me plaît – et techniques d'écriture. Gagne sa vie en rédigeant des articles dans des revues, et en publiant des nouvelles. A signé deux best-sellers. Marié depuis cinq ans. Parents, tous deux vivants, en Floride.

— C'est plutôt banal.

— Oui.

Pourtant, quelque chose clochait.

— Belle maison, dans un beau quartier. Il ne pouvait pas se l'offrir avec ce qu'il gagnait avant la publication de son deuxième ouvrage, mais sa femme a un poste important. On peut donc supposer qu'ils ont mis leurs revenus en commun puisqu'ils habitent là depuis quatre ans. Il s'occupe du petit, elle ramène un salaire régulier.

Connors goûta un cookie.

— J'ai des centaines d'employés qui fonctionnent ainsi.

— Il y a un truc qui me gêne, c'est tout. J'ai du mal à mettre le doigt dessus. Ajoute à cela que ce type passe ses journées à réfléchir sur des meurtres, à les recréer, à les imaginer.

— Vraiment ? ironisa Connors en remplissant les tasses. Quelle drôle d'idée de consacrer tout son temps à un tel sujet.

— Garde tes sarcasmes pour toi. La différence, c'est que les flics sont censés abhorrer ça. Lui, ça l'excite. Le pas est vite franchi entre la fascination et l'expérimentation. Il a la culture, la souplesse d'emploi du temps, les connaissances et un mobile : quand les médias auront vent de ces affaires, les ventes de ses bouquins augmenteront forcément. Sa femme est dans la mode. Je parie qu'elle aussi est sensible à la valeur d'une bonne dose de publicité.

Eve se balança d'un pied sur l'autre.

— Il a le papier à lettres. Il prétend que c'est un cadeau de la part d'un fan dont il ne se souvient pas.

Impossible à vérifier. Et pourtant. Ce serait intéressant si je découvrais que c'est lui ou sa femme qui a acheté ce papier.

— On peut contourner légèrement la loi, proposa Connors.

C'était tentant, mais Eve refusa d'un signe de la tête.

— Nous n'en avons trouvé aucune trace sur leurs relevés de comptes.

— Rabat-joie !

— Il a le papier, ça me suffit. Il l'a, et il me l'a montré. Je vais m'en contenter pour l'instant.

— Si c'est ton homme, sa femme doit être au courant, non ?

— Il me semble que oui, à moins d'être complètement idiote. Ce qui ne semble pas être le cas, d'après son CV. Julietta Gates, même âge, elle aussi diplômée de l'université de New York. Je parie qu'ils se sont rencontrés en cours. Mode et relations publiques. Une carrière toute tracée. Elle s'est arrêtée de travailler le temps d'accoucher. Elle gagnait le double de lui jusqu'à il y a deux ans, et continue de ramener du fric régulièrement. Je me demande comment ils gèrent leurs finances.

— Que cherches-tu à savoir ?

— Qui mène la danse ? L'argent, c'est le pouvoir, pas vrai ? Je parie que c'est elle qui mène la barque dans cette maison.

— Si c'est là le critère, je n'ai pas l'impression d'être à la hauteur, ici.

— Tant pis pour toi. Je me fiche pas mal de ton argent. En revanche, je suis sûre que Tom tient beaucoup à celui de sa femme. Il a besoin d'elle. Beaux vêtements, beaux jouets, bon droïde pour assurer la garde du petit en cas de besoin. Pendant ce temps, il travaille à son rythme, prend le temps de jouer au dada avec le fiston, de l'emmener au parc.

— Si je comprends bien, ces qualités de père modèle font de lui un suspect.

— Pas une fois il n'a parlé d'elle comme d'une partenaire. Ses affaires et celles de l'enfant traînaient ici et là. Jouets, chaussures, ce genre de choses, mais rien qui appartienne à la mère. C'est un détail intéressant, c'est tout. Tu peux m'afficher les données parentales ?

Elle les parcourut rapidement.

— Tu vois ? Chez lui, c'était sa mère qui portait la culotte. Un poste important, de bons revenus. Le père a démissionné de son boulot pour devenir un parent professionnel. Tiens ! Regarde ! Maman a été présidente de la Coalition internationale des femmes, elle a écrit pour *La Voix féministe*. Elle est sortie de l'université de New York tandis que le père a fréquenté celle de Kent. Intéressant, vraiment.

— D'après toi, le scénario, c'est que Breen a grandi dans un environnement dominé par une femme aux idées politiques bien arrêtées, tandis que papa changeait les couches. Elle a poussé son fils à faire ses études dans le même établissement qu'elle, ou bien il l'a choisi pour obtenir son approbation. Quant à sa compagne, il a opté pour une forte personnalité, capable de contrôler son univers, tandis qu'il endossait le rôle plus typiquement féminin de nounou.

— Oui. Cela ne fait pas de lui un fou ou un psychopathe, mais c'est à prendre en compte. Copie et archive ces données ici, et sur mon unité au Central.

Connors s'exécuta en souriant.

— Il me semble avoir opté, moi aussi, pour une forte personnalité. Je me demande bien ce que cela peut révéler sur moi ?

— Je t'en prie, fit-elle en s'emparant d'un autre cookie. Je rencontrerai Julietta Gates demain. Passons à Fortney, Leo.

Fortney avait quarante-huit ans, deux mariages à son actif, deux divorces, pas d'enfants. Grâce à l'habileté de Connors, Eve découvrit que sa première femme avait connu un certain succès en tant qu'actrice dans des films pornos. Le ménage avait explosé au bout d'un an. La deuxième était agent dans le milieu du théâtre.

— Tu veux aussi les ragots ? demanda Connors.

— Je t'écoute.

— Apparemment, Leo était un vilain garçon, commença-t-il en buvant une gorgée de café, le regard rivé sur son propre écran. Il a été pris le pantalon baissé – littéralement – dans une chambre d'hôtel à New Los Angeles, en compagnie de deux starlettes bien roulées. Outre les deux, je cite : « starlettes nubiles, nues », il y avait des stupéfiants et des accessoires sado-maso. Sa femme, qui flairait l'histoire, lui avait flanqué un détective privé aux fesses. Le divorce l'a ruiné, d'autant que plusieurs femmes se sont confiées avec joie aux journalistes, leur racontant leurs aventures avec le malheureux Leo. L'une d'entre elles aurait même déclaré : « C'est une érection ambulante qui se dégonfle en général au moment crucial. » Aïe !

— Promiscuité, impuissance, humilié en public par une femme. Il a été arrêté à deux reprises pour agression sexuelle, et une fois pour atteinte aux mœurs. Ça me plaît. Quant à ses finances : il ne risque pas de mener le train de vie auquel il aspire avec ce qu'il ramène. Il a besoin d'une femme pour l'entretenir. En ce moment, c'est Pepper Franklin.

— Moi, il ne me plaît pas du tout, marmonna Connors en continuant à lire. Elle mérite mieux.

— Il a dragué Peabody.

Une lueur s'alluma dans les prunelles de Connors.

— Non, décidément, il ne me plaît pas du tout. Et toi, il t'a draguée ?

— Non. Il a peur de moi.

— Ça me rassure : il n'est pas complètement idiot.

— C'est un menteur égocentrique qui a un faible pour les bimbos – Peabody l'a jouée bimbo avec lui. Il compte sur des femmes solides pour le materner, puis les trompe. Il est cultivé, il sait se tenir. Il aime tout ce qui est beau, y compris le papier à lettres de luxe. Il a un côté suffisamment théâtral pour apprécier les imitations, et il a tout le temps de chasser. Qu'est-ce qu'on a sur sa famille ?

— C'est affiché sur l'écran mural. La mère était actrice. Des rôles secondaires, pour la plupart. Je l'ai déjà vue jouer. Elle n'est pas mauvaise, elle travaille régulièrement.

— Leo est le fruit du mari numéro deux sur cinq. En effet, elle ne chôme pas. Il a donc un certain nombre de demi-frères et sœurs. Le père est agent théâtral. Comme Leo.

— Mmm… Tiens ! Là encore, il y a des ragots, intervint Connors. Notre homme avait six ans quand ses parents ont divorcé, chacun ayant eu une succession de liaisons pendant le mariage et ensuite. La mère prétendait que le père était sexuellement agressif. Et réciproquement. À lire ces bribes d'articles, j'ai l'impression que l'ambiance à la maison était chaude.

— On ajoute donc à l'ensemble une enfance douloureuse, des parents négligents. Maman est une figure publique, ce qui lui confère du pouvoir. Ils avaient sûrement des domestiques. Bonnes, jardiniers, nounous. Tu pourras fouiller un peu, mais avant ça, je voudrais que tu m'affiches les fichiers des Renquist.

— D'abord, je prends un autre gâteau. Je le mérite, non ?

Elle lui jeta un coup d'œil, prête au sarcasme, puis se figea. Ridicule, c'était ridicule ! Après tout ce temps, le seul fait de le regarder, là, concentré sur son écran, suffisait à la chambouler.

— Pardon ?

— Le gâteau, répéta-t-il en mordant dedans. Quoi ? ajouta-t-il en rencontrant son regard.

— Rien.

Vaguement gênée, elle se détourna. Son cœur battait la chamade. Il était grand temps de passer à la suite.

Renquist, Niles, songea-t-elle. Prétentieux et snob. Mais ça, c'était son avis personnel. Elle avait besoin de faits.

Il était né à Londres, d'une jeune fille de bonne famille mi-britannique, mi-yankee. Cousin éloigné du roi du côté de sa mère, des tonnes de fric du côté de son père. Son père était Lord Renquist, membre du Parlement, ardent conservateur. Une sœur cadette, qui s'était installée en Australie avec son mari numéro deux.

Renquist avait eu droit à une éducation typiquement britannique. L'école de Stonebridge, Eton, l'université d'Édimbourg. Officier de la RAF pendant deux ans, rang de capitaine. Parle couramment l'italien et le français. A rejoint le corps diplomatique à l'âge de trente ans, l'année où il a épousé Pamela Elizabeth Dysert.

Elle était issue du même milieu que lui. Parents fortunés, six années dans un pensionnat en Suisse. Enfant unique, une fortune personnelle.

Le couple idéal, en somme, du moins aux yeux des membres de cette classe sociale.

Eve se rappela la fillette qui avait surgi alors qu'elle questionnait Pamela Renquist. La petite poupée rose, qui n'avait résisté que très brièvement à sa nurse.

Non, pas une nurse. Pamela avait parlé de « jeune fille au pair ».

Renquist avait-il eu droit à une « jeune fille au pair », lui aussi ?

Son emploi du temps, dans la journée, était moins flexible que celui des autres. Mais son assistante protesterait-elle s'il lui annonçait qu'il s'absentait deux heures ? Eve examina attentivement sa photo.

Rien à leur reprocher, ni à lui ni à sa femme. Pas la moindre tache. Le tableau idyllique.

Elle n'y croyait pas une seconde.

Il s'était marié tard. Cela étant, trente ans était un âge raisonnable si l'on s'engageait sur la voie du « jusqu'à ce que la mort nous sépare ». En outre, pour un homme qui avait des ambitions politiques, la femme et l'enfant étaient des atouts. Cependant, à moins d'avoir fait vœu de chasteté, il avait sûrement eu d'autres relations avant de convoler en justes noces.

Voire après.

Une conversation avec la jeune fille au pair s'imposait. Qui connaissait mieux la dynamique d'une famille que les employés qui vivaient sur place ?

Elle se versa une nouvelle tasse de café.

— Tu peux me montrer le fichier de Carmichael Smith ?

— Tu veux le consulter avant celui de la nounou Fortney ?

— Tu l'as déjà ?

— Que te dire ? Il faut que je gagne mes cookies.

— Alors Fortney d'abord, petit malin. Soyons organisés.

— C'est compliqué, car il semble qu'ils aient eu recours à toute une succession de nounous. Puéricultrices, jeunes filles au pair... sept au total, sur une période de presque dix ans. Aucune n'est restée plus de deux ans, la moyenne se situant aux alentours de six mois.

— Ça me paraît insuffisant pour qu'elles aient eu un impact sur lui. Mon sentiment, c'est que la mère demeurait le modèle d'autorité.

— D'après ce que je lis, elle n'était pas facile. Trois de ses ex-employées ont déposé une plainte à son encontre. Toutes trois se sont contentées d'un règlement à l'amiable.

— Je vais devoir me pencher de plus près sur la mère.

Eve effectua plusieurs allers-retours devant l'écran mural, en réfléchissant à voix haute :

— La mère de Leo était actrice. Son épouse actuelle l'est aussi. Il se lance dans une profession qui lui permettra de fréquenter des comédiens, de les contrôler et d'être contrôlé, je suppose, par eux. C'est un détail important. Notre assassin joue un rôle, tente de prouver qu'il est meilleur que l'original, plus subtil. Si je lance un calcul de probabilités, je suis à peu près certaine que Leo arrivera en première place... On va poursuivre, décida-t-elle. Trouve-moi des données sur la nounou des Renquist.

— Roberta Janet Gable, annonça Connors avec un large sourire. Je suis en mode multi-tâche.

— Comme d'habitude. Mince ! s'exclama-t-elle en fixant l'écran. Elle fait peur.

— C'est un cliché récent. Elle était nettement plus jeune quand elle travaillait pour la mère de Renquist, mais, même là, ajouta-t-il en affichant la photo.

— En effet.

Eve étudia les deux portraits. Visage émacié, yeux enfoncés, bouche pincée. Cheveux châtains dans le premier, gris dans le second, dans les deux cas sévèrement tirés en arrière.

— Elle est arrivée quand Renquist avait deux ans, et elle est restée douze ans. Il n'était pas pensionnaire, à Stonebridge. Quand il a eu quatorze ans, il est parti pour Eton. Il n'avait plus besoin d'une nounou. Roberta devait donc avoir vingt-huit ans quand elle a pris le poste, quarante ans lorsqu'elle a quitté les Renquist pour une autre famille. Elle a aujourd'hui soixante-quatre ans et vient de prendre sa retraite. Jamais mariée. Pas d'enfants.

— Elle est du genre à pincer, commenta Eve. Une de mes surveillantes, à l'école, adorait ça.

— Peut-être son apparence rébarbative cache-t-elle un cœur d'or ?

— Non, c'est une méchante, s'entêta Eve. Elle vit confortablement. Elle a dû épargner jusqu'au moindre cent. Je crois que nous allons avoir une petite conversation, toutes les deux, histoire de voir ce qu'elle a à me dire de l'enfance de Renquist. Passons à M. Smith.

— Viens t'asseoir sur mes genoux.

Elle s'efforça d'afficher un air sévère.

— Bas les pattes, alors !

— Viens ! insista-t-il. Je me sens très seul.

Elle s'exécuta et réprima un frisson quand il lui effleura les cheveux des lèvres.

— Carmichael Smith, reprit-il.

— Trente et un ans, mon œil ! Il a dû graisser des pattes pour qu'on modifie cette donnée. Né à Savannah, mais a passé son enfance en Angleterre. Pas de fratrie, la mère a opté pour le statut de parent professionnel, jusqu'à son dix-huitième anniversaire. Un dossier scellé pour délinquance juvénile, ici et à l'étranger. Ça vaudrait peut-être le coup de fouiller un peu. Contrairement à ce que l'on pourrait penser, il ne roule pas sur l'or. Il doit mener grand train, ou avoir des habitudes coûteuses. Parents divorcés, père remarié, installé dans le Devon. C'est en Angleterre, n'est-ce pas ?

— Oui.

— Pas de casier judiciaire en tant qu'adulte, mais je parie que ça cache quelque chose. On dirait qu'il s'est offert plusieurs séjours dans des centres de désintoxication de luxe. Qu'est-ce qu'on a sur sa mère ?

— Suzanne Smith, cinquante-deux ans. Elle l'a eu très jeune, fit remarquer Connors. Le mariage n'a eu lieu que deux ans plus tard. Jolie femme.

— Oui, il lui ressemble. Tiens ! Tiens ! Regarde-moi ça ! Maman a travaillé un temps comme compagne licenciée. Dans la rue. Et elle a un casier.

Intriguée, Eve fit mine de se lever, mais Connors la retint par la taille.

— Si tu ne vois pas l'écran d'ici, je peux mettre les données en fonction audio.

— Mes yeux vont bien, merci. Hum... petite escroquerie, possession de drogues, fraude. Elle a plaidé coupable chaque fois. Elle n'a pas été en prison. Elle a dû dénoncer quelqu'un. Elle a conservé sa licence après avoir demandé son statut de parent professionnel, mais n'a déclaré aucun revenu. Elle s'est contentée d'empocher discrètement. Pourquoi payer le droit d'exercer, quand on a tourné la page ? Le petit Carmichael a probablement eu droit à une éducation sexuelle précoce... Tu peux me sortir son dossier médical ? Remonte aussi loin que possible.

— C'est autorisé ?

Elle hésita, mais son instinct lui dictait d'ignorer la règle.

— Sois prudent.

Il lui tapota la hanche afin qu'elle se lève et se mit à l'ouvrage.

— Examens et vaccinations standards. Apparemment, à l'âge de deux ans, il est soudain devenu sujet aux accidents.

— Je vois.

Eve parcourut les rapports émanant de différents médecins et centres médicaux. Points de suture, fractures mineures, une brûlure assez sérieuse. Une épaule démise, un doigt cassé.

— Elle le maltraitait. Et cela a continué après son divorce. Elle l'a cogné jusqu'à ce qu'il soit assez grand pour se défendre. La figure autoritaire, c'était donc la mère. Elle déménageait assez souvent pour que personne ne s'en rende compte. Ici et là aux États-Unis, en Angleterre... Et regarde ses revenus, Connors, comparés à ses biens.

— Intéressant.

— Oui. Selon moi, elle n'a jamais cessé de harceler son fils. Il doit lui en vouloir. Peut-être suffisamment pour tuer.

13

Eve avait de bonnes raisons de démarrer sa journée chez elle. Ici, elle était au calme. Évidemment, comparé au Central, tout paraissait calme, même un match des Arena Ball.

Elle avait besoin d'un temps de réflexion. Elle décida d'installer un tableau affichant les principaux éléments de l'enquête, afin de l'avoir sous les yeux pour l'étudier dès qu'elle se trouvait dans la pièce.

Mais surtout, si elle traînait dans la maison plutôt que de se précipiter au centre-ville, c'était pour en profiter avant le retour de Summerset. Quand elle rentrerait ce soir, il aurait repris les rênes.

Elle disposa ses documents, s'assit, posa les pieds sur son bureau et, un café à la main, se concentra dessus.

Il y avait des photos des scènes des crimes – l'allée à Chinatown, l'appartement de Gregg. Il y avait des plans, les messages laissés sur les victimes. Des photos des victimes, avant et après. En dessous, elle avait accroché les photos des scènes de crimes qui avaient servi de modèle, prises sur les lieux, Whitechapel et Boston, et deux clichés des victimes qui ressemblaient le plus aux siennes.

Il les avait examinées, lui aussi, songea-t-elle. Il avait lu les rapports.

En ce moment, il se penchait sur d'autres dossiers historiques. Il préparait son prochain coup.

Elle avait les comptes rendus de laboratoire, du légiste, des techniciens. Elle avait les déclarations des témoins, des proches, des suspects, des voisins. Elle avait les horaires. Elle avait ses notes, ses propres rapports et une montagne d'archives sur ceux qu'elle n'avait pas éliminés de sa liste.

Elle allait tout revoir, puis se remettre au travail. Approfondir. Élargir le champ de ses recherches. Mais il serait plus rapide qu'elle. Quelqu'un mourrait avant qu'elle l'ait rattrapé.

Il avait commis des erreurs. Avalant une gorgée de café, elle fixa le tableau. Les missives, par exemple. Un signe d'orgueil. Regardez-moi ! Voyez comme je suis intelligent, voyez comme j'ai bon goût !

Mais on pouvait remonter aux sources du papier à lettres, obtenir une liste d'acheteurs.

Le panier de pêches. Un signe d'arrogance. Je peux sortir de cet immeuble en laissant derrière moi un cadavre et déguster une belle pêche mûre à point.

Percevant un bruit de pas, elle jeta un coup d'œil vers la porte et fronça les sourcils.

— Salut ! lança-t-elle tandis que Feeney franchissait le seuil.

Sa chemise était impeccablement repassée, ses chaussures, plutôt usées. Il avait dû s'échapper avant que Mme Feeney ne l'incite à en changer.

Il s'était peigné, mais ses cheveux frisaient déjà. Il s'était coupé en se rasant.

— J'ai eu ton message.

— Il était tard. Je ne m'attendais pas que tu fasses un détour par ici ce matin.

— Ce ne sera un détour que s'il n'y a plus de viennoiseries.

— Il y en a. Va vérifier si tu veux.

Acceptant son invitation, il s'engouffra dans la cuisine. Elle l'entendit parcourir le menu, grogner d'approbation, passer sa commande. Il reparut peu après avec sa pâtisserie et une énorme tasse de café.

— Alors ? s'enquit-il en s'asseyant pour étudier le tableau, comme elle venait de le faire. Il est à deux/deux.

— Oui, et c'est un gros zéro pour moi. J'ai frappé la balle à deux ou trois reprises, mais elle était hors-jeu. Au troisième point, les médias vont flairer l'affaire, et on sera dans un sacré pétrin. « Un assassin imitateur sévit à New York ». « Le tueur caméléon déconcerte la police ». Ils en raffolent.

Feeney se gratta la joue, savoura son pain aux raisins.

— Le public aussi. Bande de malades.

— J'ai beaucoup d'éléments, divers angles. Je pourrais réclamer des renforts à Whitney, mais tu sais ce que c'est. Tant que ça reste entre nous, le budget est restreint. Dès que les bonnes gens commencent à hurler, les politiciens s'en mêlent, et je peux exiger des fonds supplémentaires.

— La DDE a plus d'hommes et plus d'argent.

— Je ne peux pas faire appel à la DDE, cette fois-ci. Les recherches sont standards. Je n'ai pas de liens ou de codes de sécurité à décrypter. Mais…

— Mes gars pourraient te filer un coup de main.

— Avec plaisir. Ça me donnerait davantage de liberté pour conduire mes interviews. J'ai longuement réfléchi, hier soir. Ce type est soigneux et précis. Regarde bien les photos des victimes – les anciennes et les nouvelles. Le positionnement, la stature, le teint, la méthode employée. Tout y est. Les copies sont presque conformes. Comment devient-on aussi efficace ?

Feeney engloutit le reste de sa viennoiserie, but une gorgée de café.

— À force de s'exercer. Je vais me pencher sur la question.

— Merci, murmura-t-elle, soulagée. Ce n'est pas un môme. C'est un homme mûr, et il n'a pas commencé avec Wooton. Il perfectionne son art depuis un moment… Tous mes suspects, sauf un (elle pensait à Breen) voyagent. Aux États-Unis et en Europe, surtout. De préférence en première classe. S'il est parmi eux, sa cour de récréation est à l'échelle de la planète.

— Envoie-moi les fichiers.

— Merci. Je te préviens, quelques-uns de ces noms sont sensibles. Nous avons un diplomate, un chanteur célèbre, un écrivain qui commence à être connu, un agent théâtral crétin qui vit avec une comédienne célèbre. Certains ont déjà porté plainte contre la police pour harcèlement et blablabla. D'autres ne vont pas tarder.

Il sourit.

— On va s'amuser, déclara-t-il en se levant et en se frottant les mains. Au boulot !

Après le départ de Feeney, elle tria ses fichiers et les lui expédia à la DDE. Elle écrivit un mémo pour en avertir son commandant, puis effectua un nouveau calcul de probabilités et une série de simulations.

Quand elle eut terminé, l'ordinateur et elle-même étaient à peu près d'accord sur une liste de modèles que le tueur était susceptible d'imiter la prochaine fois.

Elle élimina ceux qui avaient travaillé avec un partenaire, ceux dont les cibles étaient des hommes, ceux qui dissimulaient ou éliminaient les cadavres. Elle souligna ceux qui avaient marqué l'Histoire.

Elle commençait à se demander où était passée Peabody, quand l'un des droïdes domestiques surgit à sa porte.

Les droïdes l'effrayaient. Connors s'en servait rarement. Mais elle aurait supporté la pire des tortures plutôt que d'avouer qu'elle préférait Summerset aux automates.

— Excusez-moi de vous interrompre, lieutenant Dallas.

C'était un droïde féminin, à la voix rauque. L'uniforme noir ne cachait en rien le fait qu'elle avait été conçue pour rivaliser avec une star du porno.

Eve soupçonnait Connors de l'avoir activée délibérément, pour qu'elle compare cette blondasse aux gros seins au lugubre Summerset.

Elle le lui ferait payer, tôt ou tard.

— Quel est le problème ?

— Nous avons un visiteur, au portail. Une certaine Pepper Franklin souhaite vous rencontrer. Êtes-vous disponible ?

— Bien sûr. Ça m'évitera de me déplacer. Elle est seule ?

— Elle est arrivée à bord d'une limousine conduite par un chauffeur. Mais elle n'est pas accompagnée.

— Faites-la entrer.

— Je vous l'amène ici ?

— Non. Installez-la dans… dans le petit salon.

— Voulez-vous des boissons fraîches ?

— Je vous préviendrai.

— Merci, lieutenant.

Le droïde s'esquiva, et Eve jeta un coup d'œil vers la porte qui communiquait avec le bureau de Connors. Il était probablement déjà parti. Tant mieux.

Elle boucla son holster mais n'enfila pas sa veste, histoire de signaler à Pepper qu'elle était en service.

Elle finit tranquillement son café, attendit encore quelques minutes.

Lorsqu'elle descendit, Pepper l'attendait. Elle portait une tenue estivale : chemise blanche en tissu léger sur un débardeur bleu assorti à son pantacourt, sandales à talons hauts, cheveux relevés en une coiffure compliquée.

En traversant le salon, Eve sentit les effluves de son parfum, frais et floral.

— Merci de me recevoir, fit Pepper en la gratifiant d'un sourire professionnel. Surtout si tôt le matin.

— J'appartiens à la brigade des Homicides. Ma journée débute quand la vôtre se termine.

Devant l'air ahuri de Pepper, Eve haussa les épaules.

— Désolée, c'est une plaisanterie de flic. Que puis-je faire pour vous ?

— Connors n'est pas là, je suppose ?

— Non. Si vous voulez le voir, il est peut-être en ville.

— Non, non. À vrai dire, j'espérais vous voir seule. Pouvons-nous nous asseoir ?

— Bien sûr.

Eve lui indiqua un fauteuil et s'installa en face d'elle. Pepper posa les mains sur les accoudoirs et soupira tout en balayant la pièce du regard.

— Cette maison est vraiment magnifique. Ce qui n'a rien d'étonnant puisque c'est Connors qui l'a conçue.

— On est à l'abri de la pluie.

Pepper s'esclaffa.

— Je ne suis pas venue depuis des lustres, mais je me souviens d'un majordome terrifiant…

— Summerset. Il est en vacances. Il doit rentrer dans la journée.

— Summerset. Oui, bien sûr.

— Ce n'est pas non plus lui que vous êtes venue voir.

— Non. Je voulais discuter entre femmes. Je sais que vous avez revu Leo, hier. Il était dans tous ses états. Il se sent traqué ; il pense que vous lui en voulez personnellement.

— Pas du tout. Quand bien même il serait un assassin, ça n'aurait rien de personnel. C'est mon métier de traquer les gens.

— C'est possible. Mais le fait est que le lien personnel existe. À travers moi. À travers Connors. Je tenais à vous en parler en toute franchise.

— Allez-y.

Pepper se redressa, croisa les mains sur ses genoux.

— Vous savez, je suppose, que Connors et moi avons eu une liaison autrefois. Je comprends que cela puisse vous irriter ou vous mettre mal à l'aise. Mais c'était bien avant qu'il ne vous rencontre. Je ne voudrais pas que votre ressentiment influence votre attitude envers Leo.

Eve laissa durer le silence.

— Voyons... vous vous demandez si, sous prétexte que Connors et vous avez couché ensemble il y a quelques années, je me venge sur celui avec lequel vous couchez actuellement. C'est à peu près cela ?

Pepper ouvrit la bouche, la referma, se racla la gorge.

— En quelque sorte.

— Permettez-moi de vous rassurer sur ce point, mademoiselle Franklin. Si je devais en vouloir à toutes les femmes que Connors a sautées, je serais perpétuellement en colère. Vous n'étiez qu'une parmi d'autres. Je suis la seule, ajouta-t-elle en désignant son alliance. Je n'ai pas peur de vous.

Pepper la dévisagea, stupéfaite. Puis elle cligna des yeux, lentement. Les coins de sa bouche frémirent.

— C'est très... raisonnable de votre part, lieutenant. Et une façon intelligente de me remettre à ma place.

— Je pense, oui.

— Quoi qu'il en soit...

— Quoi qu'il en soit, l'interrompit Eve, Connors et moi étions adultes quand nous nous sommes connus. Je me fiche complètement de ce qui s'est passé dans sa vie avant moi. Si je laissais la jalousie prendre le dessus dans mon travail, je ne mériterais pas mon insigne. Or, je le mérite.

— J'en suis convaincue, répliqua Pepper. De même que vous méritez Connors. C'est un homme fascinant. Mais il ne m'a jamais aimée, et n'a jamais prétendu m'aimer.

— Contrairement à Leo qui, lui, vous aime ?

— Leo ? Il a besoin de moi. Ça me suffit.

— Vous vous rabaissez, me semble-t-il.

— C'est gentil, mais je ne suis pas un cadeau, lieutenant. Je suis égoïste et exigeante, convint-elle avec un petit rire. Ça me plaît d'être ainsi. J'ai besoin de mon temps et de mon espace. Mon compagnon doit accepter que ma carrière passe en priorité. S'il l'admet, et s'il est loyal, le fait qu'il ait besoin de moi me suffit. Leo est un faible, j'en suis consciente, enchaîna-t-elle en haussant délicatement les épaules. Peut-être que j'aime les faibles. Peut-être est-ce la raison pour laquelle je ne pouvais pas me cramponner à Connors plus de quelques semaines. Leo me convient. Étant un faible, lieutenant Dallas, il ne peut en aucun cas être celui que vous recherchez.

— Vous n'avez donc ni l'un ni l'autre la moindre raison de vous inquiéter. Il a menti au cours de notre premier entretien. Quand quelqu'un me ment, je me demande pourquoi.

Le visage de Pepper se radoucit. Elle avait beau s'en défendre, elle était amoureuse de Leo Fortney.

— Vous lui avez fait peur. C'est une réaction assez naturelle quand on est interrogé par la police, vous ne trouvez pas ? Surtout lorsqu'il s'agit d'un meurtre.

— Vous n'avez pas eu peur.

Pepper exhala une bouffée d'air.

— D'accord. Leo a parfois du mal avec la vérité, mais il ne ferait pas de mal à une mouche.

— Pouvez-vous me dire où il était dimanche matin ?

Pepper pinça les lèvres, mais regarda Eve droit dans les yeux.

— Non. Je peux seulement vous dire où il prétendait être, et vous le savez déjà. Lieutenant, si je vivais avec un meurtrier, je le saurais, non ?

— Pas forcément. S'il veut qu'on le laisse tranquille, vous pourriez peut-être lui conseiller d'être franc avec moi. Tant qu'il aura... du mal avec la vérité, je continuerai de me pencher sur son cas.

— J'en parlerai avec lui.

Pepper se leva.

— Merci de m'avoir reçue.

— Aucun problème.

Eve la raccompagna jusqu'à la porte, l'ouvrit, aperçut la limousine. Et son assistante qui remontait l'allée en soufflant comme un bœuf.

— L'officier... comment s'appelle-t-elle, déjà ?

— Peabody.

— Ah, oui ! L'officier Peabody semble avoir eu une matinée pénible. L'orage d'hier soir a rafraîchi l'atmosphère, mais pas suffisamment.

— L'été à New York, murmura Eve.

— J'aurais mieux fait de rester à Londres. J'aimerais beaucoup que vous veniez assister à ma pièce, Connors et vous, ajouta Pepper en lui tendant la main. Appelez-moi quand vous voudrez, je vous réserverai des places.

— Dès que les choses se calmeront un peu, assura Eve.

Elle regarda le chauffeur descendre de la voiture, ouvrir la portière arrière. Peabody, haletante et ruisselante, se précipita vers les marches.

— Je suis désolée, lieutenant ! Panne de réveil. Ensuite, panne dans le métro. J'aurais dû vous prévenir, mais je ne m'étais pas…

— Entrez, avant de vous retrouver avec une insolation.

— Je suis un peu déshydratée, je crois, confessa Peabody, dont les joues étaient écarlates. Vous m'accordez une petite minute ? Je vais me rafraîchir le visage.

— Allez-y. Et la prochaine fois, nom de nom, prenez un taxi ! lança Eve en grimpant l'escalier pour aller récupérer sa veste.

Elle attrapa deux bouteilles d'eau au vol dans la cuisine et retrouva Peabody, qui émergeait de la salle de bains.

— Merci.

Peabody but goulûment.

— Je déteste me lever en retard. J'ai étudié une partie de la nuit.

— Il me semble vous avoir déjà dit de ralentir le rythme. Vous ne vous rendrez pas service si vous vous présentez à votre examen en état de surmenage.

— Je voulais rattraper le temps que j'avais passé à visiter des appartements avec McNab. Je ne savais pas que nous avions rendez-vous avec Pepper Franklin.

— Elle est venue de son propre chef, défendre Fortney.

Eve se dirigea vers le garage. Elle avait oublié de donner l'ordre à l'un des droïdes de lui avancer sa voiture. Summerset s'en chargeait sans qu'elle ait à le lui demander.

— Ouf ! Je ne perds pas complètement la tête, alors, fit Peabody en accélérant l'allure pour se maintenir à la hauteur d'Eve. En ce moment, c'est la folie. Seigneur, Dallas ! Nous avons signé un bail de location. C'est un bel espace, avec une chambre supplémentaire, que nous transformerons en bureau, et c'est tout près du Central. C'est dans votre ancien immeuble. Mavis et Leonardo seront nos voisins, c'est génial, et c'est vraiment sympa de la part de Connors de nous avoir mis sur le coup, mais...

— Mais ?

— J'ai signé un *bail* avec McNab. Je n'en reviens pas ! Nous emménagerons ensemble dans trente jours.

Eve composa le code d'entrée du garage, attendit que les portes s'ouvrent.

— Je croyais que vous viviez déjà ensemble.

— Oui, mais c'était informel. Là, c'est du sérieux. J'ai la trouille, avoua-t-elle en appuyant la main sur son ventre. Du coup, dès notre retour, je me suis ruée sur mes logiciels, mais ça aussi, ça me terrifie. Résultat, je n'arrivais plus à dormir ensuite, donc j'ai sauté sur McNab et...

— Épargnez-moi les détails, Peabody.

— Oui, bon. Bref, j'étais tellement épuisée que j'ai dû désactiver l'alarme du réveil sans m'en rendre compte et me rendormir. Quand j'ai rouvert l'œil, une heure plus tard...

— Comment se fait-il que vous n'ayez que... un quart d'heure de retard ? s'étonna Eve en consultant sa montre.

— Je me suis dépêchée. Tout allait bien, jusqu'à la panne de métro. Ça m'a perturbée, et maintenant, j'ai de nouveau la trouille.

— Écoutez, Peabody, cessez de paniquer. Si vous n'êtes pas prête pour cet examen aujourd'hui, vous ne le serez jamais.

— Ça ne m'aide pas à me calmer, remarqua-t-elle. Je ne veux pas échouer. Ce serait humiliant pour moi, pour vous.

— Taisez-vous, vous allez finir par me communiquer votre trouille. Vous n'humilierez personne. Vous ferez de votre mieux, et ce sera suffisant. À présent, ressaisissez-vous, que je vous parle de Smith avant qu'on l'interroge de nouveau.

Peabody l'écouta attentivement, prit des notes, hocha la tête.

— Rien de tout cela n'apparaît dans sa biographie officielle ou sur les sites de ses fans. C'est bizarre. Ce type adore la publicité. Pourquoi ne pas jouer sur son enfance malheureuse, le fait qu'il s'en soit sorti, le pouvoir de l'amour et blablabla.

— Blablabla ? Primo, ça ne correspond pas à son image. Un homme grand, fort, beau, romantique. Ça ne colle pas du tout avec son passé de fils maltraité d'une prostituée qui lui pique son fric aujourd'hui. Certes, certaines admiratrices pourraient avoir pitié de lui, voire le respecter. Mais ce n'est pas ce qu'il veut.

— Et qu'est-ce qu'il veut ?

— Ce n'est pas l'argent. Ce qu'il recherche, c'est l'adulation. Il saute les jeunes groupies parce qu'elles auront moins tendance à le critiquer. Il charme les femmes plus âgées parce qu'elles sont plus indulgentes.

— Et il s'entoure d'employées femmes parce qu'il veut qu'elles s'occupent de lui, contrairement à ce qu'il a connu dans son enfance.

— C'est comme ça que je vois les choses, admit Eve en déboîtant pour doubler un maxibus qui crachait son contingent de passagers pressés de s'engouffrer dans leurs ruches et leurs boxes. Il s'est forgé une image et il s'y tient.

— Donc, théoriquement, la pression que constitue le fait de dissimuler son passé, le ressentiment, le cycle de violence ont pu le pousser à bout. Et lorsqu'il a craqué, il a tué deux femmes qui représentent celle qui l'avait maltraité. La prostituée et la mère.

— En quelque sorte.

C'était un peu comme une simulation, songea Peabody. Elle était encore un peu lente, mais elle avançait.

— Et secundo ? demanda-t-elle.

— Il veut enfouir cet épisode de sa vie, ne plus y penser. Ce n'est pas un élément essentiel de son existence actuelle, du moins veut-il s'en persuader. Il se trompe, cela fait partie d'un tout, mais c'est intime. Il préfère le garder pour lui.

Peabody observa Eve à la dérobée, mais celle-ci affichait un visage indéchiffrable.

— Il se peut donc qu'il soit juste un survivant, qui a réussi sa vie en dépit des traumatismes de sa jeunesse, risqua-t-elle.

— Vous avez pitié de lui.

— C'est possible. Pas assez pour acheter ses disques, cependant. Mais un peu quand même. Il a dû souffrir énormément. Je ne sais pas ce que c'est que d'être haï par l'un de ses parents. Les miens... vous les avez rencontrés. Ma mère était capable de nous réduire au silence d'un simple regard, mais jamais elle ne nous aurait frappés. Et mes parents avaient beau être des New Agers non violents, ils n'auraient pas hésité à étriper quiconque s'en serait pris à nous. Ce n'est pas rose pour tout le monde. J'ai eu plus d'une occasion de m'en rendre compte depuis que je suis dans la police. Je sais que c'est encore plus dur pour les mômes.

— Certains d'entre eux surmontent le problème, d'autres pas. Une autre hypothèse, c'est que Smith se nourrit de l'adulation féminine sur un plan, tout en considérant les femmes comme des putes… Ce qui est sûr, c'est qu'il ne va pas apprécier que je lui lance son passé à la figure. Soyez prête.

Peabody posa la main sur son pistolet hypodermique tandis qu'elles quittaient le véhicule.

— Pas à ce point, Peabody. Commençons par être gentilles.

Elles furent accueillies par la même femme que précédemment, au son de la même musique. Du moins, était-ce l'impression d'Eve.

Juste avant d'entrer dans le salon rempli de poufs, elle posa une main sur le bras de leur hôtesse.

— Il y a des vrais sièges, quelque part ?

Li eut une moue désapprobatrice, mais elle opina.

— Bien sûr. Par ici, je vous prie.

Elle les conduisit dans une pièce meublée de fauteuils profonds, recouverts de tissu jaune pâle, et de tables basses en verre. Sur l'une d'entre elles trônait une petite fontaine, où l'eau bleu lagon s'écoulait sur un lit de galets blancs. Sur une autre, Eve remarqua une boîte blanche remplie de sable blanc strié de lignes, sans doute à l'aide du petit râteau posé juste à côté.

— Mettez-vous à l'aise, marmonna Li. Carmichael vous rejoint dans un instant.

L'ignorant, Eve examina l'écran mural, où défilait un fondu-enchaîné de couleurs pastel, rythmé par la voix de crooner de Smith.

— J'ai déjà mal au cœur, commenta-t-elle. J'aurais dû lui demander de passer au Central.

— Quel plaisir de vous revoir, toutes les deux ! s'exclama Carmichael en s'avançant les bras tendus. Asseyez-vous. Nous allons boire une boisson fraîche aux agrumes.

Il se cala dans un fauteuil, tandis qu'un domestique posait un plateau sur la table basse. Smith remplit les verres.

— On m'a dit que vous cherchiez à me joindre. Je me demande bien pourquoi. Pardonnez-moi de ne pas avoir été disponible.

— Votre avocat a passé un coup de fil à mon commandant, riposta Eve. J'en déduis que vous avez une idée de ce qui nous amène.

— Là encore, pardonnez-moi. Mon agent est très protecteur. C'est son boulot, bien sûr. Si jamais les médias apprenaient que j'ai été interrogé sur une affaire aussi grave… Je lui ai dit que j'avais confiance en vous, mais…

Il haussa les épaules, but une gorgée.

— Je ne suis pas à la recherche de publicité. Je suis à la recherche d'un meurtrier.

— Ce n'est pas ici que vous le trouverez. Ici, c'est un lieu de paix et de tranquillité.

— La paix et la tranquillité, répéta Eve en l'observant attentivement. Je suppose que c'est important pour vous.

— C'est vital, pour moi comme pour n'importe qui. Le monde est un tableau d'une grande beauté. Il suffit de le contempler.

— La paix, la tranquillité et la beauté importent davantage à ceux qui en ont été privés dans leur jeunesse. Vous avez été maltraité dans votre enfance. Meurtri, battu. Est-ce que vous payez votre mère pour qu'elle se taise, ou dans le seul but de la tenir éloignée ?

Le verre dans la main de Smith se brisa, et un filet de sang dégoulina dans sa paume.

14

Les échardes de verre tombant sur le sol produisirent un son plus harmonieux – selon Eve – que le roucoulement de la voix enregistrée de Smith.

À le voir ainsi, le visage crispé, pas une de ses fans ne l'aurait reconnu. Sa main ensanglantée tenait ce qui restait du verre cassé.

Le souffle laborieux, il bondit sur ses pieds. Eve se leva aussi, lentement, et se prépara à repousser l'assaut.

Mais il se contenta de renverser la tête en arrière, comme un gros chien sur le point d'aboyer, et appela Li en hurlant.

Elle surgit en courant, ses pieds nus claquant sur le parquet, sa robe en tissu transparent volant autour de ses jambes.

— Oh, Carmichael ! Mon pauvre ! Tu *saignes* ! Veux-tu que j'appelle un médecin ? Une ambulance ? s'écria-t-elle.

Les yeux voilés de larmes, il lui tendit la main.

— Fais quelque chose.

— Seigneur ! s'énerva Eve en la lui saisissant et en la retournant pour examiner la blessure. Allez chercher une serviette, de l'eau, un antiseptique et des pansements. Les coupures ne sont pas assez profondes pour mériter une visite aux urgences.

— Mais ses mains, ses mains magnifiques ! Carmichael est un artiste.

— Oui, bon, c'est un artiste avec une paume écorchée. Peabody ? Vous avez un mouchoir ?

— Tenez, lieutenant.

Eve s'en empara, tandis que Li sortait en courant, sans doute pour contacter un chirurgien plastique.

— Asseyez-vous, Carmichael, ordonna Eve. Ce n'est qu'une coupure.

— Vous n'avez pas le droit de venir chez moi et de me bouleverser ainsi. C'est indécent ! Vous perturbez l'équilibre. Vous me menacez.

— Je ne me rappelle pas vous avoir menacé, et j'ai une excellente mémoire. Officier Peabody, ai-je menacé M. Smith ?

— Non, lieutenant.

— Sous prétexte que je mène une vie ordonnée et privilégiée, vous me prenez pour un naïf, marmonna-t-il avec une moue de dégoût. Vous voulez m'extorquer de l'argent pour que je me taise à propos d'affaires qui ne vous concernent en rien. Les femmes comme vous veulent toujours être payées.

— Les femmes comme moi ?

— Vous vous imaginez que vous valez mieux que les hommes. Vous vous servez de votre ruse ou de votre sexe pour les contrôler, pour leur prendre jusqu'au dernier sou. Toutes des putes. Vous méritez...

— Qu'est-ce que je mérite ? lui demanda Eve, alors qu'il s'interrompait, visiblement fou de rage. De souffrir ? De mourir ?

Li reparut avec un drap de bain blanc, une bouteille d'eau minérale et suffisamment de pansements pour soigner un escadron entier après une bataille sanglante.

— Laissez mon assistante s'en charger, dit Eve. Elle, elle ne pourra que vous faire mal.

Smith opina sèchement et détourna la tête.

— Li, tu peux t'en aller, à présent. Ferme la porte.

— Mais, Carmichael…
— Je veux que tu t'en ailles.
Elle cligna des yeux, offensée par le ton cinglant, et s'enfuit.
— Comment avez-vous su… pour elle ?
— C'est mon boulot.
— Ça pourrait causer ma chute, vous savez. Mon public ne veut pas savoir… il a horreur du sordide, du laid. Il vient me voir pour la beauté, le fantasme romantique.
— Je me fiche de votre public et je n'ai aucune intention de divulguer vos révélations à moins que cela ne concerne mon enquête. Je ne recherche pas la publicité.
— Tout le monde le fait, rétorqua-t-il.
— Pensez ce que bon vous semble, ça ne changera rien aux raisons qui m'amènent ici. Votre mère était une prostituée. Elle vous a maltraité.
— C'est vrai.
— Vous l'entretenez.
— Tant qu'elle a ce qu'il lui faut, elle me laisse tranquille. Elle est assez intelligente pour savoir qu'elle pourrait gagner de l'argent facile en vendant son histoire. Mais que ce serait tuer la poule aux œufs d'or. Si mes revenus baissent, les siens baisseront aussi. Je le lui ai expliqué très clairement lors du premier paiement.
— Vous avez une relation conflictuelle avec votre mère.
— Nous n'avons pas de relation du tout. Je préfère oublier que je suis son fils. Ça déséquilibre mon *chi*.
— Jacie Wooton était une prostituée.
— Qui ?
— Wooton. La victime de Chinatown.
— Je n'ai rien à voir avec ça.
Ayant recouvré son calme, il agita sa main blessée :

— J'ai choisi d'ignorer la noirceur du monde.

— Une autre femme a été tuée dimanche. La mère d'un homme adulte.

Il lui jeta un coup d'œil affolé.

— Je n'ai rien à voir avec ça non plus. J'ai survécu à la violence. Je ne la perpétue pas.

— Les enfants maltraités reproduisent souvent ce qu'ils ont vécu. Certaines personnes naissent avec un instinct de tueur, d'autres le développent. Une femme vous a fait du mal, une femme qui vous dominait. Elle vous a fait souffrir durant des années, et vous n'aviez aucun moyen de l'en empêcher. Comment lui faites-vous payer la douleur, l'humiliation et la peur qu'elle vous a infligées ?

— Je ne le fais pas ! Elle ne paiera jamais. Elle gagne à tous les coups. Chaque fois que je lui envoie de l'argent, elle marque un point supplémentaire.

Les larmes coulaient sur ses joues, à présent.

— Elle marque un point, parce que vous êtes là, à me la brandir sous le nez. Mon existence n'est pas une illusion, je l'ai *créée*. Je ne vous permettrai pas de l'entacher.

Un sentiment de compassion submergea Eve. Ses paroles, la passion qu'elles trahissaient, auraient pu être les siennes.

— Vous avez une résidence ici et une autre à Londres.

— Oui, oui, oui ! Et alors ?

Il secoua la main, baissa les yeux et blêmit en voyant la serviette maculée de sang.

— Allez-vous-en ! Vous ne pouvez pas me laisser tranquille, à la fin ?

— Dites-moi où vous étiez dimanche matin.

— Je n'en sais rien. Comment voulez-vous que je me souvienne de tout ? Je suis entouré de gens qui prennent soin de moi. J'y ai droit. Je donne du plaisir. J'en prends. Je le mérite.

— Dimanche matin, Carmichael, entre 8 heures et midi.

— Ici. J'étais ici. J'ai dormi, médité, éliminé mes toxines. Je ne supporte pas le stress. J'ai besoin de calme.

— Vous étiez seul ?

— Je ne suis jamais seul. Elle est dans chacun de mes placards, sous chacun de mes lits, prête à frapper. Je la chasse, mais elle me guette.

De nouveau, Eve éprouva un élan de sympathie pour lui.

— Vous n'avez pas quitté la maison dimanche matin ?

— Je ne m'en souviens pas.

— Connaissiez-vous Lois Gregg ?

— Je connais tant de monde ! Tant de femmes. Elles m'aiment. Les femmes m'aiment parce que je suis parfait. Parce que je ne les menace pas. Parce qu'elles ignorent que je sais ce qu'elles sont au fond d'elles-mêmes.

— Avez-vous tué Lois Gregg ?

— Je n'ai plus rien à vous dire. Je vais prévenir mes avocats. Je veux que vous partiez. Li !

Il glissa sa main blessée dans son dos, se leva, vacilla légèrement. Il fit un pas de côté, s'écartant soigneusement de la serviette écarlate.

— Li, raccompagne-les, ordonna-t-il, tandis que la jeune femme se précipitait vers lui. Je vais m'allonger. Je ne me sens pas bien.

— Allons, allons, murmura-t-elle en lui entourant la taille du bras. Je me charge de tout, ne t'inquiète pas. Mon pauvre bébé.

Elle lança un regard noir en direction d'Eve tout en entraînant Smith hors de la pièce.

— Arrangez-vous pour ne plus être là quand je reviendrai. Sans quoi, je mettrai votre supérieur au courant de vos agissements.

Eve eut une petite moue.

— Ce type a de sacrés problèmes, commenta Peabody.

— Oui. Il s'imagine les résoudre grâce à la méditation, aux tisanes et à sa musique soporifique, fit Eve avec un petit haussement d'épaules. Peut-être qu'il y parviendra. Il ne supporte pas la vue du sang, ajouta-t-elle en contemplant la serviette. Il a failli tomber dans les pommes. Difficile de mutiler ces deux femmes quand la moindre goutte d'hémoglobine vous donne la nausée. À moins qu'il ne soit sensible qu'à la vue de son propre sang ?

Lorsqu'elles émergèrent de la maison, Eve vérifia l'heure.

— Nous avons un peu d'avance.

— Ah oui ? s'écria Peabody, sur le qui-vive. Dans ce cas, on pourrait s'arrêter à un GlissaGrill ou à un Huit à Huit ? J'ai sauté le petit-déjeuner.

— Pas tant d'avance que ça.

Le visage de Peabody s'assombrit, et Eve soupira.

— Vous savez combien je déteste ce regard de chien battu. D'accord, mais vous aurez une minute pour mener la transaction, et vous n'oublierez pas de me prendre un café.

— Marché conclu.

Peabody s'offrit un sandwich aux œufs brouillés, probablement meilleur au goût qu'à l'odeur. Le café était imbuvable, mais Eve ne s'en formalisa pas.

— Nous allons rencontrer la femme de Breen. Quand j'ai appelé son bureau pour obtenir son emploi du temps, on m'a fait des difficultés. J'ai dû recourir au piston.

La bouche pleine, Peabody marmonna :

— C'est moi qui suis supposée prendre les rendez-vous.

— Vous n'allez tout de même pas me reprocher d'alléger votre charge de travail ?

— Non. Mais je ne veux pas que vous mettiez en doute mes capacités sous prétexte que je suis débordée en ce moment.

— Si j'ai à me plaindre de vous, Peabody, vous serez la première informée, croyez-moi.

— Ça va de soi.

Peabody avala une gorgée de sa boisson énergétique parfumée à l'orange.

— Vous avez dit piston ?

— Julietta est dans la mode. Il se trouve que je connais quelqu'un de très haut placé dans ce domaine. L'agenda de Mlle Gates s'est miraculeusement éclairci quand elle a eu un appel de l'assistante principale de Leonardo.

— Vous vous êtes servie de Mavis. Génial !

— Ce n'est pas une sortie entre filles, Peabody, c'est une enquête sur un homicide.

— J'ai hâte de lui annoncer qu'on va être voisins. Du moins, jusqu'à ce qu'elle accouche. Je suppose qu'ils vont vouloir déménager.

— Pourquoi ? Ça prend tant de place que ça, un bébé ?

— Ce n'est pas tant le bébé, c'est la montagne d'accessoires. Le berceau, la table à langer, le tapis d'éveil, les couches, les...

— Laissez tomber. Seigneur !

— C'est vraiment malin de votre part d'être passée par Mavis.

— J'ai parfois des éclairs de génie.

— Évidemment, vous auriez pu vous contenter de leur dire que vous étiez Mme Connors. Ils vous auraient déroulé le tapis rouge.

— Je ne veux pas qu'on me déroule le tapis rouge. Tout ce que je veux, c'est un entretien. Et ne m'appelez pas Mme Connors.

— Je disais ça comme ça !... Mmm ! Rien de tel qu'un bon petit-déjeuner pour vous remettre d'aplomb. Au fond, m'installer avec McNab, ça n'a rien d'extraordinaire. C'est une étape dans une relation en pleine évolution. N'est-ce pas ?

— Comment voulez-vous que je le sache ?

Peabody s'essuya fastidieusement les doigts à l'aide d'une lingette et se promit de remplacer le mouchoir qu'elle avait abandonné chez Smith.

— Quand vous avez emménagé avec Connors, vous n'étiez pas une boule de nerfs.

Il y eut un long silence.

— Si ? fit Peabody. Super ! Vous ne pouvez pas savoir comme ça me rassure. Si vous étiez dans tous vos états sous prétexte que vous alliez vivre avec le dieu des hommes dans un palais, c'est normal que je sois angoissée à l'idée de partager un appartement avec McNab.

— Maintenant que nous avons résolu ce terrible dilemme, je propose qu'on se concentre sur notre affaire.

— Juste une petite question, la dernière. Combien de temps vous a-t-il fallu pour vous y habituer ?

— Je vous préviendrai quand ça arrivera.

— Waouh ! C'est... c'est mignon, lâcha Peabody avec un sourire rêveur.

— Taisez-vous avant que je m'énerve, Peabody. S'il vous plaît.

— Vous avez dit « s'il vous plaît », Dallas ! Vous vous adoucissez.

— Des insultes, grommela Eve. Je n'ai droit qu'aux insultes. Mme Connors, mignon, vous vous adoucissez. Vous verrez si je me suis adoucie quand je vous botterai les fesses.

— Et Dallas est de retour ! annonça Peabody, avant de se réfugier dans un silence satisfait.

On pouvait toujours compter sur Mavis, songea Eve. Pour un service, un éclat de rire, une épaule réconfortante. Et surtout, pour vous surprendre.

Enceinte de quatre mois, sa grossesse n'avait en rien entamé son énergie ni affecté son goût du risque, côté mode. Du moins, Eve le supposait-elle, car personne, absolument personne, ne s'habillait comme Mavis Freestone.

Aujourd'hui, elle avait opté pour les couleurs pastel de l'été, en tout cas, pour ses cheveux, qui étaient rassemblés en torsades agrémentées de pierres étincelantes bleues, roses et vertes. Elles étaient ancrées çà et là avec des épingles lavande en forme de fleurs minuscules… En fait de fleurs, à y regarder de plus près, Eve constata qu'il s'agissait de bébés en position fœtale.

Dans le genre bizarre…

Une dizaine de fines chaînettes en or et en argent pendaient à ses oreilles. Chacune d'entre elles se terminait par des petites boules colorées qui s'entrechoquaient à chaque mouvement. C'est-à-dire, sans arrêt.

Elle portait une jupe de la taille d'une serviette de table, assortie à sa veste, toutes deux blanches et parsemées de points d'interrogation. Les semelles compensées de ses sandales à lanières transparentes contenaient encore des petites boules qui tintaient à chaque pas. Ses ongles étaient vernis de toutes les couleurs de l'arc-en-ciel.

Pour Mavis, c'était une tenue de travail.

— C'est mégalicieux ! s'écria-t-elle. La revue *Outre*, c'est le summum. C'était ma bible, avant que je rencontre l'amour de ma vie. Je continue à le parcourir tous les mois, mais je n'ai plus à me demander comment je vais pouvoir m'offrir tous ces merveilleux vêtements. Leonardo, c'est le top du top.

— J'ai besoin de la voir cinq minutes.

— C'est dans la poche, Dallas.

Elles traversèrent l'immense hall d'accueil, au décor géométrique noir, rouge et blanc. Des couloirs, qui partaient en éventail du bureau de réception, menaient aux boutiques, à un café chic et à un centre de décoration intérieure.

Les murs entre les magasins étaient équipés d'écrans géants sur lesquels des mannequins longilignes arpentaient des passerelles, arborant des tenues plus folles les unes que les autres.

— Les défilés de l'automne, expliqua Mavis à Eve. New York, Milan, Paris, Londres… Oooooh ! Tu as vu ça ? Ce sont les œuvres de mon trésor. Personne ne lui arrive à la cheville.

Eve contempla l'ensemble moulant à rayures rouges, rehaussé d'une gerbe de plumes dorées au creux des reins et d'une jupe translucide à l'ourlet scintillant de petites lumières blanches.

Que pouvait-elle dire ?

Mavis fonça jusqu'au poste de sécurité installé devant une rangée d'ascenseurs laqués en rouge.

— Mavis Freestone. J'ai rendez-vous avec Julietta Gates.

— Oui, mademoiselle Freestone. Vous pouvez monter directement au trentième étage. Quelqu'un vous y accueillera.

Le gardien leva la main pour empêcher Dallas et Peabody de passer.

— Seule Mlle Freestone est autorisée à monter.

— Vous ne vous imaginez tout de même pas que je me déplace toute seule ? riposta sèchement Mavis, sans laisser à Eve le temps de grogner. C'est mon entourage et moi, ou rien.

— Je vous prie de m'excuser, mademoiselle Freestone. Je vais vérifier.

— Dépêchez-vous. Je suis très occupée.

Elle tapota du bout du pied en examinant ses ongles. Vingt secondes plus tard, le vigile revenait.

— C'est bon. Vous pouvez monter au trentième avec votre entourage. Merci d'avoir patienté.

Mavis conserva son attitude de diva jusqu'à ce que les portes de la cabine se referment sur les trois femmes.

— Votre entourage ! C'est trop drôle ! J'ai dit ça, Dallas, parce que je craignais que tu ne lui flanques ton poing dans la figure.

— J'y ai pensé très fort.

— J'évite au bébé toute forme de violence. Je ne regarde quasiment plus un écran. Il paraît que la sérénité et l'énergie positive sont importantes.

Eve jeta un coup d'œil inquiet sur le ventre de Mavis. Est-ce qu'il pouvait les entendre ?

— Je tâcherai de me tenir en ta présence.

— C'est sympa.

Le sourire de Mavis s'estompa tandis que les portes s'ouvraient. La diva était de retour. Elle haussa les sourcils devant la jeune femme qui les attendait.

— Mademoiselle Freestone ! Quel plaisir de vous recevoir. Je vous admire énormément. Ainsi que Leonardo, bien sûr.

— Bien sûr.

Mavis lui tendit la main.

— Si vous voulez bien me suivre, Mme Gates est impatiente de vous rencontrer.

Elles franchirent une salle de réception aussi impressionnante que la première. Ici, les employés travaillaient dans des boxes en verre. Casques et claviers étaient manipulés par une troupe visiblement influencée par les défilés.

L'assistante les précédait, en jupe étroite et talons aiguilles. Elle les entraîna vers une porte à double battant, appuya sur un rond au milieu de celle de gauche. Quelques secondes plus tard, une voix sèche claqua :

— Oui ?

— Mlle Freestone est arrivée, madame Gates.

Les portes coulissèrent dans le mur, révélant un vaste bureau entouré de baies vitrées. Ici, on avait repris le thème rouge/blanc/noir du rez-de-chaussée : moquette noire, murs blancs, poste de travail hautement sophistiqué. Larges fauteuils à rayures noires et blanches. Pour le rouge, un somptueux bouquet de roses, et le tailleur moulant la voluptueuse silhouette de Julietta.

Grande, des cheveux blonds encadrant un visage triangulaire, elle avait des pommettes saillantes, un nez aquilin, une bouche un tantinet trop mince. Mais ses yeux, d'un brun profond, détournaient l'attention de ce défaut mineur.

Elle vint vers Mavis, les bras tendus, un sourire radieux aux lèvres.

— Mavis Freestone, quel plaisir ! Je suis si contente que vous m'ayez contactée. Je rêvais de vous rencontrer depuis si longtemps ! Leonardo est un vieil ami. Quel amour !

— Oui, le mien.

— Je vous en prie, asseyez-vous. Que puis-je vous offrir ? Un café glacé, peut-être ?

— J'évite tout ce qui contient de la caféine en ce moment, répondit Mavis, la main plaquée sur le ventre.

— Oui, bien sûr. Toutes mes félicitations. C'est pour quand ?

— Février.

— Quel beau cadeau de Saint-Valentin !

Ignorant Eve et Peabody, Julietta entraîna Mavis vers un siège.

— Mettez-vous à l'aise. Nous boirons un jus de fruits frais.

— Volontiers. On a le temps de boire un coup, Dallas ?

— Mme Gates ayant trouvé un moment dans son emploi du temps surchargé, j'ai tout mon temps.

Un bras en appui sur le dossier du fauteuil de Mavis, Eve ajouta :

— Ce ne sera pas long.

— Je ne saisis pas…

— Lieutenant Dallas, département de police, annonça Eve en brandissant son insigne. Mon assistante, l'officier Peabody. Les présentations étant faites, j'aimerais que vous répondiez à quelques questions.

— Je le répète…

Julietta se réfugia derrière son bureau, histoire d'assumer une position d'autorité.

— … je ne comprends pas. J'ai accepté de recevoir Mlle Freestone. Nous aimerions beaucoup écrire un article sur vous, Mavis, assorti d'une série de photos.

— Pas de problème, on en discutera après. Quand Dallas en aura terminé. Dallas et moi sommes amies depuis des lustres, ajouta-t-elle avec un sourire désarmant de gentillesse. Quand elle m'a expliqué qu'elle avait du mal à obtenir un rendez-vous, je lui ai dit que c'était sûrement un souci de communication, et que vous vous débrouilleriez pour y remédier. Leonardo et moi sommes très sensibles à tous ceux qui soutiennent notre police locale.

— Très habile, murmura Julietta.

— Je suis d'accord avec vous, répliqua Eve. Si cela vous met mal à l'aise, je suis certaine que ça n'ennuiera pas Mavis d'attendre à l'extérieur.

Eve était restée debout, tandis que Julietta s'asseyait.

— C'est inutile. Vous avez déjà parlé avec Tom. Je ne vois pas ce que je pourrais ajouter. Je ne m'implique jamais dans son travail, et inversement.

— Et dans vos vies ?

— Vous pourriez préciser ? demanda Julietta, du même ton aimable.

— Quand êtes-vous allée à Londres pour la dernière fois ?

— Londres ? Je ne vois pas le rapport, fit-elle en fronçant les sourcils. J'y ai séjourné il y a quelques semaines. Un voyage d'affaires.

Irritée, elle s'empara d'un mini-ordinateur, afficha le calendrier.

— Les 8, 9 et 10 juillet.

— Seule ?

Une lueur s'alluma brièvement dans ses prunelles.

— Oui, pourquoi ?

— Votre mari ne vous accompagne jamais ?

— Nous y sommes allés ensemble en avril. Tom pensait que ce serait amusant pour Jed. J'avais des réunions, lui voulait se documenter. Nous avons pris deux jours de vacances en plus.

— Vous avez acheté des souvenirs ?

— Où voulez-vous en venir ?

— Je suppose que vous vous rendez en Europe assez régulièrement, dit Eve, changeant de tactique. Pour votre travail.

— En effet. J'assiste à des défilés, à divers événements mondains, je rencontre mes homologues européens. En quoi cela concerne-t-il Tom et... ?

Excusez-moi, c'est ma ligne privée. Il faut que je décroche.

Elle sortit son communicateur de la poche de sa veste et se détourna pour qu'Eve ne puisse voir l'écran.

— Julietta Gates. Oui.

Sa voix se réchauffa de quelques degrés et sa bouche s'étira en un sourire.

— Absolument. C'est noté. 13 heures. Mmm. Oui. Je suis en réunion.

Il y eut un long silence, durant lequel elle écouta son interlocuteur, ses joues se colorant légèrement.

— Je suis très impatiente. Entendu. Au revoir.

Elle raccrocha.

— Désolée, un rendez-vous cet après-midi. Maintenant…

— Pouvez-vous me dire où vous étiez dimanche matin ?

— Oh, pour l'amour du ciel ! Le dimanche, je laisse Tom faire la grasse matinée et j'emmène Jed au parc. J'essaie de coopérer, lieutenant, puisque Mavis me l'a demandé, mais je trouve tout cela très agaçant.

— J'ai presque fini. Et la nuit du 2 septembre, entre minuit et 3 heures ?

Julietta reprit son calendrier. De nouveau, Eve remarqua un changement imperceptible dans son expression.

— J'avais une réunion avec un associé. Je ne peux pas vous préciser à quelle heure je suis rentrée chez moi, mais ce devait être après 21 heures, peut-être presque 22 heures. J'étais fatiguée. Je suis montée directement me coucher, car Tom travaillait.

— Il était donc à la maison toute la nuit.

— Forcément ! Il travaillait. Je l'ai prévenu que j'avais pris un somnifère : il n'aurait jamais quitté la maison et laissé Jed. C'est un père très dévoué, voire trop protecteur. De quoi s'agit-il, à la fin ?

— Ce sera tout pour l'instant. Merci de nous avoir consacré ces quelques minutes.

— Il me semble que j'ai droit à une explica…

— Si ça vous intéresse toujours, on peut parler de cet article, intervint Mavis en se levant d'un bond. Je reviens.

Elle sortit avec Eve.

— Alors ? Elle a tué quelqu'un, ou quoi ?

— J'en doute. Je la soupçonne surtout de tromper son mari avec la personne qui vient de l'appeler.

— Ah, oui ? Vraiment ? Comment le sais-tu ?

— Il y a un tas de signes. Écoute, si tu n'as pas envie de traiter avec elle, tu peux partir avec nous. On te dépose chez toi.

— Oh, non, c'est trop top ! Un article dans *Outre*, c'est un vieux fantasme. Ça peut faire grimper les ventes de mes disques. Et ce sera bon pour Leonardo, aussi. Au contraire, ça nous arrange… Au fait, que penses-tu de Vignette ou de Vidal ?

— Qu'est-ce que c'est ?

— Des prénoms pour le bébé. Vignette pour une fille, Vidal pour un garçon. On se tâte pour un prénom français, et j'ai laissé tomber Fifi. Qui voudrait appeler son enfant Fifi ?

Eve se demandait bien qui pouvait vouloir appeler son enfant Vignette, mais se garda de tout commentaire.

— Enfin ! On a encore du temps devant nous, conclut Mavis en se frottant le ventre. À plus !

Sur ces mots, elle retourna dans le bureau de Julietta.

— Vos impressions, Peabody ? s'enquit Eve dans l'ascenseur.

— Elle est en pleine forme, et elle trouvera mieux que Vignette ou Vidal.

— Je faisais allusion à Julietta Gates, espèce de bêtasse.

— Je sais, c'était juste pour vous énerver. Lieutenant, ajouta-t-elle précipitamment, devant le regard noir d'Eve. Elle est habituée à tenir les rênes, et elle aime ça. Elle s'habille davantage pour coller à son rôle que par souci d'être à la mode. Ambitieuse. C'est indispensable pour en être là où elle en est à son âge. Elle ne manque pas de sang-froid. Quand elle évoque son fils, c'est sans passion. Quant à ses frasques extraconjugales, j'avoue que je n'avais rien vu avant que vous n'en parliez. C'était pourtant clair, quand elle a décroché son communicateur : le changement de voix, d'attitude...

— À voir la façon dont elle a rougi, son correspondant lui promettait monts et merveilles pour leur rendez-vous de 13 heures. Je vais devoir confirmer cette incartade, au cas où nous aurions besoin de la pousser dans ses retranchements un peu plus tard.

— On va la filer ?

— Non. Je ne veux pas risquer d'être repérée si peu de temps après cet entretien. Je vais demander à Baxter s'il peut s'en charger. Un môme comme le sien, ça parle ?

— À cet âge-là, sans arrêt. Personne, hormis les membres de la famille, ne les comprend, mais ça ne les gêne en rien.

— Elle a retrouvé son amant dimanche, c'est certain. Et elle était avec le petit. Je m'étonne qu'il ne soit pas allé tout raconter à son père.

— Elle a dû lui dire que c'était un secret.

— Ah ! Parce que les enfants sont capables de garder un secret ?

— Non, mais selon moi, elle n'y connaît pas grand-chose. Le petit semble très proche de son père. Je parie qu'il s'est tu jusqu'à ce qu'elle s'en aille, et qu'ensuite il a tout rapporté : « Papa, moi et maman et oncle Amant, on a fait de la balançoire, mais c'est un secret. »

Eve réfléchit, opina.

— Ce n'est probablement pas la première fois. Si papa est au courant, on peut imaginer qu'il soit furieux, non ? Il est coincé chez lui pour s'occuper du gamin et de la maison, pendant qu'elle se balade en ville – et en Europe – avec un autre. Oui, vraiment, il y a de quoi être contrarié.

Elles montèrent dans la voiture.

— La mère et la putain, enchaîna Eve. On en revient toujours là. Il a parfaitement pu quitter sa maison pour commettre les deux meurtres, et il a peut-être acheté le papier à lettres lors de leur voyage au printemps. À moins que ce ne soit effectivement un cadeau d'un fan, et qu'il ait décidé que ça convenait pour son projet. Il connaît aussi bien les crimes que les tueurs originaux.

— Ce qui signifie qu'il avait à la fois le mobile et l'occasion.

— Oui. Thomas A. Breen prend la première place dans notre liste.

15

À peine Eve avait-elle coupé sa communication avec Baxter, que son communicateur bipa. Le visage de Whitney remplit l'écran.

— Il vous verra à 10 h 45. Soyez efficace.

— Oui, commandant. Merci.

Peabody étudia le sourire satisfait de son lieutenant.

— Une personne accuse un quart d'heure de retard, une seule fois, et elle n'est pas au courant ?

— Trouvez-moi des infos sur Sophia DiCarlo, la jeune fille au pair des Renquist. Je vous mettrai au courant en chemin. Nous allons aux Nations unies.

— On retourne là-bas ? On ne risque pas d'être jetées en prison ?

— Nous y allons pour nous confondre en excuses, ramper et ravaler nos paroles.

— Vous ne savez pas faire ça, déclara Peabody, l'air chagriné. Nous sommes fichues.

— Contentez-vous d'obtenir les données. Si je ne sais ni me confondre en excuses ni ramper, c'est parce que j'y suis rarement contrainte. Il faut s'être trompé d'abord.

Silence. Eve lança un coup d'œil de biais à Peabody.

— Vous ne réagissez pas ?

— Ma grand-mère disait toujours : « Si tu n'as rien de positif à dire sur une personne, ferme-la. »

— Comme si vous suiviez son conseil ! Renquist est furieux, sa femme aussi, et ils ont les moyens d'entraver cette enquête. Les politiciens sont les champions de la paperasserie. Dans la mesure où je les ai trouvés aussi prétentieux l'un que l'autre, je pense que quelque chose du genre : « Je ne suis qu'une modeste fonctionnaire, donc je n'ai rien dans le crâne » devrait faire l'affaire.

— Sophie DiCarlo. Vingt-six ans, célibataire. Nationalité italienne. Elle a la carte verte et un permis de travail. Les parents et les deux sœurs résident à Rome. Aha ! Ses parents sont des domestiques, employés par Angela Dysert. Je parie que c'est une proche de Mme Prétentieuse. Sophie travaille chez les Renquist depuis six ans. Casier judiciaire vierge.

— Très bien. La fille – la fille de Renquist, elle est assez grande pour aller à l'école, non ? Voyez ce que vous pouvez me trouver là-dessus.

— C'est délicat de demander des renseignements sur les mineurs sans autorisation, Dallas.

— Essayez toujours.

Peabody s'attaqua à ce défi, tandis qu'Eve traversait la ville. Au-dessus de leurs têtes, dans le ciel voilé, les dirigeables publicitaires et les AéroTrams remplis de touristes avançaient au ralenti. Dans l'habitacle climatisé, Eve s'exerça à ramper. Elle avait beau se persuader que c'était pour la bonne cause, ça lui mettait les nerfs en pelote.

— Le fichier est bloqué. C'est normal. Surtout pour les gens haut placés. Ils veulent protéger leurs enfants des ravisseurs et autres individus louches. Vous n'aurez rien sans autorisation officielle.

— Impossible. Je ne veux pas que les Renquist l'apprennent. Ce n'est pas grave. La jeune fille au pair va forcément sortir avec la petite à un moment ou à un autre. Ou mieux encore, prendre une journée de congé.

Chassant toute pensée de son esprit, Eve se gara aux abords des Nations unies et se prépara à l'inévitable succession de contrôles de sécurité.

Il leur fallut vingt minutes pour atteindre le secrétariat de Renquist. Son assistante les accueillit et les invita à patienter.

Eve songea que les vingt minutes supplémentaires d'attente que leur infligea Renquist étaient une façon de leur montrer qui avait le pouvoir.

— Soyez brève, je vous prie, attaqua-t-il d'emblée. Si je vous reçois maintenant, c'est uniquement parce que votre supérieur me l'a demandé. Vous avez déjà abusé de mon temps, ainsi que de celui de mon épouse.

— Oui, monsieur. Je suis désolée de vous avoir ennuyés, Mme Renquist et vous. J'ai péché par excès de zèle dans mon désir de faire avancer l'enquête. J'espère que ni vous ni Mme Renquist n'en prendrez ombrage.

Il haussa un sourcil, son regard exprimant la surprise, mais surtout, la satisfaction.

— Je n'ai guère l'habitude d'être soupçonné de meurtre. Forcément, je me suis senti offensé.

— Je regrette de vous avoir donné l'impression que vous étiez suspect. La procédure m'oblige à suivre les moindres pistes. Je...

Elle hésita. Si seulement elle avait pu rougir !

— ... je ne peux que vous présenter mes excuses, une fois de plus, monsieur. Je reconnais que mon incapacité à avancer dans ce dossier m'a frustrée au point de manquer de courtoisie envers votre femme et vous. En fait, je ne cherche qu'à éliminer vos noms de mes listes. J'ajouterai cependant que mon entretien avec Mme Renquist m'a permis de confirmer votre présence chez vous au moment des meurtres.

— Ma femme était bouleversée que vous l'ayez interrogée alors que des invités étaient sur le point d'arriver.

— J'en suis consciente. Pardonnez-moi.

Espèce de crétin !

— J'ai du mal à comprendre comment mon nom a pu se retrouver sur une liste uniquement parce que j'étais en possession d'un certain papier à lettres.

Elle baissa les yeux.

— C'est mon seul indice. Le tueur me provoque avec ces messages. C'est très perturbant. Mais ce n'était pas une excuse pour déranger votre femme chez vous. Je vous serais reconnaissante de bien vouloir lui transmettre mes excuses.

Il ébaucha un sourire.

— Je n'y manquerai pas. Néanmoins, lieutenant, il me semble que vous ne seriez pas là, à me présenter vos excuses, si vos supérieurs n'avaient pas insisté.

Elle le dévisagea un instant.

— J'exerce mon métier de mon mieux, monsieur Renquist. Je ne connais rien à la politique. Je suis flic. J'obéis aux ordres.

Il acquiesça.

— Je respecte les personnes qui obéissent aux ordres, et je peux comprendre qu'une fonctionnaire commette une erreur de jugement par excès de zèle. J'espère que vous n'avez pas été trop sévèrement sanctionnée.

— Ni plus ni moins que ce que je méritais.

— Vous êtes toujours chargée de cette enquête ?

— Oui, monsieur.

— Je vous souhaite bonne chance, dit-il en se levant et en lui tendant la main. J'espère que vous arrêterez cet individu.

Eve lui serra la main et soutint son regard.

— Merci. J'ai bien l'intention de le mettre derrière les barreaux, personnellement, et très vite.

Il inclina la tête de côté.

— C'est la confiance qui parle, ou l'arrogance ?

— Un peu des deux, je suppose. Merci encore, monsieur, pour votre compréhension.

— Je retire tout ce que j'ai dit ! s'exclama Peabody, dès qu'elles furent dehors. Vous avez été remarquable. Le bon petit soldat qui tente de faire son métier et qui se fait taper sur les doigts par ses supérieurs. Stoïque à souhait. C'était formidable !

— On a eu chaud. Il aurait pu semer la pagaille au sein du département. Il a des relations partout. On ne m'a pas ordonné de lui présenter mes excuses, mais personne ne me reprochera mon initiative. Ah ! La politique !

— Quand on a des galons, il faut savoir en profiter de temps en temps.

Eve haussa les épaules et remonta dans sa voiture.

— Je ne suis pas obligée d'aimer ça. C'est curieux, plus je vois Renquist, moins je l'apprécie.

— C'est son côté snob, expliqua Peabody.

Elle se retourna vers le bâtiment d'une blancheur étincelante, la tour, les drapeaux claquant au vent.

— Je suppose que c'est indispensable, quand on passe sa vie parmi les diplomates, ambassadeurs et autres chefs d'État.

— Les diplomates, ambassadeurs et autres chefs d'État sont censés représenter le peuple. Ils ne sont pas différents de nous. Renquist peut se mettre son snobisme où je pense.

Sur ce, Eve démarra en trombe.

— Si c'est lui le tueur, ça ne m'attristera pas du tout. Je coffrerai ce salaud personnellement. Là-dessus, j'étais sincère. Et ça ne me dérangerait pas du tout de voir Renquist de l'autre côté des barreaux.

De retour au Central, elle s'employa à débarrasser son bureau tout en réfléchissant. Elle réexpédia une dizaine de messages de journalistes au responsable des relations publiques et s'empressa de les oublier. Il y aurait sans doute une conférence de presse sous peu, mais elle s'en préoccuperait en temps voulu.

Elle rattrapa son retard – autant que possible – en matière de paperasse, puis passa quelques coups de fil.

Elle sortit les messages, les relut, à l'affût d'un rythme, d'une formulation, d'un vocabulaire, de tout ce qui pouvait correspondre aux tics de langage des suspects.

Ce n'était pas sa voix, songea-t-elle une fois de plus. Il endossait, imitait, devenait un autre. Qui était-il lorsqu'il rédigeait ces lettres ?

Son communicateur bipa, signalant un appel entrant. Elle attendit que les coordonnées s'affichent sur son écran. *Feeney, capitaine Ryan, DDE.* Elle répondit :

— Tu es un rapide.

— Une véritable fusée ! J'ai des trucs intéressants. C'est une affaire ancienne. La victime : une femme de cinquante-trois ans. Enseignante. Découverte chez elle par sa sœur, étranglée. Elle était morte depuis plusieurs jours. Violée avec une statuette, dont il s'est servi aussi pour lui défoncer le crâne. Étranglée avec une paire de collants. Joliment noués autour de son cou.

— Bingo ! Où et quand ?

— Ça s'est passé à Boston, au mois de juin de l'année dernière. Je t'envoie les documents. Pas de mot laissé sur le cadavre. D'après le rapport médico-légal, elle était déjà à moitié morte quand il l'a étranglée.

— Plus on s'entraîne, plus on se perfectionne.

— C'est possible. Je suis tombé sur un autre dossier qui a éveillé ma curiosité. Six mois avant Boston. À New Los Angeles. La victime avait cinquante-six ans. Mais c'était une SDF, ce qui ne colle pas tout à fait. Bref, quelqu'un l'a massacrée dans son squat. Il l'a violée avec une batte de base-ball, battue, puis étranglée avec son écharpe. Là encore, nouée autour du cou. C'est ce détail qui m'a frappé.

— Ce n'est pas illogique. Un squat, c'est facile d'accès, tout le monde s'en fiche. C'est l'endroit idéal pour perfectionner sa technique.

— C'est exactement ce que j'ai pensé. Je t'envoie tout ça. Côté mutilations, je n'ai rien qui rappelle les interventions de ton tueur aux États-Unis. J'élargis ma recherche à l'international.

— Merci, Feeney. Tu vas bientôt partir en vacances, non ?

Son visage s'assombrit.

— Ma femme me harcèle parce que j'ai repoussé le voyage d'une semaine. La maison est jonchée de brochures. Elle veut qu'on loue une villa en bord de mer, qu'on y emmène toute la smala. Enfants, petits-enfants...

— Bimini, ce serait pas mal, non ?

— Qui ?

— Où, Feeney.

— Ah ! *Bimini*. Quoi, Bimini ?

— Connors y possède une propriété. Grande maison, domestiques à gogo. Plage, cascade et tout le tintouin. Je peux lui en parler. La famille tout entière pourra partir à bord d'un de ses avions. Ça t'intéresse ?

— Seigneur Dieu ! Si j'annonce à ma femme qu'on emmène toute la troupe à Bimini, elle va tomber dans les pommes. Merde ! Bien sûr que ça m'intéresse. Mais tu n'as pas à te sentir redevable, Dallas.

— Il ne s'agit pas de ça ! Il l'a bien proposé à Peabody et à McNab, il y a quelque temps. Pourquoi pas vous ? D'autant que je vais te demander de garder un œil sur ce qui se passe ici : je dois m'absenter pour le boulot.

— Tu peux compter sur moi. C'est bon, les fichiers arrivent.

Elle les lut rapidement. Un frémissement la parcourut. C'était bien lui. Des coups d'essai. Rien qui mérite une signature, mais l'élaboration d'un style et d'un savoir-faire.

Il n'avait pas dû prendre toutes ses précautions. Il avait sûrement commis des erreurs. Bien que les deux affaires soient assez anciennes, avec un peu de chance, elle mettrait le doigt sur un détail intéressant.

Elle prit le temps de classer toutes les données avant d'aller consulter Whitney.

Ayant obtenu l'aval de son commandant, elle regagna la division des Homicides, traversa la grande salle au pas de charge, fit signe à Baxter de la suivre.

— Alors ? Vous avez vu l'amant ?

— Elle n'a pas d'amant.

— Bien sûr que si. Forcément. Nom de nom, Baxter, c'était inscrit sur sa figure ! Si vous n'avez pas été fichu de la filer…

— Je l'ai filée ! se défendit-il, avant de commander un café à l'AutoChef… Mmm ! Divin ! fit-il en le humant.

— Elle s'envoie en l'air avec quelqu'un, c'est évident !

— Je n'ai pas dit le contraire, il me semble.

Il sourit, savoura encore une gorgée de café, remua les sourcils.

— Mais ce n'est pas avec un mec, précisa-t-il.

— Elle… Ah ! Tiens, tiens ! Voilà qui est intéressant, murmura Eve en se perchant sur le bord de son bureau. Le mari doit être dans tous ses états.

— Surtout que l'autre est canon. Grande, mince, noire, superbe. À dévorer. Personnellement, je trouve que c'est un sacré gâchis, mais bon… ça m'a permis de fantasmer sur leurs corps emmêlés.

— Vous n'êtes qu'un pervers.

— Et j'en suis fier.

— Pourriez-vous oublier vos fantasmes lesbiens le temps de me faire votre rapport ?

— Certainement. La dame a quitté son bureau à 12 h 45 ; elle s'est rendue en taxi à l'hôtel *Silby*, sur Park Avenue. Son rendez-vous l'attendait dans le hall. Cette dernière a été identifiée plus tard grâce à mon charme, mon ingéniosité et au billet de cinquante dollars que j'ai glissé au concierge sous la table. Elle s'appelle Serena Unger.

— Cinquante dollars ? Merde, Baxter !

— Ben quoi ? Hôtel chic égale pourboires élevés. Unger avait réservé une chambre. Toutes deux se sont dirigées vers l'ascenseur qui était, à ma grande joie, en verre. J'ai donc pu les contempler en train d'échanger un baiser durant leur ascension jusqu'au quatorzième étage. Elles sont entrées dans la chambre 1405, et y sont restées jusqu'à 14 heures. Après quoi Julietta Gates a pris un taxi et a regagné son bureau avec un grand sourire.

— Vous avez effectué une recherche sur Unger ?

— J'ai demandé à Trueheart de s'en charger. Elle est dessinatrice de mode. Trente-deux ans, célibataire. Casier judiciaire vierge. Actuellement employée chez *Mirandi*. Une maison basée à New York.

— Question : votre femme vous trompe avec une autre femme. Est-ce mieux ou pire que si elle s'envoyait en l'air avec un homme ?

— Pire ! Si c'était un mec, je pourrais essayer de me raisonner. Il a profité de la situation, elle a eu un moment de faiblesse...

— Il a profité de la situation, ricana Eve. Décidément, les hommes sont simplistes.

— Laissez-nous nos illusions ! Bref, le fait qu'elle coure après un jupon, ça signifie qu'elle est à la recherche de quelque chose qu'on n'a pas. On est doublement perdants, dans cette histoire.

— C'est exactement ainsi que je vois les choses. Il y a de quoi vous monter contre les femmes. Je suis curieuse de savoir depuis combien de temps Julietta a basculé dans l'autre camp.

Il posa sa tasse vide et joignit les mains comme pour prononcer une prière.

— S'il vous plaît ! S'il vous plaît ! Confiez-moi cette tâche. Je n'ai jamais droit aux missions amusantes.

— Il me faut quelqu'un de subtil. Ce n'est pas votre qualité principale.

— Allez, Dallas !

— Très bien. Surveillez Unger. Interrogez le personnel de l'hôtel, mais efforcez-vous de limiter les dessous-de-table au strict minimum. Notre budget n'est pas élastique. Parlez à ses voisins, à ses collègues. Soyez discret, Baxter, j'insiste. Je dois m'absenter. Avec un peu de chance, je serai de retour demain. Sinon, je devrai peut-être prolonger mon séjour de vingt-quatre heures.

— Vous pouvez me faire confiance.

Elle n'avait pas le choix. Elle ne pouvait pas être à la fois à Boston, à New Los Angeles et sur les talons de Serena Unger à New York. Baxter se concentrerait sur ce chapitre, Feeney, sur celui des crimes similaires, tandis qu'elle suivrait d'autres pistes.

Apparemment, elle avait formé une équipe sans le vouloir.

Il ne lui restait plus qu'à y adjoindre une quatrième personne. À son tour de la jouer subtile.

Elle n'espérait pas joindre Connors dès sa première tentative, mais le dieu suprême des rencontres avait dû décider de lui faciliter la vie. Son assistante lui transféra la communication sans broncher, après avoir précisé poliment qu'il rentrait tout juste de son déjeuner.

— Alors ? Qu'est-ce que tu as mangé ? attaqua-t-elle lorsqu'il apparut à l'écran.

— Une salade du chef. Et toi ?

— Je vais me chercher un sandwich dans une minute. Tu as des affaires, à Boston ?

— Je pourrais. Pourquoi ?

— Il faut que j'y aille. J'ai deux ou trois détails à vérifier. Je ne veux pas emmener Peabody : elle passe son examen après-demain. Je préfère qu'elle reste tranquille, d'autant que je ne suis pas sûre à cent pour cent d'être rentrée à temps. Ça te dirait de m'accompagner ?

— Peut-être. Quand ?

— Hier.

— Ce ne serait pas un subterfuge pour éviter le retour de Summerset, par hasard ?

— Pas du tout, quoique ce soit un petit plus. Bon, tu veux venir ou pas ?

— Il faut que je m'organise, répondit-il, les doigts courant déjà sur son clavier. Accorde-moi... deux heures.

— Parfait.

Et maintenant, le plus délicat :

— Rejoins-moi au centre de transports de Newark à 17 heures. Nous prendrons une navette.

— Les transports publics ? À 17 heures ? Très peu pour moi. On prendra plutôt une de mes navettes.

C'était exactement ce qu'elle voulait. Dieu soit loué.

Elle n'avait aucune envie de se retrouver dans une boîte à sardines remplie de banlieusards qui empestaient la sueur. Mais elle connaissait la règle du jeu et le gratifia du froncement de sourcils de rigueur.

— Écoute, mon vieux, il s'agit d'une enquête policière. Tu n'es là que pour me tenir compagnie.

— Je passe te chercher dès que je serai prêt, décréta-t-il en jetant un coup d'œil à sa montre. Je te préviens quand je pars.

Sur ce, il coupa la communication.

C'était passé comme une lettre à la poste !

Peu après 17 heures, elle était confortablement installée à bord de la navette privée de Connors, à déguster des fraises en relisant ses notes.

— Tu pourras assister à l'entretien avec Roberta Gable, annonça-t-elle. Ensuite, je te lâcherai dans la nature. J'ai discuté avec le responsable du département de police de Boston, il a accepté de me rencontrer, mais à contrecœur. Si je lui ramène un civil, il risque de m'envoyer balader.

— Je pense que je trouverai de quoi m'occuper, répliqua Connors sans lever les yeux du clavier de son mini-ordinateur.

— Je m'en doute. J'imagine que ça n'a pas été facile pour toi de remanier ton emploi du temps dans un délai aussi court. Je te remercie.

— Je compte être justement rétribué à la première occasion, riposta-t-il avec un sourire lascif. Au fait, ta feinte protestation quand je t'ai proposé de prendre ma navette manquait d'enthousiasme. Je te conseille de revoir ta prestation, pour la prochaine fois.

Par chance, le communicateur de Dallas bipa, lui évitant d'avoir à répondre.

— Re-bonjour ! lança Feeney. J'ai trouvé deux ou trois trucs intéressants… Tu manges des fraises ?

Elle en avala une, l'air coupable.

— C'est possible. J'ai sauté le déjeuner. Alors ? Je suis tout ouïe.

— Le premier cas est peut-être un peu trop bâclé pour que ce soit notre homme. Le corps mutilé d'une compagne licenciée âgée de vingt-huit ans a été repêché dans un fleuve. La Seine, à Paris. Il y a trois ans, en juin. Découpé en morceaux. Le foie et les reins manquaient. Gorge tranchée, nombreuses marques de lutte sur les avant-bras. Elle avait passé trop de temps dans l'eau pour qu'on puisse relever quoi que ce soit de pertinent, le cas échéant. L'enquête s'est retrouvée dans une impasse, mais le dossier n'est pas clos.

— Des suspects ?

— L'inspecteur s'est acharné sur son tout dernier client, mais ça n'a rien donné. Il a fait pression sur son coordinateur, aussi, qui avait la réputation de malmener ses employées, mais là encore, sans résultats.

— Bien. Quoi d'autre ?

— Il y a deux ans, à Londres. Un meurtre du style l'Éventreur, quartier de Whitechapel. Une prostituée junkie qui avait réussi à échapper aux contrôles. Elle avait trente-six ans et partageait son appartement avec deux colocataires qui exerçaient la même profession. Ils ont tenté d'épingler son petit copain, mais il avait un alibi en béton.

— Comment est-elle morte ?

— Elle a été égorgée, découpée. Lacérations aux seins et sur les paumes des deux mains. Selon les enquêteurs, il s'agissait d'un crime banal. Mais une annotation du médecin légiste a retenu mon attention : d'après lui, les lacérations ont été infligées après coup. Sans passion. Un témoin a déclaré avoir vu la victime en compagnie d'un homme qui portait une cape noire et un drôle de chapeau. Ledit témoin carburant au Zoner, sa déclaration n'a pas été prise au sérieux.

— Ça colle, dit Eve. Oui, ça colle. Pour les strangulations, il était habillé comme DiSalvo, en tenue d'employé de maintenance. Qu'il se soit déguisé comme l'Éventreur paraît logique. Merci, Feeney. Transfère les fichiers sur mon ordinateur du Central, avec copie chez moi. J'espère être de retour d'ici à vingt-quatre heures.

— Entendu. Je vais poursuivre mes recherches hors planète. Je suis complètement accro à cette affaire.

Eve se cala dans son fauteuil, fixa le plafond.

— On va à Londres et à Paris ? s'enquit Connors.

— Je ne veux pas risquer de perdre du temps ou de l'énergie à me colleter la paperasse internationale. J'essaierai de contacter les divas par communicateur.

— Si tu changes d'avis, ça ne prendra qu'une journée de plus.

Elle hocha la tête.

— Il est à New York. Il faut que j'y sois aussi. Il s'entraîne depuis longtemps, murmura-t-elle. Il a affiné ses talents. C'est pourquoi il peut se permettre de multiplier les meurtres, maintenant. Tout le travail de préparation, la documentation, tout est en place. Il n'a plus besoin d'attendre.

— Qu'il se soit exercé ou non, s'il va trop vite, il finira par déraper.

— Tu as raison, et c'est là que nous le coincerons. Une fois qu'on l'aura entre nos mains, quand je le ferai craquer, on apprendra qu'il y en a eu d'autres. D'autres corps, dissimulés ou éliminés, jusqu'à ce qu'il juge sa technique suffisamment au point pour abandonner les cadavres là où ils seront retrouvés, et en éprouver de la fierté. Ses premières maladresses, il a préféré les cacher. Ça, c'est la raison émotionnelle. L'autre, c'est qu'il ne voulait pas attirer l'attention sur ses crimes avant de se sentir prêt.

— J'ai procédé à quelques recherches de mon côté, annonça Connors en repoussant son ordinateur. Pendant quinze mois, entre mars 2012 et mai 2013, un certain Peter Brent a assassiné sept policiers dans la ville de Chicago. Recalé aux tests psychologiques du département de police de Chicago, il a rejoint un groupe paramilitaire marginal, où il a appris à manipuler son arme de choix, une mitraillette à longue portée, déjà interdite aux civils à cette époque.

— J'en ai entendu parler. Il appréciait tout particulièrement les toits. Il s'y planquait, attendait qu'un flic passe et lui tirait dessus. Il a fallu un escadron de cinquante hommes, et plus d'un an, pour l'arrêter.

Comprenant où il voulait en venir, elle se pencha vers lui et lui prit les mains.

— Brent ne tuait pas les femmes, il tuait les flics. Tout ce qui comptait pour lui, c'était qu'ils portaient un uniforme auquel il n'aurait jamais droit. Il ne correspond pas au profil.

— Cinq de ces flics étaient des femmes. De même que la chef de police qu'il a tenté – sans succès – d'éliminer. Ne te défile pas, lieutenant. Tu as pensé à Brent, et tu as calculé les probabilités, comme moi. Tu sais qu'il y a 88, 6 chances sur cent pour qu'il imite Brent et te prenne pour cible.

— Il ne s'en prendra pas à moi, insista-t-elle.

Du moins, pas encore.

— Il veut que je continue à le pourchasser. Ça le stimule, il se sent important.

— Il te réserve donc pour le dernier acte.

Dissimuler sa pensée ne servirait à rien, surtout avec Connors.

— Je pense que c'est son but, à long terme. Mais je peux te promettre qu'il n'y arrivera pas.

Il mêla ses doigts aux siens.

— Je compte sur toi pour tenir ta promesse.

16

Elle avait décidé de mener son interview avec Roberta Gable en présence de Connors. Ses impressions lui seraient précieuses. L'ex-nurse avait accepté de rencontrer Eve, à condition que l'entretien ne dure pas plus de vingt minutes.

— Elle n'a pas été particulièrement aimable, prévint Eve, tandis qu'ils se dirigeaient vers le petit immeuble où vivait Gable. Surtout quand je lui ai annoncé que nous serions là aux alentours de 18h30. Elle dîne à 19 heures précises, et tient beaucoup à ce que je respecte cet horaire.

— Les personnes d'un certain âge ont leurs habitudes.

— En plus, elle n'a pas cessé de m'appeler Mlle Dallas.

Connors lui entoura les épaules d'un bras réconfortant.

— Tu la détestes déjà.

— Oui. Vraiment. Mais le boulot, c'est le boulot. Et pas de câlins en service ! ajouta-t-elle.

— J'ai tendance à l'oublier, murmura-t-il en l'étreignant brièvement avant de la lâcher.

Eve pénétra dans le sas de sécurité, cita son nom, montra son insigne, annonça l'objet de sa visite. Gable devait l'attendre, car la procédure ne dépassa pas quelques secondes.

— Je vais te présenter comme mon associé.

Ils traversèrent un hall minuscule. Elle retint un soupir en détaillant son costume élégant et ses chaussures, qui avaient dû coûter ce que Gable payait pour un mois de loyer.

— À moins d'être aveugle et sénile, elle ne sera pas dupe, mais on fera avec.

— Il faut être de bien mauvaise foi pour présumer que les flics ne peuvent être bien habillés.

— Ta chemise vaut plus que mon arme. Une fois à l'intérieur, tu es prié de te taire et d'afficher un air sévère.

— Moi qui comptais t'adresser des regards d'adoration !

— Sors de ta bulle. Deuxième étage.

Ils empruntèrent l'escalier, se retrouvèrent dans un petit couloir flanqué de deux portes, une de chaque côté.

À en juger par le silence, le bâtiment était impeccablement insonorisé. Ou tout le monde était mort.

Eve appuya sur la sonnette du 2B.

— Mademoiselle Dallas ? fit une voix dans le haut-parleur.

Connors pinça les lèvres pour ne pas exploser de rire.

— Lieutenant Dallas, madame Gable.

— Je veux voir une pièce d'identité. Placez-la devant l'œilleton.

Eve s'exécuta.

— Tout semble être en ordre. Vous êtes avec un monsieur. Vous ne m'aviez pas signalé que vous seriez accompagnée.

— Il s'agit de mon associé, madame Gable. Pouvons-nous entrer, s'il vous plaît ? Je ne veux pas vous retenir plus longtemps que nécessaire.

— Très bien.

Il y eut un temps mort. La porte s'ouvrit enfin, et Mme Gable fronça les sourcils.

Sa photo la flattait. Son visage mince était dur, les rides autour de sa bouche trahissaient une mauvaise humeur perpétuelle. Ses cheveux étaient tellement tirés qu'Eve en avait la migraine, rien qu'à les voir.

Elle était en gris, comme ses cheveux – chemisier amidonné, jupe qui pendait sur son corps osseux. Chaussures noires à semelles épaisses, soigneusement lacées.

— Je vous connais ! s'exclama-t-elle, narines frémissantes, en désignant Connors. Vous n'êtes pas officier de police.

— Non, madame.

— Nous nous faisons souvent assister de consultants civils, expliqua Eve. Si vous le souhaitez, vous pouvez appeler mon supérieur à New York, pour vérifier. Nous attendrons dehors.

— C'est inutile.

Elle s'effaça, pour les laisser pénétrer dans la salle de séjour. La pièce était spartiate et d'une propreté impitoyable. Ici, pas de coussins, pas de nids à poussière, pas de portraits encadrés ni de fleurs. L'ameublement était sobre : un canapé, un fauteuil, deux tables, deux lampes. Ce lieu sans âme était aussi accueillant qu'une cellule dans une prison de haute sécurité.

— Vous pouvez vous asseoir, sur le canapé. Je ne vous offrirai pas de rafraîchissements si près de l'heure du repas.

Elle prit place sur une chaise, le dos droit, les pieds bien à plat sur le sol, les cuisses serrées, et croisa les mains sur ses genoux.

— Vous souhaitez me parler d'un enfant dont je me suis occupée, mais dont vous avez refusé de me divulguer le nom. Je trouve cela fort impoli, mademoiselle Dallas.

— Je mène une enquête sur un meurtre. Et vous pouvez m'appeler lieutenant Dallas.

Gable pinça les lèvres, mais inclina la tête.

— Très bien. *Lieutenant* Dallas. Si vous avez atteint ce grade, j'en déduis que vous avez les aptitudes indispensables et un minimum de bon sens. Je vous serais reconnaissante de bien vouloir m'expliquer, succinctement, ce qui vous amène ici, afin que nous en finissions au plus vite.

— Mes questions sont de nature confidentielle, madame. Je compte sur votre discrétion.

— J'ai vécu dans des demeures privées, au sein de familles de la haute société, presque toute ma vie. Je suis d'une discrétion absolue.

— L'une de ces familles avait un fils. Niles Renquist.

Gable haussa les sourcils.

— Si vous avez parcouru tout ce chemin pour m'interroger sur les Renquist, vous perdez votre temps, et me faites perdre le mien. Et je tiens beaucoup au mien.

— Suffisamment, j'imagine, pour vouloir éviter un voyage jusqu'à New York pour un interrogatoire officiel dans nos bureaux.

La menace était de pure forme. Aucun juge ne lui accorderait l'autorisation de convoquer un citoyen sur de simples présomptions.

— Je ne crois pas que vous puissiez me traîner jusqu'à New York comme une vulgaire criminelle, protesta Roberta Gable, les joues presque roses. Mon avocat vous empêcherait.

— C'est possible. Allez-y, appelez-le si cela vous amuse. Nous verrons bien qui l'emportera.

— Je n'apprécie guère votre attitude.

Gable avait les doigts crispés.

— Vous n'êtes pas la première à me faire ce reproche. C'est comme ça, les affaires d'homicide ont une fâcheuse tendance à me rendre désagréable. Vous pouvez me répondre ici et maintenant, dans le confort de votre appartement, madame Gable. Ou bien nous pouvons lancer la procédure administrative. La balle est dans votre camp.

Gable la dévisagea sans ciller. Mais Eve, avec ses onze ans de métier, était la plus forte.

— Très bien. Vous pouvez poser vos questions. J'y répondrai dans la mesure du possible.

— Niles Renquist avait-il un comportement violent ou étrange à l'époque où il était à votre charge ?

— Certainement pas ! répliqua-t-elle avec une expression de mépris. C'était un garçon bien élevé, issu d'une bonne famille. Je pense que sa situation actuelle le prouve.

— Vous êtes restés en contact ?

— Il m'envoie des fleurs pour mon anniversaire et une carte à Noël, comme il se doit.

— Vous entretenez donc des relations affectueuses.

— Affectueuses ? répéta Gable en grimaçant légèrement. Je ne veux ni n'attends de l'affection de la part des enfants qui me sont confiés, lieutenant Dallas. Pas plus que vous, de vos subordonnés, je suppose ?

— Qu'en attendez-vous… attendiez, plutôt ?

— L'obéissance, le respect, la discipline.

— Ce qui était le cas de Renquist.

— Bien évidemment.

— Vous employiez des châtiments corporels ?

— Lorsque cela s'imposait, oui. Mes méthodes consistaient à adapter la sanction à l'enfant et à l'infraction.

— Quelles sanctions s'adaptaient le mieux à Niles Renquist ?

— Il réagissait surtout aux privations. Privation de récréation, de divertissements, etc. Il lui arrivait de discuter ou de bouder, mais il finissait toujours par se soumettre. Il a appris, comme tous les enfants que j'ai élevés, qu'un comportement inacceptable entraîne des conséquences.

— Il avait des amis ?

— Des amis soigneusement sélectionnés.

— Par qui ?

— Moi-même ou ses parents.

— Il s'entendait bien avec ses parents ?

— Comme il se doit. La pertinence de ces questions m'échappe.

— J'ai presque fini. Il a eu des animaux domestiques ?

— Il me semble me rappeler que la famille avait un chien. Un terrier. Sarah, la petite, l'adorait. Elle a été inconsolable quand il s'est enfui.

— Quel âge avait Renquist quand cela s'est produit ?

— Dix ou douze ans, je crois.

— Parlez-moi de la fillette, la sœur de Renquist ? Que pouvez-vous me dire à son sujet ?

— C'était une enfant modèle. Aimable, tranquille, bien élevée. Un peu maladroite et sujette à des cauchemars, mais hormis cela, docile et facile à vivre.

— Maladroite ? C'est-à-dire ?

— Elle a traversé une période où elle ne cessait de trébucher, de se cogner dans les meubles. Elle était couverte de bleus et d'écorchures. Sur ma recommandation, les Renquist l'ont emmenée chez un ophtalmologue, mais elle n'avait aucun problème de vue. C'était simplement un manque de coordination. Ça lui a passé.

— Quand, selon vous ?

— Vers l'âge de douze ans. Elle est devenue gracieuse à une époque où la plupart des jeunes filles sont mal dans leur peau. La puberté est une étape difficile, mais Sarah, elle, s'est complètement épanouie.

— C'est à cette époque que son frère est parti pour Eton, n'est-ce pas ?

— Euh... oui, à peu près. Le fait d'avoir tout mon temps et mon attention l'a sûrement beaucoup aidée. À présent, si vous en avez terminé...

— Un dernier détail. Vous rappelez-vous si d'autres animaux domestiques ont disparu durant la période que vous avez passée chez les Renquist ? Ou des animaux du quartier ?

— Les animaux des autres ne m'intéressaient pas. Je n'en ai aucun souvenir.

— Tu as compris où je voulais en venir ? demanda Eve à Connors quand ils se retrouvèrent sur le trottoir.

— Ça me paraît clair. Tu cherches à savoir si Renquist a ou non été maltraité dans son enfance par une femme autoritaire. Si, à son tour, il n'a pas maltraité sa jeune sœur. Si, comme de nombreux tueurs en série, il n'a pas tué ou torturé des animaux domestiques.

— Tout ce qu'il y a de plus banal, convint Eve. Curieusement, elle n'a pas suivi le fil. Soit elle est inconsciente ou stupide, soit elle cache quelque chose. Ou encore, il ne lui vient pas à l'esprit qu'elle ait pu participer à l'éducation d'un psychopathe.

— Tu paries sur quoi ?

— La dernière hypothèse. Cette femme est méchante. Il en existe beaucoup comme elle, dans le système de familles d'accueil. Elle est incapable d'imaginer que l'enfant qu'on lui confie soit psychologiquement tordu tant qu'il présente l'illusion de la soumission.

— Tu le faisais, toi ?

— Uniquement quand ça valait le coup. Et je connais des enfants – la plupart – qui surmontent ce genre d'épreuves et mènent une existence parfaitement normale. Renquist peut en être. Sa sœur était peut-être vraiment maladroite. Mais la coïncidence me trouble. Je vais devoir réfléchir à cela, et j'ai rendez-vous avec le flic de Boston.

— Je te dépose.

— Non, je vais prendre un taxi ou le métro. Si ce type me voit débouler d'une voiture de luxe avec mon jules au volant, il va me détester d'emblée.

— J'adore quand tu m'appelles ton jules.

— Parfois, tu es mon chouchou d'amour.

Il étouffa un rire. Elle avait le don de le surprendre.

— Et je fais de mon mieux pour mériter ce surnom. J'ai des affaires à régler. Contacte-moi quand tu auras terminé, d'accord ? J'en ai pour une heure au moins.

Malgré plus de vingt minutes à ronger son frein dans les embouteillages monstrueux de Boston, Eve arriva en avance au bar gril situé à une cinquantaine de mètres du commissariat de Haggerty.

C'était un refuge de flics typique – une nourriture de qualité à prix raisonnable, sans chichis. Des tables en alcôve pour deux ou quatre personnes et une rangée de tabourets devant le comptoir.

Des flics en uniforme et en civil se détendaient après leur service. L'attention se porta brièvement sur elle à son entrée, un bref instant d'observation, puis la reconnaissance de la race. Ici, on était entre flics.

Elle s'attendait que Haggerty soit en avance – histoire de marquer son territoire. Aussi ne fut-elle pas surprise quand un type seul dans un coin lui fit signe.

Il était solidement bâti : torse épais, épaules larges, visage rude, cheveux blonds coupés court. Il l'étudia tandis qu'elle le rejoignait

Une bière à moitié bue trônait devant lui.

— Sergent Haggerty ?

— C'est moi. Lieutenant Dallas.

— Merci de m'accorder un peu de temps.

Ils se serrèrent la main ; elle s'assit.

— Vous voulez une bière ?

— Volontiers, merci.

Elle le laissa commander, puisqu'il était chez lui, et prendre le temps de la jauger.

— Vous vous intéressez à l'une de mes affaires en cours, dit-il après quelques instants de silence.

— J'ai une victime. Strangulation, viol avec objet. J'ai recherché sur la base de données de l'IRCCA des crimes similaires et je suis tombée sur le vôtre. Selon moi, il s'entraînait, perfectionnait son art, avant de se lancer à New York.

— Il n'a pas commis d'erreurs à Boston. Moi non plus.

Elle opina, avala une gorgée de bière.

— Je ne suis pas ici pour vous embêter, Haggerty, ni pour remettre en cause votre enquête. J'ai besoin d'un coup de main. Si j'ai raison, le type qui nous intéresse travaille désormais à New York, et il n'a pas fini. Si nous nous aidons l'un l'autre, nous parviendrons à le coincer.

— Et vous récolterez les fleurs.

Elle but encore, marqua une pause.

— Si je le serre à New York, oui. C'est comme ça que ça marche. Mais votre patron sera au courant si les informations que vous aurez partagées avec moi m'ont permis de procéder à l'arrestation et à l'inculpation de ce salaud. Quant à vous, vous pourrez clore votre dossier. À moins d'être idiot, vous pourrez lui coller sur le dos un autre meurtre. Quand il tombera, les médias seront partout. Vous aurez votre part de gloire.

Il s'adossa contre la banquette.

— Je vous ai énervée.

— J'ai démarré ma journée de mauvaise humeur. Je pense que cette ordure a tué au moins six personnes jusqu'ici. Je suis convaincue qu'il y en a eu d'autres. Et je suis certaine qu'il y en *aura* d'autres.

Il afficha un air grave.

— Calmez-vous, lieutenant. Je tâtais le terrain. Je me fiche pas mal des médias. Je ne vais pas vous dire que je refuserai les fleurs, bien au contraire. Il a battu ma victime à mort avant de lui nouer une écharpe autour du cou. Je veux l'expédier en taule, mais je n'ai aucun indice. J'ai travaillé dur sur cette affaire, sans résultat. Je n'ai pas baissé les bras. Je me penche dessus dès que j'en ai l'occasion. Vous me parlez de la vôtre à New York, qui vous ramène à moi. Je veux en savoir davantage.

— Il imite des tueurs en série qui ont marqué l'histoire. S'il a sévi à Boston, c'est…

— L'Étrangleur de Boston ? coupa Haggerty avec une moue. J'y ai songé un temps. Le coup de l'imitation. Les éléments de comparaison ne manquaient pas. Je me suis documenté, j'ai étudié ça sous tous les angles. Rien n'en est ressorti, et comme il n'a pas récidivé…

— Il a assassiné une SDF à New Los Angeles. Il a frappé avant Boston, à New York. Il a aussi tué trois prostituées à Paris, Londres et New York, en endossant le rôle de Jack l'Éventreur.

— Vous plaisantez.

— C'est le même. Il m'a laissé deux lettres sur mes deux cadavres.

— Rien de tel avec le mien, déclara Haggerty, répondant à la question qu'elle n'avait pas exprimée.

Je n'ai pas un seul témoin. Le système de sécurité de l'immeuble – si on peut appeler ça un système de sécurité – avait été enlevé la veille du crime. Personne n'avait eu le temps de passer le réparer. Laissez-moi sortir mes notes.

Rapidement, ils se mirent d'accord pour échanger leurs fichiers.

Eve vérifia l'heure, fit un rapide calcul avant d'appeler la côte Ouest. Elle obtint un rendez-vous avec le chargé d'enquête là-bas, puis elle joignit Connors.

Il semblait être dans un bar, lui aussi, mais à en juger par l'éclairage diffus et les cristaux étincelants, c'était un tout autre monde que celui où elle se trouvait.

— J'ai fini, annonça-t-elle. Je vais à la navette. Tu en as pour combien de temps ?

— Une demi-heure devrait suffire.

— Parfait. On se retrouve là-bas. J'ai de quoi m'occuper l'esprit en t'attendant. Ça ne t'ennuie pas qu'on file sur la côte Ouest ?

— Pas de problème.

Quand il monta dans l'avion, elle avait relu ses notes et rédigeait un compte rendu sur son expédition à Boston pour son équipe et son commandant.

Connors posa sa mallette, donna l'ordre de décoller dès que possible, puis leur commanda un repas.

— Le basket-ball, ça te plaît ? demanda-t-il à Eve.

— Pas mal. C'est moins poétique que le base-ball, mais c'est rapide, dynamique. Pourquoi ? Tu viens de passer ton heure à racheter l'équipe des Celtics ?

— Oui.

Elle leva les yeux vers lui.

— Tu rigoles ?

— À vrai dire, il m'a fallu un peu plus d'une heure. Nous étions en négociation depuis plusieurs mois déjà. Comme j'étais sur place, j'en ai profité pour les pousser dans leurs retranchements. C'est signé. Je me suis dit que ce serait amusant.

— Je passe une heure à boire de la bière tiède et à discuter meurtres, pendant que tu deviens l'heureux propriétaire d'une équipe de basket.

— Chacun ses talents.

Elle mangea parce que la nourriture était sous son nez, tout en racontant à Connors son entretien.

— Haggerty est méticuleux. Le genre bouledogue, et pas seulement physiquement. Il n'a pas lâché l'affaire, alors que beaucoup à sa place auraient laissé tomber, depuis le temps. Malheureusement, il n'a pas avancé d'un iota. Je ne comprends pas où il a loupé le coche. Je le verrai peut-être quand j'aurai le dossier entre les mains. En tout cas, il a suivi toutes les étapes.

— En quoi cela peut-il t'aider ?

— Je sais qu'il est passé par ici. J'en ai la certitude. J'ai des dates. Je peux croiser les infos, voir si un de mes suspects était à Boston à ce moment-là. Avec un peu de chance, je peux découvrir un lien entre l'un d'entre eux et la victime de Haggerty.

— Si tu veux, je peux vérifier si l'un de ces noms apparaît sur des listes des passagers ayant emprunté les transports publics ou privés.

— Je n'ai pas l'autorisation. Du moins, pas encore. Mais je vais l'obtenir. S'il y a un rapport avec les meurtres de New L.A. et d'Europe, ce sera facile. Ces gens-là sont trop haut placés pour que je prenne le moindre risque en contournant le règlement.

— En supposant qu'ils s'en aperçoivent.

En effet, si Connors s'en chargeait, personne ne s'en rendrait compte.

— Je ne peux pas avancer les preuves si je n'ai pas la permission d'aller les chercher.

Mais elle en saurait assez pour éliminer des noms. Assez, potentiellement, pour sauver une vie.

— Je ne peux pas lui laisser la moindre marge de manœuvre face aux juges. Il recommencera aussitôt. Parce qu'il aime ça, parce qu'il en a besoin, mais aussi parce qu'il y travaille depuis très, très longtemps. Si je rate mon coup, il repartira de plus belle.

— Je comprends, mais, Eve, regarde-moi. S'il tue quelqu'un avant que tu réussisses à l'arrêter, promets-moi de ne pas te sentir coupable.

Elle le dévisagea longuement.

— J'aimerais bien.

Le jeune et enthousiaste inspecteur Sloan avait mené l'enquête avec un partenaire plus âgé et plus expérimenté. Ce dernier avait pris sa retraite, depuis, et Sloan travaillait désormais avec une femme, qui l'accompagnait au rendez-vous.

— C'était ma première affaire d'homicide en tant que responsable, expliqua-t-il à Eve en sirotant un jus de fruits frais.

Ils étaient dans un bar bio, un vaste espace aux couleurs vives, au personnel aimable et réactif.

— Trent me l'a confiée pour que je puisse m'entraîner, ajouta-t-il.

— Il te l'a confiée parce qu'il n'avait pas envie de se bouger les fesses, intervint sa coéquipière.

Sloan eut un sourire.

— C'est possible. Une fois la victime identifiée, j'ai réussi à retrouver des membres de sa famille, mais personne ne semblait vouloir réclamer la dépouille. Si j'ai pu convaincre plusieurs témoins de parler, leurs déclarations étaient contradictoires. Ils étaient tous plus ou moins drogués, mais le plus lucide d'entre eux a pu me fournir une description: il aurait vu un homme de race indéterminée, en uniforme gris ou bleu, entrer dans l'immeuble aux alentours de l'heure du crime. La victime squattait, comme ses voisins. Ils avaient donc tendance à s'ignorer.

— À New York, vous travaillez sur un meurtre avec un mode opératoire similaire, dit la jeune femme, qui s'appelait Baker.

Tous deux étaient beaux, blonds et respiraient la santé, avec leurs cheveux décolorés par le soleil. Ils avaient davantage l'air d'un couple de surfeurs que d'une paire de flics.

Sauf quand on les regardait dans les yeux, songea Eve.

— Nous... euh... nous avons procédé à quelques vérifications après que vous nous avez contactés, avoua Sloan. On voulait comprendre ce que vous cherchiez, et pourquoi.

— Tant mieux, ça m'évite de perdre du temps en explications. Si vous pouviez me remettre une copie de vos fichiers et me rappeler les étapes que vous avez suivies.

— Je peux le faire, et j'aimerais une contrepartie. C'est ma première enquête, je serais heureux de la clôturer.

— *Nous* serions heureux de la clôturer, rectifia Baker. Trent a tiré sa révérence au bout de vingt-cinq ans de bons et loyaux services. Il veut passer le reste de sa vie à pêcher. Il n'est plus impliqué.

— Entendu, répondit Eve.

Cette fois, quand elle eut terminé, elle permit à Connors de passer la prendre. Elle jeta son sac rempli de disques et de notes sur la banquette arrière de la décapotable.

— Je veux aller jeter un coup d'œil sur les lieux du crime.

— Tes désirs sont des ordres.

Elle lui donna les coordonnées, le laissa les programmer sur l'ordinateur de bord.

— Alors ? Tu as acheté l'équipe des Dodgers ?

— Malheureusement non, mais il te suffit de me le demander.

Elle cala la nuque contre l'appuie-tête et laissa vagabonder ses pensées pendant qu'il conduisait.

— Je ne comprends pas comment on peut vivre ici, observa-t-elle.

— La brise est agréable. Et ils ont éliminé le plus gros de la pollution.

— On a l'impression d'être dans un film. Tout est trop beau, trop propre. Trop de corps d'athlètes et de sourires aux dents étincelantes. Ça me flanque la chair de poule. C'est vrai ! Et ces palmiers au milieu de la ville… C'est indécent.

— Dans ce cas, tu vas avoir une bonne surprise. Le bâtiment que tu cherches me paraît délabré à souhait et les indigènes, franchement louches.

Elle se redressa, étouffa un bâillement, scruta les alentours.

Un lampadaire sur deux était éteint. La bâtisse se dressait devant eux, immense, noire. De nombreuses fenêtres étaient barricadées. Des silhouettes erraient dans l'ombre.

— C'est déjà mieux.

Revigorée, elle descendit de la voiture.

— Cet engin est sécurisé ?

— Totalement.

Il remonta le toit, verrouilla les portières et les déflecteurs.

— Elle était au troisième. Autant y faire un tour puisqu'on est là.

— C'est toujours un plaisir d'explorer un immeuble condamné où l'on risque à tout instant d'être assommé ou poignardé.

— Tu as tes divertissements, j'ai les miens, riposta Eve en regardant autour d'elle. Hé ! Toi !

Un junkie en longue veste noire se balançait d'avant en arrière sur ses pieds.

— Si je dois te courir après, ça va me fiche en rogne, l'avertit Eve. Juste une petite question. Si tu me donnes la réponse, tu récupères un billet de dix.

— Je sais rien.

— Tant pis pour tes dix dollars. Depuis combien de temps est-ce que tu traînes par ici ?

— Un moment. Je gêne personne.

— Tu étais là quand Susie Mannery a été étranglée, au troisième ?

— Merde. J'ai tué personne, moi. Je connais personne. C'est sûrement les hommes en blanc qui ont fait ça.

— Quels hommes en blanc ?

— Merde, vous savez bien, quoi ! Les types des souterrains. Ils se transforment en rats quand ça leur chante, et ils tuent les gens dans leur sommeil. Les flics sont au courant.

— Ah ! Ceux-là. Dégage ! conclut-elle en pénétrant dans le bâtiment.

— Et mes dix dollars ?

— Mauvaises réponses !

Elle n'en obtint pas de meilleures en grimpant au troisième. La pièce de Mannery était de nouveau occupée, mais le squatter s'était absenté. Un matelas déchiré gisait sur le sol, ainsi qu'un carton rempli de chiffons et un très, très vieux sandwich.

Comme le junkie dehors, personne à l'intérieur n'avait su, vu ou entendu quoi que ce soit.

— On perd notre temps, déclara-t-elle enfin. Ça ne m'avance à rien. Quand on vit comme ça, les gens s'imaginent qu'on a baissé les bras. Pas Mannery. Sloan m'a donné la liste de ses effets personnels. Elle avait des vêtements, de la nourriture, une peluche. On ne se promène pas avec une peluche quand on a renoncé. Elle était sans doute dans un état second quand il s'est jeté sur elle, mais elle respirait.

Connors la fit pivoter vers lui, dans la pièce crasseuse et étouffante.

— Lieutenant, tu es fatiguée.

— Je vais bien.

Il lui caressa la joue, et elle ferma brièvement les yeux.

— Oui, je suis fatiguée, avoua-t-elle. J'ai connu des endroits comme celui-ci. À deux ou trois reprises, en période de vaches maigres, on y a créché. Pour ce que j'en sais, on aurait pu dormir ici même.

— Tu as besoin de te reposer.

— Je dormirai dans la navette. Inutile de s'attarder. De toute façon, je réfléchis mieux à New York.

— Rentrons à la maison, alors.

Elle s'assoupit dans l'avion, tandis qu'il traversait le pays dans l'autre sens, et rêva de rats qui se transformaient en hommes en blanc. D'un homme sans visage qui l'étranglait avec une longue écharpe blanche et faisait un joli nœud autour de son cou.

17

Marlene Cox travaillait trois soirs par semaine de 22 heures à 2 heures du matin au *Riley's Irish Pub*. L'établissement appartenait à son oncle, qui s'appelait en fait Waterman, mais sa mère était née Riley : Oncle Pete estimait le rapprochement suffisant.

Pour Marlene, c'était un bon moyen de financer ses cours à l'université de Columbia. Elle préparait une maîtrise en horticulture, sans savoir précisément ce qu'elle ferait une fois son diplôme obtenu. En fait, elle se sentait bien dans sa vie d'étudiante.

Âgée de vingt-trois ans, c'était une jolie brune toute menue aux longs cheveux raides et aux yeux noisette. Au début de l'été, ses parents s'étaient tellement inquiétés à son sujet (plusieurs étudiantes avaient été assassinées à New York), qu'elle avait annulé son inscription pour la session estivale.

Elle avouait volontiers avoir eu un peu peur, elle aussi. Elle connaissait l'une des victimes. Elles n'étaient pas proches, mais tout de même, quel choc de reconnaître le visage d'une camarade en première page des journaux !

Elle n'avait jamais été confrontée à la mort, encore moins à la mort violente. Il n'avait pas fallu grand-chose pour la convaincre de ne pas s'éloigner de la maison, et de prendre des précautions supplémentaires.

Mais la police avait arrêté le meurtrier. Lui aussi, elle le connaissait vaguement. C'était à la fois effrayant et excitant.

Maintenant que le calme était revenu, Marlene ne pensait guère à eux. Entre sa famille, son emploi à temps partiel et ses études, elle menait une existence des plus normales.

Voire banale. Elle était impatiente de reprendre un rythme plus soutenu, de revoir ses amis… et peut-être d'entamer une relation sérieuse avec un garçon qui l'avait draguée gentiment au début de sa session d'été avortée.

Elle descendit du métro à deux blocs de l'appartement qu'elle partageait avec deux cousines. L'immeuble était bien situé, les rues tranquilles, les voisins aimables. Le trajet à pied était court, elle l'empruntait régulièrement depuis deux ans et n'avait jamais été ennuyée.

Parfois, elle espérait presque que quelqu'un l'aborde, juste histoire de prouver à ses parents qu'elle était capable de se débrouiller seule.

Au carrefour, elle aperçut une camionnette de déménagement, un véhicule de location semblable à celui qu'elle avait utilisé pour transporter ses affaires de la maison à l'appartement.

Drôle d'heure pour déménager, songea-t-elle. Comme elle se rapprochait, elle entendit du bruit et quelques injures marmonnées.

Elle vit l'homme se démener pour faire entrer un petit canapé dans la camionnette. Il semblait bien bâti et, bien qu'ayant le dos tourné, plutôt jeune. C'est alors qu'elle remarqua le plâtre sur son bras droit.

Il tentait de manœuvrer avec la main gauche et l'épaule, mais le poids était trop important, et le bout du canapé retomba sur le trottoir.

— Merde, merde, *merde* !

Il sortit un mouchoir blanc, s'essuya la figure.

Cette fois, elle aperçut son visage, et le trouva mignon. Des boucles noires s'échappaient de sa casquette de base-ball et frôlaient le col de sa chemise.

Elle poursuivit son chemin. Mignon ou pas, on ne discutait pas avec un inconnu dans la rue en plein milieu de la nuit. Mais il semblait si désemparé – ruisselant de sueur, frustré.

Elle marqua une pause.

— Vous arrivez ou vous partez ?

Il sursauta, et elle ravala un gloussement. Pivotant vers elle, il s'empourpra.

— Ni l'un ni l'autre, j'ai l'impression. Au fond, je devrais laisser ce machin-là et m'installer dans la camionnette.

— Vous vous êtes cassé le bras ? s'enquit Marlene, intriguée. Je n'ai jamais vu un plâtre comme celui-là.

— Ouais, murmura-t-il en passant la main dessus. Plus que deux semaines à tenir. Triple fracture, en faisant de l'escalade dans le Tennessee. Le truc complètement idiot.

Elle crut déceler un léger accent du Sud dans sa voix et revint sur ses pas.

— Il est très tard pour entreprendre ce genre d'activité.

— Ma petite amie, enfin, mon ex-petite amie, rectifia-t-il en grimaçant, travaille de nuit. Elle m'a conseillé de récupérer mes affaires quand elle ne serait pas là.

Il ébaucha un sourire.

— Je n'ai pas de chance. Mon frère devait venir me donner un coup de main, mais il est en retard. Ça ne m'étonne pas de lui. Je veux tout charger avant le retour de Donna, d'autant que je dois rendre le camion à 6 heures du matin.

Décidément, il était adorable. Un peu plus vieux que les hommes qu'elle fréquentait habituellement, mais sympathique. Et il était mal en point.

— Je peux peut-être vous aider ?

— Vraiment ? Ça ne vous ennuie pas ? Je vous en serais très reconnaissant. Si on pouvait se débarrasser de ce canapé, ce serait déjà ça. Frank daignera peut-être arriver ensuite.

— Pas de problème. Si vous alliez dans le fond, je pourrais le pousser.

— On va essayer.

Il grimpa dans le van, maladroitement à cause de son plâtre.

Marlene fit de son mieux, en vain. Le canapé retomba sur le trottoir.

— Désolée.

— Ce n'est pas grave, dit-il avec un sourire. Vous êtes toute frêle. Si vous aviez une minute, on pourrait inverser les positions. Je supporterais le poids sur mes épaules, et vous, vous pourriez tirer pendant que je pousse.

Une sonnette d'alarme tinta dans son inconscient, mais elle l'ignora. Elle s'engouffra dans la camionnette tandis qu'il en descendait avec un sourire chaleureux.

Il lui cria des indications tout en grognant et en insultant son frère, Frank. Elle réprima un rire. Le canapé glissa vers le fond, et elle recula.

— Mission accomplie !

— Attendez une minute. Laissez-moi...

Il se hissa dans le véhicule en s'essuyant le front de son bras valide.

— Si on pouvait le caler par ici.

Il pointa le doigt. Bien que vaguement mal à l'aise, elle regarda dans la direction qu'il lui indiquait.

Le premier coup, sur le côté de la tête, la déséquilibra. Foudroyée par la douleur, elle vit mille et une étoiles.

Elle trébucha, son pied s'accrochant à celui du canapé, et s'effondra sans imaginer que cette chute lui épargnait un deuxième coup sur le crâne.

À la place, le plâtre lui défonça l'épaule, et elle laissa échapper un gémissement, tout en s'efforçant de s'esquiver à quatre pattes.

Elle entendait sa voix au loin, mais celle-ci avait changé. Quelque chose se déchira – ses vêtements, son corps – tandis qu'il la tirait en arrière.

Oh, non! Petite salope.

Il faisait noir, à présent, elle ne voyait plus rien. Il n'y avait plus que la douleur et ce goût de sang dans la bouche.

Elle pleurait, geignait tel un animal blessé, tandis que les coups pleuvaient. D'une main tremblante, luttant pour ne pas s'évanouir, elle chercha dans sa poche le cadeau que lui avait offert son oncle lorsqu'elle était venue travailler pour lui.

Se fiant à son instinct, elle le brandit en direction de la voix de son agresseur.

Il poussa un hurlement, signe qu'elle avait atteint sa cible. La sirène rattachée à l'appareil se déclencha. En sanglotant – à moins que ce ne fût lui? –, elle tenta une fois de plus de s'éloigner en rampant.

Une douleur insoutenable la terrassa quand il lui flanqua un coup de pied dans les côtes. Elle se sentit sombrer, s'enfoncer dans la nuit éternelle, avant même que son crâne ne heurte la chaussée.

Eve examinait la mare de sang sur le trottoir. Il était 4 heures du matin; on avait transporté Marlene Cox à l'hôpital une heure auparavant. Elle était inconsciente, et ses chances de survie pratiquement nulles.

Il avait abandonné la camionnette de location et ses accessoires, laissant sa victime ensanglantée dans la rue. Mais il ne l'avait pas achevée.

Eve s'accroupit, ramassa un bout de plâtre avec ses doigts enduits de Seal-It. La jeune fille s'était débattue assez longtemps et avec assez d'énergie pour le faire fuir.

Elle observa de près la casquette de base-ball et la perruque déjà rangées dans des sachets de plastique scellés. Des modèles bas de gamme. Difficile d'en remonter la piste. Le canapé était vieux, délabré, usé. Il avait dû le ramasser aux puces. Restait la camionnette. Avec un peu de chance…

Elle leva les yeux vers Peabody, qui arrivait au petit trot.

— Lieutenant ?

— Une femme de vingt-trois ans. Marlene Cox. Elle habite dans cet immeuble, ajouta Eve en le désignant d'un geste. Apparemment, elle rentrait de son travail. J'ai pris de ses nouvelles à l'hôpital avant de venir ici. Elle est au bloc. Le pronostic est mauvais. Sévèrement frappée sur la tête, le visage, le corps. Il s'est servi de ceci – en tout cas au début.

Elle brandit un bout de plâtre.

— Qu'est-ce que c'est ?

— Du plâtre. Il devait en porter un au bras. Le pauvre garçon s'efforce tant bien que mal de hisser son canapé dans ou hors de la camionnette. Plutôt dedans. Il voulait qu'elle y monte. Il a le bras immobilisé, il n'y parvient pas. Il affiche un air désespéré, elle lui propose son aide. Ils échangent des sourires. Une fois qu'elle est à l'intérieur, il la frappe. Il commence par la tête, pour la faire tomber, la désorienter. Il continue de cogner, suffisamment fort pour éclater son plâtre.

Eve s'approcha de l'arrière du véhicule. Un espace minuscule. Une erreur, se dit-elle. Entre le canapé et les cartons, il avait manqué de place.

L'imitation était de qualité, décida-t-elle, mais la scène était trop encombrée, ce qui avait nui à sa performance.

— Il n'a pas agi assez vite. Ou bien il s'amusait trop. Elle avait une bombe d'autodéfense, ajouta Eve en soulevant un sac en plastique. Elle a sans doute réussi à l'atteindre au visage, et la sirène s'est déclenchée. Il s'est enfui. D'après moi, soit elle est tombée de la camionnette, soit il l'a poussée. L'agent qui m'a briefée m'a dit qu'il la croyait morte tellement il y avait de sang. Mais son pouls battait encore.

— Ted Bundy.

Eve dévisagea Peabody d'un air surpris.

— J'ai effectué des recherches sur les tueurs en série de votre liste. C'est la méthode qu'il employait.

— Oui, et avec plus de succès que notre individu. Ça va l'énerver. Même si elle meurt, il sera furieux. On va vérifier d'où vient le véhicule. J'ai confié à des agents la mission d'interroger les voisins, et les techniciens vont passer ce camion au peigne fin.

Marlene était encore au bloc quand Eve arriva à l'hôpital. La salle d'attente était bondée. L'infirmière de service l'avait déjà prévenue: la famille avait déboulé en masse.

Elle décela un mélange de stupeur, de peur, d'espoir, de chagrin et de colère sur leurs visages tandis qu'ils se tournaient vers elle comme un seul homme.

— Je suis désolée de vous déranger. Je suis le lieutenant Dallas, du département de police de New York. Je souhaite parler à Peter Waterman.

— C'est moi.

Un grand costaud aux cheveux noirs coupés en brosse se leva. L'inquiétude se lisait dans son regard.

— Si voulez me suivre, monsieur Waterman.

Il murmura quelques mots à l'une des femmes et rejoignit Eve dans le couloir.

— Je suis navrée de vous arracher à vos proches, mais d'après mes informations, vous êtes le dernier à avoir parlé avec Mlle Cox avant qu'elle rentre chez elle ce matin.

— Elle travaille pour moi, pour nous. Je possède un bar, et je l'emploie comme serveuse en salle plusieurs fois par semaine.

— Oui, monsieur, je suis au courant. À quelle heure est-elle partie ?

— Juste après 2 heures. Je suis sorti avec elle, j'ai fermé la boutique. Je l'ai regardée s'éloigner vers la station de métro. C'est tout près. Ensuite, elle n'a qu'une centaine de mètres à parcourir. C'est un quartier tranquille. Mes deux enfants y habitent avec elle. Mes deux filles.

Sa voix se brisa, et il dut reprendre son souffle avant d'enchaîner.

— Mon frère a un appartement tout à côté. C'est un quartier tranquille, répéta-t-il. Un quartier sûr. Merde !

— En effet, monsieur Waterman. Quand la sirène s'est déclenchée, plusieurs personnes sont sorties. Elles ne sont pas restées enfermées chez elles, comme c'est souvent le cas. Nous avons déjà deux témoins qui ont aperçu son agresseur. Il s'enfuyait en courant. Il n'aurait pas couru si ce n'était pas un bon quartier, si les gens n'avaient pas ouvert leurs fenêtres ou ne s'étaient pas précipités dehors.

Il s'essuya la joue du revers de la main.

— C'est vrai. Merci. Vous comprenez, c'est moi qui les ai aidées à trouver cet appartement. Ma sœur, la mère de Marlene, me l'avait demandé.

— Et vous leur avez trouvé un endroit où les voisins se soucient les uns des autres. Monsieur Waterman, un homme comme vous, qui gère un bar, a l'habitude d'observer les gens, n'est-ce pas ? De les sentir. Vous avez peut-être remarqué un client en particulier, récemment ?

— Chez moi, c'est très calme. J'ai des fidèles et quelques touristes. J'ai des contrats avec deux ou trois hôtels. C'est un pub plutôt bourgeois, sergent.

— Lieutenant.

— Excusez-moi. Je ne sais pas qui a pu faire ça à notre petite Marlene. Il faut être malade pour s'attaquer à une jeune fille comme elle.

— Certainement. Vous a-t-elle confié avoir rencontré quelqu'un, ces derniers temps, ou repéré un individu qui traînait dans les parages ?

— Non. Elle a vaguement flirté avec un étudiant de son université, au début de l'été. Elle ne m'a pas dit son nom. Peut-être qu'une de mes filles pourra vous renseigner.

Il sortit un mouchoir, se moucha.

— Nous l'avons encouragée à annuler ses cours d'été, à cause de cette série de meurtres, il y a quelques semaines. Elle connaissait une des victimes, la première ; elle était bouleversée. On l'était tous. Je lui ai donné une bombe, je lui ai conseillé de l'avoir toujours dans sa poche. Elle m'a écouté.

— Elle s'en est servie. Ce qui signifie qu'elle est intelligente et solide. Elle l'a chassé, monsieur Waterman.

— Les médecins ne veulent rien nous dire, fit une voix féminine.

Eve se retourna.

— Ils ne veulent rien nous dire, mais je sais ce qu'ils pensent. C'est mon bébé qu'ils sont en train d'opérer. Mon bébé, et ils pensent qu'elle va mourir. Mais ils se trompent.

— Elle s'en sortira, Sela, murmura Waterman en la rejoignant pour la serrer contre lui. Marlene va guérir.

— Madame Cox, auriez-vous quoi que ce soit à m'apprendre qui pourrait m'être utile ?

— Elle vous parlera elle-même quand elle se réveillera, déclara Sela d'un ton ferme. Ensuite, vous irez le chercher, vous l'enfermerez. Ce jour-là, je viendrai le voir, je le regarderai droit dans les yeux et je lui dirai que c'est ma fille, mon bébé qui l'a mis en prison.

Dallas les laissa seuls, se réfugia dans un coin avec une tasse de café et patienta jusqu'au retour de Peabody.

— On n'a rien encore sur la location, mais McNab et Feeney sont dessus.

— Malin. Prudent, commenta Eve. Il a loué la camionnette via un site Internet en donnant un faux nom et un faux numéro de permis de conduire, et il a payé pour qu'on la dépose à une fausse adresse. Personne ne l'a vu. Il a effacé toutes les empreintes. On n'a rien relevé, pas un cheveu, pas une fibre, sauf la perruque et le bout de plâtre.

— Il a peut-être laissé une goutte de sang sur la scène du crime.

Eve secoua la tête.

— Il est trop rusé. Mais pas autant qu'il le croit, parce qu'il n'a pas eu Marlene Cox. Pas comme il le voulait. Et quelqu'un l'a vu. Quelqu'un l'a vu monter dans cette estafette ou la garer aux abords de son immeuble. D'autres l'ont vu partir en courant.

Elle reprit son souffle, but une gorgée de café.

— La camionnette, c'était son décor. Là-dessus, il a pris toutes les précautions nécessaires. Il voulait qu'on la découvre à l'intérieur. Mais il a été obligé de s'enfuir, les yeux brûlants, la gorge irritée à cause du gaz lacrymogène.

Elle jeta un coup d'œil vers le médecin en blouse verte qui approchait. Son expression ne laissait rien présager de bon.

— Merde !

Eve se leva, attendit qu'il s'entretienne avec la famille.

Elle entendit des sanglots, des murmures. Lorsqu'il reparut, elle lui montra son insigne.

— Lieutenant Dallas. Pouvez-vous m'accorder une minute ?

— Dr Laurence. Elle n'est pas en état de parler.

— Elle est vivante ?

— Je ne sais pas comment elle a supporté l'intervention, et je crains qu'elle ne tienne pas la matinée. J'ai autorisé ses proches à lui faire leurs adieux.

— Je n'ai pas pu discuter avec les secouristes. Pouvez-vous m'en dire davantage sur ses blessures ?

Il alla se planter devant le distributeur, commanda un café.

— Côtes brisées. Sans doute par des coups de pied. Collapsus pulmonaire. Hématomes aux reins. Une épaule disloquée, fracture du coude. Voilà pour les lésions mineures. Pour la tête, c'est une tout autre histoire. Vous avez déjà cogné un œuf dur contre une surface solide pour l'écaler ?

— Oui.

— C'est à peu près ce que ça donne. Les secouristes sont arrivés très vite. Ils ont fait du bon boulot, mais elle avait déjà perdu énormément de sang. Elle souffre d'une fracture du crâne, lieutenant, et les dommages sont sévères. Nous avons trouvé des échardes d'os dans son cerveau. Ses chances de se réveiller, ne serait-ce que quelques minutes, sont infimes. Quant à savoir si elle récupérera ses fonctions motrices ou la parole, à moins d'un miracle…

Il poussa un soupir.

— Il paraît qu'elle a aspergé le type de gaz lacrymogène ?

— Il y avait une bombe sur la scène du crime, confirma Eve. La sirène s'était déclenchée. Selon moi, elle a réussi à l'atteindre ; sans quoi il aurait terminé ce qu'il avait commencé. Je suis prête à parier qu'elle lui a brûlé les yeux.

— J'ai prévenu tout le monde. Si quelqu'un se présente aux urgences, ici ou ailleurs, avec de tels symptômes, on vous avertira.

— Merci. J'apprécierais que vous me teniez au courant de son état de santé, dans un sens comme dans l'autre. Peabody ? Vous avez une carte ?

— Oui, lieutenant.

— Une dernière chose, ajouta Eve tandis qu'il l'empochait. Vous utilisez souvent ce genre de plâtre ?

— Pas depuis mon internat, marmonna-t-il en examinant le morceau qu'elle lui avait tendu. On en voit encore de temps en temps ; tout dépend de la blessure, de l'assurance. C'est moins coûteux que les matériaux modernes. Les fractures mettent plus de temps pour guérir, et c'est inconfortable. On réserve cela aux patients à bas revenus.

— Où vous procurez-vous les produits pour les fabriquer ?

— Auprès d'un fournisseur spécialisé, je suppose. J'imagine qu'on peut s'en procurer dans certains centres, plus traditionnels.

— C'est ce que je pensais. Merci.

— Fournitures médicales ou de construction ? s'enquit Peabody tandis qu'elles quittaient l'hôpital.

— Les deux. Paiement en espèces. Il n'a sûrement pas laissé de traces papier. Ça ne doit pas être très courant. Un achat en petite quantité, emporté. Une livraison implique de donner une adresse. Il s'est rendu sur place, il a posé un billet sur le comptoir et il est reparti. Vérifiez d'abord auprès des fournisseurs de matériaux de construction, décida-t-elle.

Elle consulta sa montre avant de monter en voiture.

— Réunion dans une heure. Ensuite, séance de shopping.

En pénétrant dans son bureau, elle hésita entre l'irritation et l'amusement. Nadine Furst était assise dans son fauteuil, en train de déguster une tasse de bon café et un muffin.

— Ne vous fâchez pas. Je vous ai apporté des beignets.

— Quelle sorte ?

— Fourrés à la crème, saupoudrés de sucre coloré, répliqua Nadine en ouvrant un petit carton de pâtissier. Six en tout, et ils sont tous pour vous, grosse gourmande.

— J'adore les dessous-de-table. À présent, rendez-moi ma place.

Elle commanda un café à l'AutoChef. Quand elle se retourna, Nadine s'était installée sur le fauteuil destiné aux visiteurs, ses jolies jambes élégamment croisées.

— Je me suis mal exprimée. Sortez d'ici.

— J'avais pensé qu'on pourrait prendre le petit-déjeuner ensemble, protesta Nadine en mordant délicatement dans son muffin. Dallas, je comprends votre souci de ménager les sensibilités. Avouez que je me suis comportée de façon exemplaire jusqu'à présent. J'ai respecté votre position, parce que vous aviez raison. Je sais que vous avez filé des tuyaux à Quinton – ni plus ni moins que ce que vous vouliez bien révéler. Ça aussi, je le respecte.

— Ma foi, c'est admirable ! s'exclama Eve, avant d'engloutir un demi-beignet en une bouchée. Au revoir, Nadine.

— Il n'a pas encore fait le lien. Ça ne saurait tarder, surtout si je le mets sur la voie. Il est intelligent et enthousiaste, mais un peu naïf. Il ne s'est pas encore posé la question de savoir pourquoi vous êtes désormais chargée de trois enquêtes sur des homicides apparemment sans rapport les uns avec les autres.

— Les crimes abondent dans cette ville. Courez vous cacher. Mieux encore, allez vous réfugier dans le Kansas. Et je ne compte que deux homicides, Nadine. Marlene Cox n'est pas encore morte.

— Désolée. J'avais cru comprendre qu'elle ne survivrait pas à l'intervention.

— Elle a survécu. Péniblement.

— Voilà qui est encore plus étrange. Pourquoi notre vénéré lieutenant perdrait-il son temps sur une simple agression ? Selon moi, il s'agit d'un tueur qui diversifie ses méthodes. Cela m'est venu à l'esprit quand j'ai appris la dernière…

— Cox a été attaquée à 2h30 ce matin. Vous étiez en train de dormir, ou de sauter votre conquête du mois.

— Je dormais, et j'ai été réveillée dans mon lit virginal…

— Mon œil !

— Par une info anonyme, conclut Nadine avec un sourire. J'ai ruminé, puis je me suis mise au travail, et je me suis demandé ce que ces trois femmes avaient en commun, hormis vous. Le tueur, évidemment. Le premier crime était une imitation de ceux du célèbre Jack l'Éventreur. Et s'il en était de même pour les suivants ?

— Pas de commentaires, Nadine.

— Je pense à Albert DeSalvo et à Theodore Bundy.

— Pas de commentaire.

— Je n'ai pas besoin de vos commentaires, riposta-t-elle en se penchant en avant. J'ai de quoi rédiger un papier et le diffuser à l'antenne, au conditionnel.

— Dans ce cas, que faites-vous ici ?

— Je vous donne l'occasion de confirmer, d'infirmer, ou de me prier d'attendre. Toutefois, plus longtemps je me tairai, plus mes concurrents auront une chance d'en arriver aux mêmes conclusions que moi.

Eve contempla son beignet.

— Il faut que je réfléchisse une minute. Taisez-vous.

Elle pesa le pour et le contre, tandis que Nadine savourait tranquillement son muffin.

— Je ne vous dirai rien. Parce que, lorsqu'on me posera la question, ce qui est inévitable, je veux pouvoir répondre en toute franchise que je ne vous ai rien dit. Que ce n'était pas moi votre source. Je ne confirme ni n'infirme vos hypothèses. Vous devrez donc le préciser quand vous présenterez votre reportage. Le lieutenant Dallas n'a ni confirmé ni infirmé ces informations. Cependant, je me permettrai une remarque, entre filles. Non seulement vous avez une jolie poitrine, que ce chemisier transparent met en valeur, mais vous avez aussi l'esprit vif.

— Merci, merci ! J'ai aussi des jambes magnifiques.

— Si je devais rédiger ce papier, ce qui n'est pas le cas, je m'interrogerais sur le manque de personnalité et d'imagination du tueur. Pour accomplir son acte, il est obligé de se mettre dans la peau d'un autre. Et la troisième fois, il s'y prend si mal qu'une fille deux fois plus menue que lui le blesse et l'oblige à s'enfuir.

Eve lécha le glaçage rose de son beignet.

— Il paraît que l'inspecteur chargée de l'enquête a son idée sur le coupable, et qu'elle est en train de collecter des preuves afin de pouvoir procéder à son arrestation et à son inculpation.

— C'est la vérité ?

— Je ne confirme ni n'infirme.

— Vous bluffez.

— Pas de commentaires.

— Vous bluffez, Dallas. Si j'annonce ça et que vous ne l'arrêtez pas très vite, vous passerez pour une idiote.

— Le reportage, c'est votre boulot. Maintenant que j'ai mangé mon beignet, j'aimerais bien me remettre au mien.

— Si je suis votre conseil, je mériterai une interview en exclusivité.

— Nous verrons, dès que j'aurai consulté ma boule de cristal.

Nadine se leva.

— Bonne chance. Sincèrement.

— Mouais, marmonna Eve, restée seule. Il serait temps qu'elle tourne en ma faveur, la chance.

18

Elle réserva une salle de conférences, y apporta ses fichiers, installa son tableau. Elle avait presque terminé quand Peabody surgit.

— Lieutenant, c'est moi qui suis censée faire ça ! C'est mon boulot ! Pourquoi ne me laissez-vous pas faire mon boulot ?

— Râlez, râlez, râlez. Je vous ai confié une autre tâche. Avez-vous prévenu le capitaine Feeney et l'inspecteur McNab de l'heure et du lieu de la réunion ?

— Oui, lieutenant, je...

— Où sont-ils ?

— Eh bien, je...

La porte s'ouvrit. Ouf ! Sauvée !

— Ils sont là.

— Parfait. Asseyez-vous, s'il vous plaît. Je vais vous rendre compte de mes interviews à Boston et New L.A., et vous expliquer pourquoi j'en ai déduit que notre cible s'était entraînée en au moins trois autres endroits avant de sévir à New York.

Lorsqu'elle eut terminé, elle se retrouva perchée sur le coin d'une table, à boire le café que Peabody lui avait apporté sans qu'elle ait eu à le lui réclamer.

— J'ai demandé une autorisation pour vérifier les voyages effectués par mes suspects aux dates en question. Le commandant est d'accord pour mettre la pression, mais ma liste comprenant plusieurs personnalités, ça prend du temps. J'ai pratiquement éliminé Carmichael Smith. À mon avis, il est trop instable et dorloté pour correspondre au profil.

Peabody leva la main, comme une première de la classe trop zélée.

— Oui ?

— Lieutenant, ces caractéristiques ne correspondraient-elles pas au profil du suspect, au contraire ?

— C'est possible, et nous nous pencherons sur ses déplacements comme pour tous les autres. Mais pour l'heure, il prend la dernière place. Fortney le devance, de peu. Nous…

Quand le bras de Peabody jaillit de nouveau dans les airs, Eve se surprit à hésiter entre l'amusement et l'irritation.

— Quoi ?

— Excusez-moi, lieutenant. J'essaie simplement de mettre toutes les barres sur les « t », comme dans une simulation. Il me semble que Fortney correspond presque parfaitement au profil, non ? Son éducation, ses violences passées envers les femmes, son style de vie actuel ?

— En effet. Mais c'est un minable.

Elle attendit de voir si Peabody réagirait, mais son assistante, sourcils froncés, réfléchissait.

— J'ai l'impression que notre assassin est plus raffiné. C'est pourquoi je pencherais davantage pour Renquist ou Breen. Je vais interroger l'amie de la femme de Breen aujourd'hui ; nous verrons où cela nous mènera.

— Il paraît qu'elle fume, fit remarquer McNab, ce qui lui valut un regard noir de la part de Peabody.

— Bien sûr, le fait qu'elle fume me préoccupe tout particulièrement, répliqua sèchement Eve. Nul doute que ce détail nous aidera à identifier et appréhender l'homme qui a déjà tué deux femmes et en a brutalisé une autre en moins de deux semaines.

McNab afficha un air faussement penaud.

— Revenons à nos moutons, enchaîna Eve. Vu vos têtes, messieurs de la DDE, je suppose que vous êtes bredouilles en ce qui concerne la location de la camionnette.

— Tu prends la parole, brillant jeune homme ? lança Feeney. Ça te permettra peut-être de te racheter ?

— Il s'est servi d'un ordinateur portable, attaqua McNab. Il n'a pas pris la peine de filtrer, nous n'avons donc pas eu trop de mal à remonter à la source. L'ordre a été transmis depuis l'hôtel Renaissance. Un établissement chic de Park Avenue. Il faut valoir au minimum un million, rien que pour franchir le barrage du portier. L'estafette a été louée il y a quatre jours, à 14 h 36.

— En plein coup de feu du déjeuner, marmonna Eve.

— Selon moi, c'est un habitué du lieu, il sait où aller pour effectuer une transaction rapide. Beaucoup d'hommes d'affaires trimballent leurs jolis petits portables à leurs déjeuners. Comme il savait précisément ce qu'il voulait, il a dû s'installer à une table tranquille avec un bon verre de vin et opérer sur place.

— Bien. Nous vérifierons si nos suspects ont déjeuné au *Renaissance* ce jour-là. Ce n'est pas malin, ajouta-t-elle avec un hochement de tête satisfait. Il aurait mieux fait de se rendre dans un cybercafé anonyme. Un endroit où personne ne le connaissait. Mais il aime se montrer. Il aime jouer, donc, il choisit un hôtel de luxe, où je parie qu'on l'appelle par son nom… Peabody ? Dites-moi ce que vous avez sur le plâtre.

— J'ai trouvé des fournisseurs de matériaux de construction à Brooklyn, Newark et dans le Queens, qui ont vendu des petites quantités de plâtre contre espèces au cours des soixante derniers jours. Rien chez les fournisseurs de produits médicaux.

— Rien ?

— Non, lieutenant. Après coup, j'ai réfléchi, et j'ai pensé aux fournitures d'art.

— Les fournitures d'art ?

— Oui, lieutenant. On peut sculpter le plâtre, ou s'en servir à d'autres fins artistiques. Je suis tombée sur plusieurs magasins dans la ville, d'autres en banlieue et dans le New Jersey. Achats payés en liquide.

— Nous avons de quoi nous occuper, constata Eve en jetant un coup d'œil sur sa montre. Le plâtre ramassé sur la scène du crime est au labo depuis un bon moment. S'ils n'en ont pas encore déterminé la composition, c'est qu'ils sont nuls. Voyons si Dick mérite son salaire, et s'il peut nous expliquer la différence entre le plâtre domestique, médical ou artistique.

Elle se tourna vers Feeney.

— Ça te dit, de prendre l'air ?

— Avec plaisir.

— Tu vas à l'hôtel ?

— Sans problème, à condition de ne pas devoir mettre une cravate.

— Peabody et moi passerons voir Dick avant de nous rendre chez l'amoureuse.

— Elle risque de vous draguer, intervint McNab. On devrait peut-être y aller à votre place. Aïe ! s'écria-t-il comme Peabody lui flanquait un coup de coude dans les côtes. Je plaisantais. Depuis que tu étudies jour et nuit, tu as perdu ton sens de l'humour.

— T'inquiète pas, je rirai très fort après t'avoir botté les fesses.

— Les enfants ! Les enfants ! gronda Eve. Vous vous chamaillerez plus tard. Feeney, maîtrise ton subalterne. Peabody, bouclez-la.

Elle poussa son assistante vers la sortie.

Dans la voiture, Peabody garda le silence sur un parcours de cinq cents mètres. Un record.

— Il ne devrait pas parler des femmes de cette manière. Ni les regarder avec cette lueur dans les prunelles. On a signé un bail.

— Jésus Marie Joseph l'âne et le bœuf ! Vous avez la phobie des documents officiels. Remettez-vous.

— Jésus Marie Joseph l'âne et le bœuf ?

— Ça m'est venu comme ça. Vous vous torturez l'esprit parce que vous avez signé pour... combien ? Un an ? Et maintenant, c'est : « Si ça ne marche pas, lequel des deux déménage ? Qui emporte les bols à soupe ? » C'est absurde.

— Ben... peut-être. Mais c'est normal, non ?

— Comment voulez-vous que je sache ce qui est normal ?

— Vous êtes mariée !

Choquée, Eve freina brutalement au feu.

— Et ça fait de moi quelqu'un de normal ? Je suis mariée, et alors ? Savez-vous combien il y a de personnes mariées anormales dans ce grand pays et au-delà ? Lisez les statistiques, rien qu'à Manhattan. Le mariage ne rend pas les gens normaux. Le mariage n'est pas normal, probablement. Le mariage, c'est... c'est le mariage.

— Pourquoi vous êtes-vous mariée ?

— Je... C'est lui qui y tenait, lâcha-t-elle, mal à l'aise, en appuyant sur l'accélérateur. Ce n'est qu'une promesse. Une promesse qu'on s'efforce de ne pas rompre.

— Comme un bail.

— C'est ça !

— C'est presque sage, ce que vous dites, Dallas.

Eve poussa un profond soupir.

— Laissez-moi vous donner mon conseil du jour. Si vous voulez que McNab cesse de regarder les autres femmes, de penser à elles ou d'en parler, vous avez tout intérêt à l'emmener chez le véto pour le faire castrer. Il fera un adorable animal domestique. Les femmes sont bien pires. Elles avisent un type. Waouh ! C'est lui, il me le faut. Et elles foncent. Puis elles passent le reste de leur vie à se demander comment le changer. Ensuite, si elles y parviennent, il ne les intéresse plus. Devinez pourquoi ? Parce qu'il n'est plus lui.

Peabody demeura silencieuse de longues minutes.

— C'est profond.

— Si vous ne vous taisez pas, je vous arrache la langue. Je suis aussi paumée que n'importe qui, et ça me convient.

— Sur bien des points, lieutenant, vous êtes encore plus paumée que n'importe qui. C'est ce qui fait votre charme.

— Oui, vraiment, je crois que je vais vous arracher la langue.

Elle faillit se garer en double file, ce qui ne manquait jamais de la réjouir, mais se ravisa en repérant une place autorisée.

L'immeuble de la Septième Avenue ne payait pas de mine, il était même assez délabré, mais la sécurité rivalisait avec celle des Nations unies.

Elle passa le premier barrage : insigne, relevé d'empreintes, portillon détecteur de métaux. Au deuxième poste, un gardien en uniforme lui demanda le but de sa visite et la pria de franchir un deuxième portillon.

Elle scruta le hall, avec son sol en linoléum défraîchi et ses murs beige sale.

— C'est incroyable ! Vous dissimulez des secrets d'État, ici, ou quoi ?

— C'est autrement plus vital que cela, lieutenant. Des secrets de mode, répondit le vigile en lui rendant son insigne. Les concurrents ne reculent devant rien. La plupart du temps, ils envoient de faux livreurs de pizzas. Mais certains sont plus inventifs. Le mois dernier, on a eu droit à un faux pompier. Sa carte d'identité était valable, mais le scanner a repéré sa caméra vidéo. On l'a fichu dehors.

— Vous avez été flic ?

— Oui, confirma-t-il, très fier qu'elle l'ait détecté. Pendant vingt-cinq ans. Ici, je suis mieux payé, et c'est assez vivant, surtout avant les grands défilés du printemps et de l'automne.

— Ça ne m'étonne pas. Vous connaissez la styliste Serena Unger ?

— Si vous pouviez me la décrire…

— Grande, mince, noire, belle. Trente-deux ans. Cheveux courts, noirs avec des mèches acajou, visage anguleux, nez fin. Elle a un penchant pour les dames.

— Oui, je vois de qui vous parlez. Elle a un accent des Caraïbes. Vous savez des choses sur elle ?

— Elle en sait peut-être sur quelqu'un d'autre. Elle fréquente une femme. Même âge. Blonde, chicos. Un mètre soixante-quinze, bien roulée, lisse et professionnelle. Mariée. Gates, Julietta.

— Elle est venue à plusieurs reprises. Elle est rédactrice de mode. Je les ai vues sortir ensemble. À l'heure du déjeuner, en fin de journée. Attendez une seconde.

Il se tourna vers son ordinateur, afficha son registre.

— D'après ce que je vois là, au cours des huit derniers mois, Gates a demandé Unger dix fois. Six fois, les six mois précédents. C'est un rendez-vous mensuel. Si je remonte en arrière de quatre mois, je n'ai que deux visites.

— Dix-huit mois, murmura Eve en songeant aux dates des autres meurtres. Merci.

— C'est normal ! Tenez, ajouta-t-il après avoir ouvert un tiroir pour en sortir deux pins. Si vous mettez ça, vous passerez les autres barrages sans souci. Prenez les ascenseurs, aile est, quinzième étage.

— Merci encore !

— Pas de quoi. Le métier me manque, parfois. L'adrénaline, tout ça.

— Je comprends.

L'activité bourdonnait au quinzième étage, qui était composé d'une multitude de bureaux pour les cadres et de boxes pour les subalternes. Unger ne les fit pas attendre.

— Vous êtes à l'heure. J'apprécie d'autant plus que je suis débordée.

Elle vint vers Eve et Peabody, leur tendit la main.

— Nous tâcherons d'être brèves.

Unger ferma la porte. Elle était discrète. Son bureau était en angle – symbole de réussite – et décoré avec goût. D'un geste, elle les invita à s'asseoir, avant de reprendre sa place.

— Je dois avouer que je suis un peu perplexe quant à la raison de votre visite.

Elle était habile, songea Eve. Pas tout à fait assez, cependant. Julietta lui avait parlé, et elle savait exactement ce qui les amenait.

— Dans la mesure où vous êtes débordée, mademoiselle Unger, à quoi bon perdre du temps à tourner autour du pot ? Julietta Gates a dû vous dire que nous l'avions interrogée, ainsi que son mari. Vous me semblez intelligente, vous en avez sûrement déduit que nous sommes au courant de la relation que vous entretenez avec Julietta.

— J'aime que ma vie privée demeure privée, répliqua Unger, l'allure détendue, la voix posée. Je ne vois pas en quoi ma liaison avec Julietta peut vous intéresser.

— Je ne vous le demande pas. Je vous demande juste de répondre à mes questions.

Unger haussa ses sourcils parfaitement épilés.

— C'est ce qui s'appelle aller droit au but.

— Je suis moi-même très occupée. Vous entretenez une relation sexuelle avec Julietta Gates.

— Nous entretenons une relation intime, ce qui est différent.

— Donc, vous vous asseyez dans votre chambre de l'hôtel *Silby* pendant vos pauses-déjeuner et vous bavardez ?

Unger pinça les lèvres, offusquée.

— Je n'aime pas qu'on m'espionne.

— J'imagine que Thomas Breen ne doit pas aimer que sa femme le trompe.

Serena aspira une longue bouffée d'air.

— Vous avez sans doute raison. Julietta et moi couchons ensemble, c'est vrai. Elle préfère que son mari ne soit pas au courant de ses frasques extra-conjugales.

— Depuis combien de temps dure votre liaison ?

— Nous nous connaissons, sur un plan strictement professionnel, depuis quatre ans. Notre relation a commencé à changer il y a environ deux ans, bien que nous ne soyons pas devenues intimes tout de suite.

— Je dirais plutôt dix-huit mois, rectifia Eve.

Unger serra les mâchoires.

— Vous êtes méticuleuse. Nous avons beaucoup de points communs et étions attirées l'une par l'autre. Julietta était – elle l'est toujours, d'ailleurs – malheureuse dans son couple. Cette liaison est sa première. De mon côté, je n'avais encore jamais fréquenté une femme mariée – pas plus qu'un homme marié. J'ai horreur du mensonge.

— Ce doit être pénible de faire quelque chose qui ne vous plaît pas pendant deux ans.

— Ça ne va pas sans difficultés. C'est aussi assez excitant, je ne le nierai pas. Au début, ce n'était pas très sérieux, mais petit à petit, nos sentiments sont devenus plus profonds. J'aime faire l'amour. D'une manière générale, je suis plus à l'aise dans un lit avec les femmes qu'avec les hommes. Avec Julietta, cela va au-delà.

— Vous l'aimez.

— Oui. Je l'aime, et nous souffrons de ne pas pouvoir vivre cet amour au grand jour.

— Elle ne veut pas quitter son mari.

— Si. Mais elle sait que je ne serai plus avec elle si elle le fait.

— Alors là, je ne comprends plus.

— Elle a un enfant. Un enfant a besoin de ses deux parents quand c'est possible. Il n'est pas question pour moi de le priver de l'environnement dont il bénéficie aujourd'hui. Ce n'est pas la faute de ce petit garçon si sa mère m'aime plutôt que son père. Nous sommes adultes. Et responsables.

— Elle n'est pas d'accord avec vous sur ce point.

— Si Julietta a un défaut, c'est qu'elle n'est pas la mère qu'elle pourrait être. À mes yeux, elle n'est ni assez dévouée ni assez impliquée. J'aimerais avoir des enfants un jour. J'attends du père qu'il le désire et s'en occupe autant que moi. D'après ce que je sais, Thomas Breen est un papa irréprochable. Mais il ne peut pas jouer le rôle de la mère. Elle seule le peut.

— En tant que mari, cependant, il n'est pas à la hauteur.

— Ce n'est pas le mien, ce serait donc injuste et déplacé de ma part d'en juger. Mais elle ne l'aime ni ne le respecte. Elle le trouve ennuyeux et influençable.

— Vous étiez avec elle, la nuit du 2 septembre.

— Oui, chez moi. Elle a raconté à son mari qu'elle avait une réunion.

— Vous croyez qu'il est dupe ?

— Elle est prudente. Il ne lui a posé aucune question. Elle m'en aurait parlé. Pour être franche, lieutenant, je crois qu'elle regrette qu'il ne l'ait pas fait.

— Et le dimanche suivant, quand elle a emmené son fils au parc. Vous étiez avec eux ?

— Je les ai rejoints là-bas. C'est un garçon très attachant.

— Vous avez donc passé du temps ensemble, tous les trois.

— Environ une fois par semaine. Je veux qu'il se sente à l'aise avec moi. Quand il sera plus grand, peut-être trouverons-nous un moyen de fusionner nos relations.

— Julietta vous a-t-elle jamais confié que son mari avait des accès de violence ?

— Non. Croyez-moi, si c'était le cas, je l'encouragerais vivement à partir avec le petit. Thomas Breen a un métier étrange, un peu dérangeant, mais il semble s'en tenir à son écriture. Vous le soupçonnez d'avoir tué la prostituée de Chinatown. Lieutenant, si je le pensais capable d'un tel acte, je m'empresserais de lui enlever sa femme et son fils. Par n'importe quel moyen.

— Vous savez quel est le problème avec les gens qui ont une liaison extraconjugale, Peabody ?

— Il faut expliquer au mari pourquoi vous ne portez jamais votre lingerie sexy à la maison ?

— Entre autres. Mais surtout, ils se font des illusions. Ils croient sincèrement que personne ne s'en doute. Ça peut arriver, mais ça ne dure pas longtemps. Trop de réunions tardives au bureau, les coups de fil secrets, l'amie d'une amie qui vous aperçoit par hasard en train de déjeuner en bonne compagnie dans un restaurant paumé. Sans compter – à moins que le conjoint soit dans le coma – les détails : un regard, un parfum. Serena Unger n'est pas idiote, pourtant, elle est convaincue que Breen ne se rend compte de rien.

— Contrairement à vous.

— Il le sait. Sa femme couche avec une autre femme depuis dix-huit mois, il le sait.

— Mais alors, comment peut-il l'ignorer, continuer à vivre comme si de rien n'était, jour après jour ? Ça doit le miner, le rendre fou… et c'est précisément là que vous voulez en venir. Si Connors avait une maîtresse, comment réagiriez-vous ?

— On ne retrouverait jamais les corps.

Eve pianota sur son volant.

— Deux femmes gâchent son bonheur, menacent son foyer. Il se sent diminué. Il passe ses journées à écrire sur des meurtres. Ça le fascine. Pourquoi ne pas tenter le coup ? Montrer à ces salopes qui est le patron. Il est temps de le pousser dans ses retranchements. Mais avant cela, approfondissons nos recherches sur le plâtre.

Peabody sortit son mini-ordinateur, chercha le fournisseur dont l'adresse était la plus proche.

— *Village Art Supplies*, annonça-t-elle. 14, West Broadway. Lieutenant, je sais que vous vous intéressez particulièrement à Renquist et à Breen, mais j'ai une autre idée. J'espère que ça ne vous énervera pas.

— Si je devais m'énerver contre tous ceux qui me contredisent… Oh, bon, c'est ce que je fais ! Dans ce cas, je vais faire une exception.

— Un grand merci.

— Pourquoi n'êtes-vous pas d'accord ?

Peabody se tourna sur son siège pour faire face au profil d'Eve.

— Voilà… Il me semble que Fortney colle mieux au profil. Il ne respecte pas les femmes. Il les bat, parce que c'est une façon pour lui de prouver son importance. Il vit avec une femme forte, parce qu'elle le dorlote, et plus elle le dorlote, plus il lui en veut, plus il la trompe. Il a deux ex-épouses, qui l'ont ruiné parce qu'il était incapable de se défendre. Sans Pepper, il serait probablement incapable d'obtenir le moindre rendez-vous. Il a menti au cours de l'interview pour se protéger. Ses alibis sont minces, et il a un côté théâtral.

— C'est une excellente analyse. Une larme de fierté me pique l'œil.

— Vraiment ?

— Quoi, la larme ? Non. Néanmoins, tous les points que vous venez de soulever expliquent que je ne l'aie pas éliminé de ma liste.

— Mais quand vous penchez pour un type tel que Breen, il y a quelque chose qui m'échappe. Un homme aussi gentil avec son fils. S'il est au courant de l'histoire, ne fait-il pas semblant de ne rien voir parce qu'il aime sa femme et son fils ? Tant qu'il ne reconnaît pas l'existence de cette liaison, elle demeure irréelle. C'est une méthode comme une autre. Il a pu se persuader que ça ne comptait pas dans la mesure où il ne s'agissait pas d'un autre homme. Elle vit une expérience, ça lui passera…

— Vous avez peut-être raison.

— Vous croyez ?

Encouragée, Péabody poursuivit :

— Quant à Renquist, il est trop prude. Prenez, par exemple, la routine du brunch à 10 heures le dimanche. Et puis, il y a sa femme. Je peux l'imaginer détourner la tête s'il s'amuse à essayer ses sous-vêtements en dentelle dans l'intimité de leur chambre, mais vivre avec un psychopathe ? Jamais ! *Elle* est trop prude. Elle est forcément au courant. On voit bien que c'est elle qui tient les rênes de la maison.

— En effet, je pense qu'elle a l'œil sur tout. Mais je pense aussi qu'elle pourrait vivre sans problème avec un psychopathe. À condition qu'il ne laisse pas de gouttes de sang sur son carrelage. J'ai rencontré la femme qui l'a élevé, Peabody. Il a épousé son double, l'argent et le style en plus. Vous penchez pour Fortney ? Voici ce que je vous propose. Si l'affaire n'est pas résolue après-demain, il est à vous.

— Pour quoi faire ?

— Le travailler au corps, Peabody. Concentrez vos efforts sur lui, et voyez ce que ça donne.

— Vous pensez qu'on va clore le dossier.

— Bientôt. Mais vous aurez peut-être votre chance.

Elles passèrent chez trois fournisseurs avant qu'Eve ne décide qu'il était temps de se rendre à l'hôpital prendre des nouvelles de Marlene Cox. Elle salua d'un signe de tête l'agent qu'elle avait posté devant la chambre et lui proposa de prendre une pause de dix minutes, Peabody assurant son remplacement.

Au chevet de sa fille, Mme Cox lisait à voix haute sur un fond sonore de ronronnement d'appareils.

Elle leva les yeux, marqua sa page, posa l'ouvrage.

— Il paraît que les gens qui sont dans le coma entendent souvent des sons et réagissent à la voix. C'est un peu comme si on se trouvait derrière un rideau qu'on a du mal à ouvrir.

— Oui, madame.

— Nous lisons chacun notre tour, enchaîna Mme Cox en rajustant le drap de Marlene. Hier soir, nous lui avons mis un C.D. *Jane Eyre*. C'est un de ses romans préférés. Vous l'avez lu ?

— Non.

— C'est une histoire merveilleuse. L'amour, la survie, le triomphe et la rédemption. Aujourd'hui, j'ai apporté le texte. J'ai pensé que ça pourrait la réconforter.

— Vous avez sûrement raison.

— Vous croyez qu'elle est déjà partie. Ils en sont tous convaincus, ici. Mais ils sont très gentils et ils font tout ce qu'ils peuvent. Moi, je sais qu'elle va s'en sortir.

— Ce n'est pas à moi d'en juger, madame Cox.

— Croyez-vous aux miracles… Excusez-moi, j'ai oublié votre nom.

— Dallas. Lieutenant Dallas.

— Croyez-vous aux miracles, lieutenant Dallas ?

— Je n'y ai jamais vraiment réfléchi.

— Moi, j'y crois.

Eve s'avança jusqu'au lit. Le visage de Marlene était exsangue. Sa poitrine se soulevait doucement au rythme de la machine qui respirait à sa place. À ses yeux, elle était déjà morte.

— Madame Cox, il l'aurait violée. Il l'aurait brutalisée. Il aurait fait de son mieux pour qu'elle reste consciente pendant ce temps, pour qu'elle ressente la douleur, la peur et l'impuissance. Nous avons récupéré… des objets, dans la fourgonnette, dont il aurait pu se servir.

— Vous me dites cela parce que vous voulez que je sache qu'en se battant elle a échappé à ça. Elle l'a empêché de lui infliger ces horreurs, ce qui est, en soi, une sorte de miracle.

Elle ravala un sanglot.

— S'il y en a eu un, il peut y en avoir un deuxième. Dès qu'elle sera en mesure d'ouvrir le rideau, elle vous dira qui c'était. À en croire les médecins, elle ne devait pas tenir la matinée. Il est midi passé. Si vous la croyez perdue, pouvez-vous me dire ce qui vous amène ?

Eve commença à lui répondre, puis secoua la tête et contempla Marlene.

— J'allais vous dire que c'est la procédure standard. Mais le fait est, madame Cox, qu'elle est aussi à moi, désormais.

Son communicateur bipa. Elle s'excusa, s'éclipsa dans le couloir.

— Peabody ! lança-t-elle dès la fin de la transmission. Suivez-moi.

— Du nouveau ?

— J'avais posté un homme devant la maison des Renquist. La nounou a pris un taxi jusqu'au *Metropolitan Museum*. Sans l'enfant. C'est l'occasion ou jamais de l'interroger.

Sophia se promenait tranquillement dans les salles réservées aux impressionnistes français. Eve chuchota quelques mots à la personne chargée de la filer, la libéra, puis se dirigea vers la jeune fille au pair.

— Sophia DiCarlo.

Cette dernière sursauta et blêmit quand Eve lui montra son insigne.

— Je n'ai rien fait de mal.

— Dans ce cas, inutile de prendre cet air coupable. Allons nous asseoir.

— Je n'ai pas enfreint la loi.

— Ne commencez pas maintenant en refusant de coopérer avec un officier de police.

Ça n'avait rien d'un délit, mais de toute évidence, Sophia l'ignorait.

— Mme Renquist m'a interdit de vous parler. Comment m'avez-vous trouvée ? Je risque de perdre mon emploi. C'est une bonne place. Je me débrouille bien avec Rose.

— Je n'en doute pas. Mme Renquist n'a pas besoin de savoir que nous nous sommes rencontrées.

Lui prenant le bras, Eve l'entraîna vers une banquette au milieu de la salle.

— Pourquoi, à votre avis, Mme Renquist vous interdit-elle de me parler ?

— À cause des ragots. Si la famille et le personnel sont interrogés par la police, des rumeurs vont circuler. Son mari est un homme important, très important. Les gens adorent répandre des commérages sur les gens importants.

Elle se tordait les mains, nerveuse et craintive.

— Sophia, je me suis renseignée sur votre situation. Vous n'êtes pas en infraction. Pourquoi vous méfiez-vous de la police ?

— Je vous l'ai dit. M. et Mme Renquist m'ont amenée en Amérique, ils m'ont offert un emploi. Si je les contrarie, ils risquent de me renvoyer. J'aime Rose. Je n'ai pas envie de perdre ma petite fille.

— Depuis combien de temps êtes-vous à leur service ?

— Cinq ans. Rose avait douze mois. Elle est mignonne.

— Et ses parents ? Ce sont des patrons exigeants ?

— Ils... ils sont très justes. J'ai une belle chambre, un bon salaire. J'ai une journée entière et un après-midi de congé par semaine. Je viens souvent ici, au musée. J'essaie de me cultiver.

— Ils s'entendent bien ?

— Je ne comprends pas.

— Les Renquist se disputent-ils ?

— Non.

— Jamais ?

À présent, Sophia frisait le désespoir.

— Ils sont très corrects, tout le temps.

— J'ai du mal à vous croire, Sophia. Vous vivez chez eux depuis cinq ans, et vous n'avez jamais été témoin de la moindre scène de ménage ?

— Ce n'est pas mon rôle de…

— J'insiste.

Cinq ans, songea Eve. En cinq ans, elle avait dû faire des économies considérables. La perspective d'un renvoi pouvait l'ennuyer, pas l'effrayer.

— Pourquoi avez-vous peur d'eux ?

— Je ne comprends pas ce que vous voulez dire.

— Bien sûr que si. Est-ce qu'il vient dans votre chambre, la nuit, une fois la petite endormie ? Alors que sa femme est au bout du couloir ?

Sophia DiCarlo fondit en larmes.

— Non. Non ! Je ne vous dirai rien. Je ne veux pas perdre ma place…

— Regardez-moi, ordonna Eve en lui prenant les mains. Je viens de quitter l'hôpital où une femme oscille entre la vie et la mort. Vous allez me parler, et vous allez me dire la vérité.

— Vous ne me croirez pas. C'est un homme très important. Vous me traiterez de menteuse, et il me licenciera.

— C'est ce qu'il vous a affirmé. Que personne ne vous croirait. Il se trompe. Regardez-moi, répéta-t-elle. Moi, je vous croirai.

— Il dit que je dois accepter, parce que sa femme refuse. Depuis le jour où elle a appris qu'elle était enceinte. Ils font chambre à part. C'est… il prétend que c'est ça, la forme civilisée du mariage, et que je dois le laisser… me toucher.

— Ça n'a rien de civilisé.

— C'est un homme important, je ne suis qu'une employée, s'entêta-t-elle sans cesser de pleurer. Si j'en parle, il m'enverra loin, loin de Rose. Il me bannira. Pour ma famille, ce sera la honte et la ruine. Alors il me rejoint dans ma chambre, il pousse le verrou, il éteint les lumières. Je fais ce qu'il me demande, et il repart.

— Il vous fait mal ?
— Parfois.
Elle baissa les yeux sur ses mains.
— S'il n'arrive pas à... s'il n'arrive pas... il s'énerve. Elle est au courant. Mme Renquist. Elle sait absolument tout ce qui se passe dans cette maison. Mais elle ne dit rien, elle n'intervient pas. Et je sais, au fond de moi, qu'elle sera encore plus sévère que lui à mon égard si elle découvre que je vous en ai parlé.
— Je veux que vous réfléchissiez un instant à la nuit du 2 septembre. Est-ce qu'il était à la maison ?
— Je n'en sais rien. Je vous le jure, ajouta-t-elle précipitamment. Ma chambre est tout au fond, et ma porte est fermée. Je n'entends pas leurs allées et venues. J'ai un interphone qui me relie à la chambre de Rose. Il est toujours branché, sauf... sauf quand... Je ne sors jamais, à moins que Rose n'ait besoin de moi.
— Et le dimanche matin suivant ?
— La famille a brunché, comme toutes les semaines. À 10 h 30 précises. Pas une minute avant, pas une minute après.
— Plus tôt. Disons, aux alentours de 8 heures. Il était là ?
— Je n'en sais rien, murmura-t-elle en se mordillant la lèvre inférieure. Je ne crois pas. J'étais avec Rose : nous choisissions sa robe pour la journée. Une tenue du dimanche. Depuis la fenêtre, j'ai vu M. Renquist arriver en voiture. Il devait être 9 h 30. Il joue parfois au golf ou au tennis, tôt le matin. Ça fait partie de son métier. Les mondanités.
— Comment était-il habillé ?
— Je... je suis désolée, je n'en ai aucun souvenir. Un polo, il me semble. Pas un costume, en tout cas.
— Et hier soir ?
— Aucune idée. Il n'est pas venu dans ma chambre.

— Ce matin. Comment s'est-il comporté ce matin ?

— Je ne l'ai pas vu. J'avais reçu l'ordre de donner son petit-déjeuner à Rose dans la nursery. C'est assez courant quand M. ou Mme Renquist sont très occupés, ou souffrants, ou s'ils ont des rendez-vous.

— En l'occurrence... ?

— Je n'en sais rien. On ne me l'a pas dit.

— Y a-t-il une pièce où vous n'avez pas le droit d'entrer, ni vous ni Rose ?

— Son bureau. C'est un homme très important. Quand il travaille, personne ne doit le déranger. Il s'enferme à clé.

— Très bien. J'aurai peut-être besoin de vous revoir. D'ici là, je peux vous aider. Ce que vous inflige Renquist est mal. C'est un crime. Je peux l'empêcher de continuer.

— S'il vous plaît ! S'il vous plaît ! Si vous intervenez, je serai renvoyée. Rose a besoin de moi. Mme Renquist ne l'aime pas, pas comme moi, et lui... lui, il la remarque à peine. Le reste, ce n'est pas important. Ça n'arrive pas si souvent que ça, plus maintenant. Je pense qu'il s'est lassé.

— Si vous changez d'avis, n'hésitez pas à me contacter. Je vous aiderai.

19

Un appel au bureau de Renquis apprit à Eve qu'il avait quitté la ville et ne serait pas disponible avant quarante-huit heures. Elle prit rendez-vous pour le rencontrer à son retour, puis se rendit chez lui.

La gouvernante confirma le renseignement.

— Vous l'avez vu ?

— Pardon ?

— Vous l'avez vu passer la porte avec sa valise ?

— Je ne saisis pas la raison de cette question, mais sachez que j'ai moi-même porté le bagage de M. Renquist jusqu'à sa voiture.

— Où est-il ?

— Je n'en sais rien, et si je le savais, ce ne serait pas à moi de vous divulguer cette information. Le travail de M. Renquist l'amène à voyager souvent.

— Je m'en doute. J'aimerais voir Mme Renquist.

— Mme Renquist n'est pas là. Elle ne rentrera pas avant ce soir.

Eve scruta l'intérieur du vestibule. Elle aurait volontiers donné un mois de salaire pour un mandat de perquisition.

— Permettez-moi de vous poser une question, Jeeves.

L'autre grimaça.

— Stevens.

— Stevens. Quand votre employeur a-t-il su qu'il devait partir ?

— Il me semble que c'était tôt ce matin.

— Comment a-t-il appris qu'il devait prendre la route ?

— Je vous demande pardon ?

— Il a reçu un appel ? La visite d'un messager ?

— Je n'en sais rien.

— Comment étaient ses yeux ?

Stevens parut perplexe, puis agacée.

— Lieutenant, les yeux de M. Renquist ne sont ni mes affaires ni les vôtres. Bonne journée.

Eve faillit lui pousser la porte dans la figure avant qu'elle ne la lui ferme au nez, mais décida que ce serait une perte d'énergie.

— Peabody, mettez les gars de la DDE sur l'affaire. Je veux savoir où est allé Renquist, et par quel moyen.

— Je suppose que c'est lui.

— Pourquoi ?

Ce fut au tour de Peabody de paraître perplexe, tandis qu'elle trottinait aux côtés d'Eve en direction du véhicule.

— Il abuse de la jeune fille au pair. Sa femme et lui ont menti en affirmant avoir passé toute la matinée de dimanche chez eux. Il a un bureau à la maison, qu'il ferme à clef, et ce matin, comme par hasard, il a dû quitter la ville.

— Donc, vous éliminez d'emblée Fortney. Peabody, vous êtes nulle.

— Mais toutes les pièces du puzzle s'imbriquent.

— On peut les placer autrement. Il abuse de la nounou parce que c'est une ordure et un pervers. Sa femme se refuse à lui, et il a une jolie jeune fille au pair sous son toit qui a peur de lui dire non. Ils ont menti parce qu'ils n'ont pas envie d'être harcelés par la police, et que c'était plus pratique de déclarer qu'ils étaient chez eux. Il ferme son bureau à clef, parce qu'il se méfie de ses domestiques, qui pourraient fouiner dans des dossiers sensibles, et qu'il ne supporte pas sa môme. Il a quitté la ville ce matin parce que c'est normal, dans son métier, d'obéir aux ordres.

— Euh...

— Si vous n'envisagez pas toutes les possibilités, vous n'obtenez pas les bonnes réponses. Et maintenant, voyons comment Breen va réagir à un interrogatoire officiel.

Il examinait la vitre teintée quand Eve pénétra dans la salle B. Il se tourna vers elle et la gratifia d'un sourire désarmant.

— Je sais que je devrais être furieux et exiger la présence de mon avocat, mais c'est trop cool.

— Ravie de pouvoir vous divertir.

— Cependant, j'ai dû confier Jed à une voisine. Je ne fais pas confiance au droïde quand je m'absente de la maison. J'espère que ce ne sera pas trop long.

— Dans ce cas, commençons sans attendre.

— Bien.

Elle enclencha l'enregistreur, cita l'affaire, le code Miranda révisé.

— Avez-vous compris quels étaient vos droits et vos obligations, monsieur Breen ?

— Oh, oui ! Vous savez, j'ai entendu parler aux informations de l'agression qui a eu lieu tôt ce matin. Le type a imité Bundy. Que pensez-vous de...

— Si cela ne vous ennuie pas, Tom, c'est moi qui vais poser les questions.

— Désolé. C'est l'habitude.

Il sourit.

— Où étiez-vous ce matin à 2 heures ?

— Chez moi, dans mon lit. J'ai arrêté de travailler aux alentours de minuit. À 2 heures, je ronflais.

— Votre femme était à la maison ?

— Bien sûr. Elle ronflait à mes côtés, mais d'une manière beaucoup plus délicate et féminine.

— Vous pensez marquer des points, avec vos remarques spirituelles, Tom ?

— Ça ne peut pas faire de mal.

Sans un mot, Eve tourna les yeux vers Peabody.

— Ben, si, répliqua cette dernière. Si vous l'énervez, ça pourrait faire très mal. Croyez-moi.

— Quoi ? Vous allez me jouer la scène du gentil flic/méchant flic ? riposta-t-il en se balançant tranquillement sur sa chaise. J'ai étudié toutes les techniques d'interrogatoire. Je n'ai jamais compris pourquoi celle-là marchait mieux que les autres. Franchement, c'est la plus ringarde.

— Si vous préférez, je peux vous travailler au corps jusqu'à ce que vous trébuchiez.

Il continua de se balancer tout en étudiant Eve.

— J'en doute. Vous avez de l'autorité, c'est sûr, et une tendance innée à la violence, mais vous n'êtes pas du genre à rosser les suspects. Vous êtes trop intègre. Vous êtes un bon flic.

Il s'exprimait avec sérieux, à présent, de toute évidence très fier de son intelligence et de son intuition.

— Vous êtes de ces gens qui creusent sans relâche parce que vous avez la foi. Plus que tout, vous croyez en l'esprit de la loi, peut-être pas à la lettre, mais en l'esprit. Il peut vous arriver de prendre des raccourcis de temps en temps, mais vous êtes prudente. Vous franchissez certaines limites, mais pas d'autres. Cogner vos suspects pour leur faire cracher le morceau, ce n'est pas dans votre nature.

Il s'adressa à Peabody.

— Bien vu, non ?

— Monsieur Breen, vous auriez beau y consacrer votre vie, vous ne parviendriez jamais à cerner complètement le lieutenant.

Il eut une moue d'irritation.

— Allez ! Vous ne voulez pas admettre que je suis aussi habile que vous à ce petit jeu. Quand on étudie le meurtre, on ne se contente pas uniquement des assassins. On s'intéresse aussi aux flics.

— Et les victimes ? intervint Eve.

— Bien sûr. Les victimes aussi.

— Toutes ces études, ces recherches, ces analyses... à force, ça doit aiguiser vos talents d'observateur, n'est-ce pas ?

— Les écrivains sont des observateurs-nés.

— Donc, quand vous écrivez l'histoire d'un crime, vous parlez du coupable, de la victime, de l'enquêteur, etc. En somme, vous parlez des gens.

— Absolument.

— Observateur comme vous l'êtes, vous devez être sensible aux nuances, aux habitudes, à ce que pensent les autres, à la manière dont ils se comportent.

— En effet.

— Il ne vous a donc pas échappé que votre épouse avait une liaison avec une autre femme pendant que vous restez à la maison à jouer au dada avec votre fils.

En plein dans le mille. L'air satisfait de Breen s'effaça, remplacé par une expression d'humiliation et de rage.

— Vous n'avez pas le droit de dire une chose pareille.

— Voyons, Tom, ne me dites pas que vos talents d'observateur ont été pris en défaut au sein même de votre petit palais où l'homme est roi. Vous êtes parfaitement au courant.

— Taisez-vous.

— J'imagine que ce doit être très pénible, reprit Eve en contournant la table pour lui parler à l'oreille. Elle n'a même pas la courtoisie de sauter un homme pendant que vous endossez le rôle de la maman.

— Taisez-vous ! répéta-t-il.

Les poings serrés, il tenta de se lever. Eve le repoussa sans ménagement.

— Votre épouse n'était pas à une réunion la nuit où Jacie Wooton a été tuée. Elle était avec sa petite amie. Vous le savez, n'est-ce pas, Tom ? Vous savez qu'elle vous trompe depuis bientôt deux ans. Comment le vivez-vous, Tom ? Quel sentiment cela vous inspire-t-il de savoir que votre épouse désire une autre femme, aime une autre femme, s'offre à une autre femme, alors que vous élevez le fils que vous avez conçu ensemble ?

— Salope !

Il se cacha le visage dans les mains.

— Salope !

— Je ne peux pas m'empêcher de compatir, Tom. Vous vous occupez de tout. La maison, l'enfant, votre carrière. Une carrière importante, qui plus est. Vous êtes une personnalité. Mais vous avez opté pour le statut de parent professionnel et ça, c'est admirable. Pendant qu'elle passe ses journées dans un beau bureau à discuter chiffons.

Eve poussa un profond soupir, secoua la tête.

— Les collections et les défilés l'intéressent plus que sa famille. Elle vous ignore, votre enfant et vous. Votre mère a eu la même attitude. Mais Julietta, elle, a franchi un pas de plus. Elle vous a menti, trompé, elle s'envoie en l'air avec une autre femme au lieu de jouer son rôle d'épouse et de mère.

— Vous ne pouvez pas vous taire, à la fin ?

— Vous lui en voulez. Qui pourrait vous le reprocher ? Vous voulez votre revanche. Normal. Ça vous ronge jour après jour, nuit après nuit. Ça vous rend un peu fou. Les femmes, des garces bonnes à rien, pas vrai ?

Elle se percha sur le bord de la table, tout près de lui, envahissant son espace.

— Elle me regarde droit dans les yeux et elle me ment, fit-il. Je l'aime. Je la déteste à cause de cela, parce que je l'aime encore. Elle ne pense pas à nous. Elle n'en a que pour cette femme, et c'est insupportable.

— Vous saviez qu'elle n'était pas en réunion. Avez-vous ruminé pendant son absence ? Quand elle est rentrée, elle est montée directement se coucher. Épuisée, trop fatiguée pour passer un moment avec vous. Avez-vous attendu qu'elle soit au lit avant de quitter la maison ? Avez-vous emporté vos outils à Chinatown, imaginé que vous étiez Jack l'Éventreur ? Puissant, terrifiant, au-delà des lois ? Avez-vous vu le visage de votre femme, quand vous avez tranché la gorge de Jacie Wooton ?

— Je ne suis pas sorti.

— Elle ne l'aurait jamais su. Elle ne vous prête aucune attention. Elle se fiche de ce que vous faites.

Il tressaillit, se voûta comme s'il se préparait à recevoir une volée de coups.

— Combien de fois vous êtes-vous rendu à Chinatown avant de tuer Jacie dans cette allée, Tom ? Un homme comme vous se documente. Combien d'expéditions vous a-t-il fallu pour repérer les prostituées et les junkies ?

— Je ne vais jamais à Chinatown.

— Vous n'y êtes jamais allé, vous qui êtes né à New York ?

— J'y suis allé. Bien sûr que j'y suis allé.

Il transpirait abondamment, à présent, et son corps était secoué de petits spasmes nerveux.

— Je veux dire que je n'y vais pas pour… je ne fréquente pas les compagnes licenciées.

— Tom, Tom !

Eve claqua de la langue en reprenant place en face de lui. Elle afficha un sourire et un regard amusé, teinté d'incrédulité.

— Un homme jeune et en bonne santé comme vous ? Ne me dites pas que vous ne vous êtes jamais payé une pipe. Votre femme se refuse à vous depuis combien… presque deux ans ? Et vous n'avez pas fait appel à un service parfaitement légal ? Si c'est vrai, vous devez être plutôt… à cran. À moins que vous ne bandiez plus du tout, ce qui expliquerait que votre épouse soit allée voir ailleurs.

Il s'empourpra.

— Je n'ai aucun problème de ce côté-là. Ce… pour Julietta, c'est juste, je ne sais pas, une expérience. Et, oui, c'est vrai, j'ai engagé quelques compagnes licenciées depuis que ça s'est gâté à la maison. Seigneur ! Je ne suis pas un eunuque.

— Elle vous castre. Elle vous a insulté, rabaissé, trahi. Peut-être étiez-vous sorti simplement pour ramasser une inconnue. Après tout, c'est de bonne guerre, quand votre femme vous tourne le dos. Peut-être que la situation a dérapé. Vous aviez accumulé tant de colère et de frustration. Vous avez pensé à elle, à ses mensonges, à ses galipettes avec une autre femme. Une menteuse, une salope, qui vous a réduit à néant.

Elle marqua une pause.

— Vous avez besoin d'attention, bon sang ! Vous avez la tête farcie de types qui ont su l'obtenir. Vous avez dû prendre votre pied à dépecer Jacie Wooton, à lui arracher tout ce qui faisait d'elle une femme. À lui faire payer vos souffrances.

— Non.

Il s'humecta les lèvres, la respiration frémissante.

— Non. Vous perdez la tête. Vous êtes complètement cinglée ! Je ne veux plus vous parler. Je veux un avocat.

— Quoi ? Vous allez me laisser prendre le dessus, Tom ? Vous allez vous agenouiller devant une femme flic ? Vous appelez votre avocat, et c'est moi qui remporte un round. Je vous inculpe pour soupçon de meurtre, deux points. Agression avec intention de tuer, un point. Je vous coupe les couilles. En admettant qu'il vous en reste encore.

Seule, sa respiration sifflante troubla le silence qui suivit. Il détourna le visage.

— Je ne vous dirai rien de plus avant d'avoir consulté mon avocat.

— On dirait que le premier tour est pour moi. Cet entretien est terminé afin que le sujet puisse contacter un représentant légal, à sa requête. Fin de l'enregistrement. Peabody, prévoyez un examen psychologique pour M. Breen, et accompagnez-le au bureau de détention, où il pourra joindre son avocat.

— Bien, lieutenant. Monsieur Breen ?

Il se leva, chancelant.

— Vous croyez m'avoir humilié. Vous croyez m'avoir fait craquer. C'est trop tard. Julietta s'en est déjà chargée.

Elle attendit qu'il soit sorti, puis alla se planter devant la vitre.

Eve se réfugia dans son bureau, exténuée. Pour une fois, elle décida de boire de l'eau plutôt qu'un café. Debout devant sa fenêtre, elle but avec avidité, tout en regardant la circulation aérienne et la rue.

Les gens allaient et venaient. Ils n'avaient aucune idée de ce qui se passait ici. Ils n'avaient pas envie de le savoir. « Contentez-vous de nous protéger, pensaient-ils. Faites votre boulot, et arrangez-vous pour qu'on soit en sécurité. Peu importe la manière dont vous vous y prenez, du moment que ça ne nous touche pas. »

— Lieutenant ?

Eve ne se retourna pas.

— Il est au chaud ?

— Oui, lieutenant. Il a appelé son avocat, et il est enfermé. Il a sollicité l'autorisation de passer un deuxième appel, pour organiser la garde de son fils. Je… hum, je la lui ai accordée, sous surveillance. Il a expliqué à la voisine qu'il avait un problème à régler et lui a demandé si elle pouvait garder Jed encore quelques heures. Il n'a pas cherché à prévenir sa femme.

Eve opina.

— Vous l'avez plutôt malmené.

— Est-ce une observation, ou une accusation ?

— Une observation. Je sais que vous allez me traiter de nulle, mais il commence à me paraître intéressant, comme suspect. La façon dont vous lui avez jeté la liaison de sa femme à la figure… Il ne s'en est pas remis.

— Non.

— Et quand vous avez insisté sur les prostituées. Il a d'abord nié, puis il a avoué, pour vous prouver qu'il n'était pas impuissant.

— Oui, c'était idiot de sa part.

— Vous ne semblez pas très enthousiaste.

— Je suis fatiguée, c'est tout.

— Vous devriez peut-être vous reposer un peu, en attendant que l'avocat arrive. Vous avez au moins une heure devant vous.

Eve allait répondre, quand Trueheart surgit sur le seuil.

— Excusez-moi, lieutenant, mais Pepper Franklin vous demande. Je ne savais pas si vous accepteriez de la recevoir.

— Bien sûr.

— Vous voulez que j'assiste à l'entretien ? s'enquit Peabody. Ou vous préférez que j'aille tenir la main de Breen ?

— Vous aviez opté pour Fortney, avant de tergiverser. Écoutons ensemble ce qu'elle a à nous dire.

Eve s'assit à son bureau. Pepper apparut. Elle portait d'énormes lunettes de soleil, et ses lèvres étaient peintes en rouge carmin. Sa superbe chevelure était rassemblée en queue-de-cheval. Sa combinaison jaune soleil contrastait violemment avec l'expression haineuse de son joli visage.

— Apportez-nous du café, Peabody. Pepper, asseyez-vous. Que puis-je pour vous ?

— Vous pouvez arrêter ce salopard de menteur de Leo, le jeter dans le trou le plus obscur que vous trouviez jusqu'à ce que sa chair pourrie se détache de ses os.

— Inutile de réprimer vos émotions ici, Pepper. Dites-nous ce que vous ressentez vraiment.

— Je ne suis pas d'humeur à plaisanter.

Elle enleva ses lunettes, révélant un impressionnant œil au beurre noir.

— Aïe ! Ça doit faire mal.

— Je suis trop furieuse pour sentir la douleur. J'ai découvert qu'il sautait ma doublure. Ma *doublure* ! Et l'assistante du régisseur. Et Dieu sait qui d'autre ! Quand je lui en ai parlé, il a nié, il a continué à mentir en prétendant que je divaguais. Vous avez de la vodka ?

— Non. Désolée.

— Ça vaut sans doute mieux. Je me suis réveillée à 3 heures, ce matin. Je ne sais pas pourquoi. En général, je dors comme une marmotte. Bref, je me suis réveillée. Il n'était pas là. Inquiète, j'ai consulté l'ordinateur domestique. Qui m'a annoncé qu'il était là, dans le lit. Seulement, il n'y était pas. Il avait dû programmer la machine à cet effet, je suppose, au cas où j'aurais eu des soupçons. Le salaud !

— Vous vous êtes assurée que ce n'était pas une erreur, j'imagine, qu'il n'était pas dans la cuisine en train de vider l'AutoChef ?

— Évidemment ! J'étais angoissée, ajouta-t-elle avec amertume. J'ai inspecté toutes les pièces de la maison, j'ai attendu, j'ai failli appeler la police. Puis je me suis dit qu'il était peut-être sorti faire un tour. Et que le système de sécurité était défectueux. J'ai fini par m'en convaincre et je me suis assoupie dans un fauteuil aux alentours de 6 heures. Quand je me suis réveillée, deux heures plus tard, il y avait un message sur le communicateur.

Elle plongea la main dans son grand sac et en sortit un disque.

— Ça ne vous ennuie pas ? J'aimerais le réécouter.

— Pas de problème, fit Eve, qui s'en empara et le glissa dans son propre communicateur.

La voix de Leo jaillit :

« Bonjour ! Je n'ai pas voulu te déranger. Tu étais si belle sous la couette. Je me suis levé tôt. J'ai décidé de me rendre directement à la salle de gym, et ça s'est terminé par un petit-déjeuner d'affaires. On ne sait jamais sur qui l'on va tomber. J'ai un emploi du temps chargé, je ne rentrerai qu'après ton départ pour le studio d'enregistrement, cet après-midi. Je sais que tu seras excellente. Je ne te verrai sans doute qu'après le spectacle, ce soir. Je t'attendrai, parce que tu me manques, ma poupée d'amour. »

— Ma poupée d'amour, tu parles ! grogna Pepper. Il a laissé ce message, en mode silencieux, aux alentours de 6 h 15. Il sait que je ne me lève pas avant 7 h 30, mais jamais après 8 heures. Il n'est pas rentré la nuit dernière. Il se couvre. Je suis allée à son bureau, mais il avait appelé sa bimbo de secrétaire pour la prévenir qu'il serait absent toute la journée. Elle était surprise de me voir. Apparemment, il lui avait raconté que j'étais en pleine crise de déprime et qu'il préférait rester auprès de moi. Je vais lui en donner, moi, une crise de déprime !

Elle se leva, constata qu'il n'y avait pas de place pour aller et venir, se rassit.

— J'ai repoussé l'enregistrement de mon spot publicitaire, je suis retournée à la maison, et j'ai fouillé son bureau. C'est comme ça que j'ai découvert qu'il envoyait des fleurs et des petits cadeaux à son harem. Je suis tombée sur des notes d'hôtel, des noms et des dates sur son agenda personnel. Il a débarqué vers 15 heures, l'air surpris de me voir, et enchanté. Plusieurs de ses rendez-vous avaient été annulés à la dernière minute, quelle chance, n'est-ce pas ? Pourquoi ne pas monter dans la chambre, histoire de fêter ça ?

— Vous lui avez répondu que sa chance avait tourné, je suppose ?

— J'ai explosé. Je lui ai dit que je savais qu'il n'avait pas passé la nuit à la maison, et qu'il avait tenté de me faire croire que j'étais folle ou somnambule. Quand je lui ai montré les copies des factures et du calendrier, il a eu le culot de paraître blessé. Si je n'avais plus confiance en lui, on avait un sérieux problème.

Elle se tut, leva la main pour indiquer qu'elle avait besoin d'un moment pour se ressaisir.

— Je n'en croyais pas mes oreilles.

— Je n'ai pas d'alcool, mais que diriez-vous d'un café ? suggéra Eve.

— Un verre d'eau me suffira, si ça ne vous ennuie pas.

Tandis que Peabody s'en occupait, Pepper tripota ses lunettes.

— Inutile de me répandre sur les détails sordides, mais quand il s'est rendu compte que je n'étais pas dupe, quand je lui ai annoncé que c'était fini entre nous, que je le flanquais dehors, il a pété les plombs. Et il m'a frappée.

— Où est-il maintenant ?

— Aucune idée. Merci, ajouta-t-elle à l'adresse de Peabody, qui lui tendait un gobelet. Je veux que vous le retrouviez, Dallas, et que vous l'arrêtiez. Je ne sais pas dans quel état je serais si je n'avais pas eu un droïde de sécurité dans les parages. Je l'avais appelé parce que je voulais qu'il l'accompagne à l'étage, le surveille pendant qu'il faisait ses bagages, et l'accompagne jusqu'à la porte. Le droïde est arrivé juste à temps. Il l'a empoigné et l'a jeté dehors.

Elle but à petites gorgées.

— Il m'a dit des choses horribles, grossières, cruelles. Si d'autres femmes le séduisaient – je cite –, c'était ma faute, parce que j'étais trop dominatrice, même au lit. Il en avait assez de recevoir des ordres de la part d'une… d'une pute tyrannique.

Elle eut un frémissement.

— Il hurlait déjà avant l'intervention du droïde. J'étais terrorisée. J'ignorais que je pouvais éprouver une peur pareille. Je ne savais pas qu'il pouvait se comporter de cette façon.

— Peabody, remplissez son verre, ordonna Eve en voyant Pepper commencer à trembler.

— Je préfère être furieuse que terrifiée, reprit celle-ci.

Elle replongea dans son sac, en extirpa un mouchoir bordé de dentelle, se tamponna les yeux.

— J'ai écouté les informations, à propos de la jeune femme agressée cette nuit, et l'hypothèse selon laquelle cette affaire aurait un lien avec les deux meurtres. Et je me suis dit : Ô mon Dieu ! Et si c'était Leo ? Le Leo que j'ai vu aujourd'hui en serait tout à fait capable. Je ne sais pas quoi faire.

— Vous allez commencer par porter plainte. Nous le coincerons. Il ne vous touchera plus.

Les yeux rivés sur son verre, Pepper avoua dans un murmure :

— J'ai peur d'être seule. J'ai honte, mais…

— Vous avez tort. Vous venez d'échapper à un homme qui fait le double de votre taille, qui vous a frappée et vous a menacée d'aller plus loin. Si vous n'étiez pas bouleversée, vous seriez stupide. Vous n'êtes pas stupide, car vous êtes venue ici.

— Et s'il a tué ces femmes ? J'ai dormi à ses côtés, j'ai fait l'amour avec lui. Vous vous rendez compte, s'il a commis ces meurtres atroces, puis est rentré se coucher auprès de moi ?

— Une étape à la fois, voulez-vous ? Dès que nous en aurons terminé avec les formalités, si vous le souhaitez, j'assignerai un agent à votre protection.

— Volontiers. Mais il faudrait qu'il – ou elle – m'accompagne au théâtre. Je joue à 20 heures.

Elle ébaucha un faible sourire.

— Le spectacle doit continuer.

Quand Pepper partit pour Broadway avec un policier, la fatigue et le stress d'Eve s'étaient transformés en une migraine atroce. Elle avait lancé un avis de recherche sur Fortney, la machine était en marche.

Elle rencontra l'avocat de Breen, écouta ses doléances sans broncher. Quand il exigea que son client soit libéré pour rentrer chez lui s'occuper de son enfant elle ne discuta pas. Elle le surprit même en reportant l'interrogatoire au lendemain matin, 9 heures.

Et elle chargea deux hommes de surveiller Breen et sa maison toute la nuit.

Elle regagna son bureau, pensa café, sommeil, travail. Lorsque McNab surgit, tout guilleret, elle eut un instant de désespoir.

— Vous ne pouvez pas porter des trucs qui ne brillent pas ?

— C'est l'été, Dallas. Il faut de la couleur. J'ai une nouvelle qui va vous en redonner. Fortney a réservé un siège en première sur une navette pour New L.A. Il est en route.

— Bon travail, McNab.

Il leva l'index, souffla dessus.

— L'homme de la DDE le plus rapide de l'Ouest. Lieutenant, vous avez l'air éreinté.

— Vous avez une excellente vision. Emmenez Peabody. Débrouillez-vous pour qu'elle dorme bien. Autrement dit, essayez de vous restreindre, pour une fois. Il faut qu'elle soit en pleine forme demain.

— Compris. Une bonne nuit de sommeil ne vous ferait pas de mal non plus.

— On verra ça plus tard, marmonna-t-elle, avant d'entamer les démarches pour extrader Fortney et organiser son accueil par les autorités locales à la descente de l'avion.

Peabody fit irruption dans la pièce.

— Lieutenant, il paraît que vous avez dit à McNab…

— Décidément, tout le monde entre ici comme dans un moulin !

— La porte était ouverte. Elle l'est presque toujours. McNab m'a dit que j'étais libre de partir, mais je n'ai pas encore contacté les autorités de New L.A., ni transmis le mandat.

— C'est fait. Ils vont nous renvoyer Fortney. Il passera la nuit en cellule et n'aura pas droit à une audience préliminaire avant demain matin.

— C'est mon boulot de…

— Fermez-la, Peabody. Rentrez chez vous, faites un bon dîner, dormez. L'examen commence à 8 heures précises.

— Lieutenant, je crains qu'il ne soit nécessaire de le reporter, dans la mesure où cette affaire atteint son point crucial. Fortney – je constate que je ne m'étais pas trompée à son sujet – va devoir subir un interrogatoire. De votre côté, vous allez vouloir vous entretenir avec Breen et avec Renquist. Il me semble qu'il serait malvenu de ma part de prendre une demi-journée à ce stade des opérations.

— Vous avez la trouille ?

— Ben… oui, c'est vrai, mais…

— Vous plancherez demain, Peabody. Si vous devez patienter encore trois mois pour passer cet examen, l'une d'entre nous risque de sauter du vingtième étage, ou alors, c'est moi qui vous jetterai. Je pense pouvoir m'en sortir sans vous.

— Mais je…

— Présentez-vous, salle d'examen n° 1, à 8 heures pile, officier Peabody. C'est un ordre.

— Je ne pense pas que vous ayez le droit de m'ordonner de…

Les mots moururent sur ses lèvres tandis qu'Eve la foudroyait du regard.

— Euh… je comprends l'esprit de cette déclaration, lieutenant. Je tâcherai de ne pas vous décevoir.

— Seigneur, Peabody ! Quel que soit le résultat, vous ne me décevrez pas. Et vous serez…

— Stop ! s'écria Peabody, paupières closes. Ne dites rien qui puisse me porter la poisse. Ne dites rien, et surtout pas bonne chance.

— Vous feriez mieux d'avaler un tranquillisant.

— Bonne idée. Ne me souhaitez pas bonne chance, mais vous pourriez peut-être me faire un petit signe. Par exemple…

Peabody sourit de toutes ses dents, écarquilla les yeux pour signifier l'enthousiasme et brandit le poing, le pouce en l'air.

Eve inclina la tête.

— C'est quoi, ça ? Un geste obscène ?

— Mais non, Dallas ! C'est un encouragement !

— Peabody…

Eve se leva, attrapa son assistante par le bras.

— À 8 heures précises. Débrouillez-vous pour botter en touche.

— Oui, lieutenant. Merci.

20

En arrivant chez elle, Eve n'avait qu'une idée en tête : se mettre à l'horizontale sur une surface plate pendant une heure.

Une navette ramenait Fortney à New York. Il pouvait bien mariner en cage un moment. Elle s'occuperait de Breen dans la matinée, puis de Renquist. Bien que tout en bas de sa liste, Smith serait encore surveillé quelque temps.

Elle avait besoin de s'allonger, de s'éclaircir les idées. Enveloppée d'une brume de fatigue, elle pénétra dans la fraîcheur et le délicieux silence du hall.

La brume se déchira d'un coup, et Summerset apparut.

— Vous êtes en retard, comme d'habitude.

Elle le fixa, l'air hagard. Grand, osseux, moche, irritant. Hé, oui ! Il était de retour. Elle trouva la force d'enlever sa veste et la jeta sur la rampe de l'escalier, histoire de le provoquer.

Ce simple geste suffit à lui remonter le moral.

— Comment avez-vous franchi les barrières de sécurité de l'aéroport, avec votre pic en acier dans le derrière ?

S'efforçant de ne pas chanceler, elle se pencha pour ramasser le chat, qui se frottait à ses mollets, et lui caressa la tête.

— Tu as vu ? Il est rentré. Je t'avais pourtant demandé de changer le code, non ?

— Cette ruine que vous appelez une voiture ne devrait pas être garée devant le perron. Et ce n'est pas un endroit où poser ses affaires, ajouta le major-dome en saisissant la veste du bout des doigts.

Eve se dirigea vers l'escalier en étouffant un bâillement.

— Allez vous faire voir !

Il la regarda s'éloigner avec un mince sourire. Que c'était bon de se retrouver chez soi !

Elle fonça dans sa chambre, jeta le chat sur le lit, puis s'écroula à plat ventre.

Le temps que Galahad vienne se lover au creux de ses reins, elle dormait.

Connors la trouva là, comme il s'y attendait après le bref rapport de Summerset.

— Tu es à bout, on dirait, murmura-t-il en remarquant qu'elle n'avait même pas pris la peine de se débarrasser de ses chaussures ni de son arme.

Il caressa distraitement le chat entre les oreilles avant de s'installer dans un coin pour travailler.

Elle avait sombré dans un sommeil profond, paisible. Elle refaisait surface quand les rêves surgirent, sous forme de silhouettes vagues et de sons étouffés. Sur un lit d'hôpital, une jeune fille très pâle.

Marlene Cox, puis elle-même, enfant. Toutes deux battues, impuissantes. Des formes plus sombres tournoyaient autour du lit. Le flic, songea-t-elle en repensant à la fillette qu'elle avait été.

Nous avons des questions à te poser. Il faut que tu te réveilles et que tu nous répondes, sans quoi il recommencera, avec quelqu'un d'autre. Il y a toujours une autre victime.

Mais la personne dans le lit ne bougeait pas. Le visage changeait : du sien à celui de Marlene, de celui de Jacie Wooton à celui de Lois Gregg et, de nouveau, le sien.

Un sentiment de colère mêlé de peur monta en elle. *Tu n'es pas morte. Tu n'es pas comme les autres. Il faut que tu te réveilles. Nom de nom, réveille-toi et arrête-le !*

L'une des silhouettes s'était détachée des autres et se tenait de l'autre côté du lit. L'homme qui avait frappé l'enfant et hantait la femme.

Ce n'est jamais vraiment terminé. Ses yeux brillaient de rage au milieu de sa figure ensanglantée. *Ça ne finit jamais. Quoi que tu fasses, il y en a toujours une autre. Autant dormir, petite fille. Mieux vaut dormir que de côtoyer les morts. Continue ainsi, et bientôt tu seras l'un d'eux.*

Il se penchait, appuyait la main sur la bouche de l'enfant. Elle ouvrait les yeux, effrayée, engourdie par la douleur. Eve ne pouvait que contempler la scène, incapable de réagir, de protéger, de défendre. Elle ne pouvait que fixer son propre regard tandis qu'il se voilait, puis s'éteignait.

Elle se réveilla en poussant un cri étranglé. Dans les bras de Connors.

— Chut. Ce n'était qu'un cauchemar, murmura-t-il en lui embrassant la tempe. Je suis là. Serre-toi contre moi.

— Ça va, marmonna-t-elle, la tête blottie au creux de son épaule. Ça va.

— Serre-toi contre moi quand même, répondit-il, car lui n'était jamais bien lorsqu'elle errait à travers ses cauchemars.

— Pas de problème.

Déjà, son pouls reprenait un rythme normal. Connors sentait bon la peau et le savon, ses cheveux étaient doux et soyeux sur son front.

— Quelle heure est-il ? J'ai dormi longtemps ?

— Aucune importance. Tu en avais besoin. À présent, il faut que tu manges et que tu te recouches.

Elle n'allait pas discuter. Elle était affamée.

— Je reconnais qu'un repas ne me ferait pas de mal. Mais avant, j'ai envie d'autre chose.

— Quoi ?

— Tu sais, quand parfois tu me touches, tu me fais l'amour, tout en tendresse. Comme si tu sentais que je suis à vif à l'intérieur.

— C'est le cas.

Elle renversa la tête, effleura ses joues.

— Montre-moi.

Il couvrit son visage de baisers légers tout en lui retirant son arme.

— Tu veux me raconter ?

Elle opina.

— Tout à l'heure.

Il la repoussa doucement sur le dos, lui ôta ses chaussures. Elle avait les yeux cernés. Elle était si blanche qu'elle en semblait presque transparente.

— Quand je suis arrivé et que je t'ai vue dormir, je me suis dit : voilà mon petit soldat, épuisé par ses guerres. Maintenant, je te regarde, et je pense : voici la femme que j'aime.

Elle se laissa déshabiller sans protester, un sourire aux lèvres.

— Tu es ma vie, confessa-t-il.

Elle se redressa, s'accrocha à son cou. Un sanglot lui nouait la gorge, mais si elle le laissait s'échapper, elle craignait de ne plus pouvoir s'arrêter de pleurer. Il la berça contre lui, lentement. « Emmène-moi, le supplia-t-elle en silence. Emmène-moi très loin, ne serait-ce qu'un instant. »

Comme s'il l'avait entendue, il commença à la caresser. Il prit son temps, la laissant fondre peu à peu. Bientôt, son vaillant petit soldat s'abandonna, malléable comme de la cire, fluide comme de l'eau.

Eve succomba. Ici, pas de cauchemars, pas de silhouettes rôdant dans les coins obscurs. Il n'y avait plus que Connors, ses mains expertes, ses baisers exquis. Les sensations s'entrechoquaient, dissipant sa fatigue et son désespoir.

Il explora ses seins avec douceur, et elle réprima un gémissement. La mort et ses multiples visages étaient bien loin.

Quand il se fit plus exigeant, elle était prête. Il ne se pressa pas, fasciné par ce corps élancé, à la peau lisse et aux courbes subtiles. Il aimait voir le plaisir l'envahir, la parcourir en petits frémissements.

La vague brûlante de l'orgasme les submergea, corps, cœur et âme. L'instant fut magique. Eve s'agrippa à Connors avec ferveur. Mais il ne s'en tint pas là. Entremêlant ses doigts aux siens, il s'appliqua à la faire jouir avec sa bouche.

Elle ne lui résista pas. Et quand le sanglot lui échappa enfin, c'était un cri d'extase.

Quand ils eurent repris leur souffle, Connors posa la tête sur sa poitrine. Il pensait qu'elle allait se rendormir, plus paisiblement, cette fois. Mais elle passa les doigts dans ses cheveux.

— J'étais si fatiguée que j'ai dû mettre la voiture en mode automatique, avoua-t-elle. J'ai passé une sale journée sur une sale affaire. Il ne s'agit pas seulement des victimes, de ces femmes. J'ai l'impression qu'en les tuant il pointait le doigt sur moi.

— Ce qui fait de toi l'une d'entre elles.

« Dieu merci, pensa-t-elle, il comprend ! »

— L'une d'entre elles, et celle qui se bat pour elles alors qu'il est trop tard.

— Eve...

Il leva la tête, plongea son regard dans le sien.

— Il n'est jamais trop tard. Tu le sais mieux que quiconque.

— En général, je le sais oui. En général.

Il s'assit, l'attira à lui et encadra son visage des deux mains.

— Tu sais qui c'est.

— Oui. Le problème, c'est de l'arrêter, de prouver sa culpabilité et de l'enfermer pour toujours. Je l'ai su dès le début. J'avais besoin de prendre du recul, afin de franchir les étapes dans l'ordre.

— Tu vas manger et me raconter tout ça.

— Oui. Mais avant, je vais prendre une douche, histoire de me ressaisir.

— Entendu.

Il savait respecter son espace.

— Nous prendrons notre repas ici. Je m'en charge.

La gorge serrée par l'émotion, elle appuya le front contre celui de Connors.

— Tu sais ce qu'il y a de bien, avec toi ? Tu es attentionné.

Il l'aurait volontiers étreinte en la suppliant de lui confier ce qui la tracassait. Au lieu de quoi, il s'écarta.

Elle prendrait une douche trop chaude, songea-t-il en allant chercher leurs peignoirs. Ensuite, elle se planterait sous le jet de massage dans l'espoir de retrouver son énergie.

Elle ne perdrait pas de temps à s'essuyer avec une serviette. Elle choisirait la cabine de séchage et la chaleur, encore.

Après avoir commandé leur dîner, il mit le couvert. Non, elle ne se rendormirait pas. Pas avant un bon moment. Elle reprendrait des forces, puis elle se remettrait au travail jusqu'à n'en plus pouvoir.

Elle revint, vêtue du peignoir qu'il avait accroché à la porte de la salle de bains. Un vêtement noir tout simple, en tissu léger. Elle ne savait probablement pas qu'elle le possédait.

— Qu'est-ce que c'est que ces trucs verts ?

— Des asperges. Excellent pour la santé.

Elle n'était pas convaincue. En revanche, le poisson et le riz paraissaient succulents. Le vin blanc aussi.

Elle en but une gorgée, pour mieux faire passer les asperges.

— Je me demande pourquoi tout ce qui est excellent pour la santé est de couleur verte et d'aspect bizarre.

— Parce qu'on ne peut pas se nourrir uniquement de barres de chocolat.

— Dommage.

— Eve, tu essaies de gagner du temps.

— C'est possible.

Elle piqua sa fourchette dans l'une des tiges, l'engloutit. C'était loin d'être mauvais, mais elle grimaça. Pour la forme.

— J'ai rêvé de ma mère.

— C'était un rêve, ou un souvenir ?

— Je n'en sais rien. Les deux. J'étais dans un appartement, ou dans une chambre d'hôtel. Plutôt un appartement. Un taudis. J'avais trois ou quatre ans. Comment faire la différence ?

— Aucune idée.

— Moi non plus. Bref...

Elle lui raconta la scène ; elle était seule, elle était entrée dans la chambre, avait joué avec les fards et la perruque, en sachant que c'était formellement interdit.

— Je suppose que tous les enfants désobéissent. Je ne sais pas. Mais je... je ne pouvais pas résister à la tentation. Je crois que j'avais envie d'être belle. De me pomponner. Parce qu'un jour, quand elle était de bonne humeur, elle m'avait dit que j'étais jolie comme une poupée.

— Les enfants cherchent instinctivement à plaire à leur mère, murmura Connors. Surtout à ces âges-là.

— Sans doute. Je ne l'aimais pas, j'avais peur d'elle, mais je voulais qu'elle m'aime. Qu'elle me dise que j'étais mignonne et… Merde!

Elle mangea un peu de riz.

— J'étais tellement absorbée par mon jeu que je ne les ai pas entendus rentrer. Elle a pénétré dans la chambre, m'a vue. Elle m'a frappée. Elle hurlait et moi, je pleurais. J'étais par terre et je sanglotais. Elle allait me frapper de nouveau, mais il l'en a empêchée. Il m'a ramassée… merde… merde…

Quand sa fourchette tomba bruyamment sur son assiette, Connors la força à baisser la tête entre les genoux.

— Allons, allons… Respire… Tout doucement, là…

Sa voix était aussi douce que sa main. Mais son visage trahissait une colère sourde.

— Je ne supportais pas qu'il me touche. Ça me hérissait, même à cette époque. Il ne m'avait pas encore violée, mais j'avais dû sentir que ça viendrait. Comment pouvais-je le savoir?

— L'instinct. Un enfant reconnaît un monstre quand il en voit un.

— Peut-être. Ça va. Je vais bien.

Elle se redressa.

— Je ne supportais pas qu'il me touche, pourtant je me blottissais contre lui. J'aurais fait n'importe quoi pour ne plus la voir. Pour éviter son regard. Elle me haïssait, Connors. Elle voulait ma mort. Non, pire: c'était comme si elle avait voulu m'effacer. C'était une pute. Tous les accessoires étaient là, sur la commode. Une pute et une junkie, et elle me considérait avec mépris. J'étais née de sa chair. Je crois qu'elle m'en voulait d'autant plus.

D'une main tremblante, elle s'empara de son verre de vin.

— Je ne peux pas comprendre cela. Je pensais… j'imaginais qu'elle était moins mauvaise que lui. J'ai grandi en elle, elle devait éprouver *quelque chose*. Mais non. Au contraire.

— Ils font partie de toi.

Elle tressaillit à ces mots, et il lui serra les mains en la dévisageant farouchement.

— Tu es ce que tu es malgré cela. Malgré eux.

— Si tu savais comme je t'aime !

— Alors, nous sommes quittes.

— Connors, je ne m'étais pas rendu compte à quel point je voulais qu'il y ait un lien entre nous. Jusqu'à ce rêve.

— C'est la première fois ce soir que tu fais ce rêve ?

Elle l'observa avec un mélange d'embarras et de culpabilité.

— Ce n'était pas ce soir, n'est-ce pas ? comprit-il. Il y a combien de temps, Eve ?

— Quelques jours. La semaine dernière. Comment veux-tu que je le sache ? Je ne l'ai pas noté sur mon agenda. Quand les morts me tombent dessus en série, j'ai d'autres préoccupations. Je n'ai pas de secrétaire dévouée pour consigner mes moindres mouvements et pensées.

— Tu t'imagines qu'en provoquant une dispute je vais oublier que tu m'as caché ça pendant plusieurs jours ?

Trop furieux pour rester assis, il bondit sur ses pieds.

— Avant qu'on parte pour Boston, je t'ai demandé ce qui te tracassait. Tu m'as envoyé promener avec un mensonge.

— Je ne t'ai pas menti, ou sinon, par omission. Je ne pouvais pas t'en parler parce que... parce que je n'étais pas prête.

— Mon œil ! Tu as pris la décision de garder ça pour toi. Pourquoi ? insista-t-il en reprenant sa place.

— Ça t'ennuierait de remballer ton ego cinq minutes ? C'est de moi qu'on parle, pas de... Hé !

Il l'avait saisie par le menton. Elle faillit le repousser, mais il fut plus rapide qu'elle.

— Mais il s'agit aussi de moi, n'est-ce pas ? Je te connais suffisamment, maintenant, il me semble. Ce que j'ai découvert au sujet de ma mère, il n'y a pas si longtemps, t'a empêchée de t'ouvrir à moi.

— Écoute, je sais que tu es encore sous le coup de l'émotion. Tu le nies – non, pas toi, tu es si fort, si solide –, mais tu souffres, je le vois. Je ne voulais pas en rajouter.

— Parce que le fait de penser à ta mère, qui ne t'avait jamais aimée, ne pourrait qu'amplifier mon propre chagrin au sujet de la mienne, qui m'a aimé.

— Plus ou moins. Lâche-moi.

Il n'en fit rien.

— C'est complètement idiot.

Il se pencha vers elle, l'embrassa avec fougue.

— Et j'aurais réagi comme toi, j'imagine. Oui, je souffre. Je ne sais pas si je guérirai un jour complètement. Je sais encore moins comment je m'en serais sorti sans toi. Ne me ferme pas la porte.

— Je voulais juste nous donner le temps à l'un comme à l'autre de retrouver notre calme.

— D'accord. Mais il me semble que c'est plus efficace à deux, tu ne crois pas ? Où t'a-t-elle frappée ?

Sans le quitter des yeux, elle effleura sa joue du revers de la main. Il y posa les lèvres délicatement, comme si c'était encore douloureux.

— Plus jamais. Nous les avons vaincus, ma douce. Séparément et ensemble, nous avons gagné.

Elle inspira à fond.

— Tu vas te fâcher si je t'avoue que j'en ai parlé à Mira, il y a quelques jours ?

— Non. Ça t'a aidée ?

— Un peu. Pas autant que d'en discuter avec toi. Je suis vidée. Peut-être que mon cerveau va enfin se remettre à fonctionner. J'étais tellement épuisée en arrivant à la maison. J'ai été incapable d'envoyer une insulte décente à Summerset. Pourtant, j'en avais en réserve.

— Mmm...

— Ce n'est pas grave, elles me reviendront. Pour l'instant, j'ai la tête farcie avec cette enquête. Et puis, Peabody me pousse à bout.

— C'est demain le grand jour, non ?

— C'est pas trop tôt ! Pendant qu'elle passe son examen, je m'attaquerai à Fortney et à Breen. Je demanderai à Feeney de m'assister. Ensuite... tiens, à propos de coups, Fortney a cogné Pepper.

— Pardon ?

— Un œil au beurre noir. Elle est venue au Central, elle a porté plainte. Le prétexte idéal pour le retenir chez nous. J'ai fait en sorte qu'il ne puisse pas sortir avant demain. J'ai déjà remporté le premier round avec Breen aujourd'hui. Son sourire suffisant n'a pas tenu longtemps. Je le fais filer jusqu'à notre entretien, demain. Renquist est en dehors de la ville pour affaires. Je me demande si je ne vais pas tirer quelques ficelles, histoire de vérifier que c'est la vérité et qu'il n'est pas en cavale.

— Me reprocheras-tu mon excès d'orgueil si j'en déduis que c'est moi, la ficelle ?

Elle lui sourit.

— C'est pratique de t'avoir dans les parages, même après une bonne partie de jambes en l'air.

— Ma chérie, comme c'est touchant !

— Je fais aussi surveiller Smith. Je veux savoir où ils sont vingt-quatre heures sur vingt-quatre jusqu'à ce que je puisse obtenir un mandat.

— Et comment sais-tu lequel des quatre est ton coupable ?

— Je l'ai reconnu, répliqua-t-elle, avant de secouer la tête. Malheureusement, c'est de l'intuition pure, et ça ne suffit pas pour procéder à une arrestation. Il n'y en a qu'un qui corresponde au profil de A à Z. Un seul qui aurait éprouvé le besoin d'écrire les lettres. Il faut d'abord que j'élimine les trois autres... Il a le papier, les outils, les costumes. Il a tout gardé. Demain, après-demain, ce sera fini.

— Tu vas me dire qui c'est ?

— Je préfère travailler sur le processus d'élimination, croiser les dates de voyages avec celles des meurtres. Voir si tu prends la même direction que moi. Tu ne manques pas d'intuition, toi non plus. Pour un civil.

— Tu me flattes. Donc, si je comprends bien, nous allons travailler.

— Oui, je... Merde !

Son communicateur bipait.

— C'est bon, je l'ai ! s'écria-t-elle en se précipitant là où gisait son pantalon.

Elle sortit l'appareil de la poche.

— Dallas.

— Lieutenant...

Le visage de Sela Cox emplit l'écran. Le cœur d'Eve fit un bond.

— Madame Cox.

— Elle est réveillée ! annonça-t-elle avec un sourire radieux. Le médecin est avec elle en ce moment, mais je tenais à vous prévenir sans délai.

— J'arrive. Merci !

— Je vous attends.

— C'est un miracle ! dit Eve à Connors en s'habillant.

Tout à coup, elle éprouva le besoin de s'asseoir.

— J'ai vu son visage. Dans mon rêve, tout à l'heure. Le sien, ceux des autres, le mien. J'ai vu son visage, et j'ai cru qu'elle était morte. Que j'étais arrivée trop tard. Je me trompais.

Connors s'approcha d'elle. Elle s'efforça de respirer lentement.

— Lui aussi, je l'ai vu. Mon père, debout, de l'autre côté du lit d'hôpital. Il disait que ça ne finissait jamais. Qu'il y avait toujours une autre victime. Que je ferais mieux d'abandonner avant de mourir à mon tour.

— Il se trompait.

— Tu ne crois pas si bien dire.

Elle se releva.

— Je n'appelle pas Peabody. Il faut qu'elle soit en pleine forme pour son examen. Tu veux la remplacer ?

— C'est comme si c'était fait, lieutenant.

21

Elle fonça dans le couloir de l'hôpital. Elle avait accroché son insigne à sa ceinture afin d'empêcher le personnel médical de se mettre en travers de son chemin. Connors lui aurait volontiers signalé que l'intensité de son regard suffisait largement, mais il craignait qu'une remarque de ce genre en atténue la férocité.

Il aimait trop la voir ainsi pour prendre un tel risque.

L'agent qu'elle avait posté devant la salle de réanimation se mit au garde-à-vous dès qu'elle surgit au détour du corridor.

À l'instant où elle s'apprêtait à la pousser, la porte s'ouvrit. Le médecin, songea Connors, était plus courageux que le flic. Il lui barra le chemin, croisa les bras et fronça les sourcils.

— On m'a dit que vous aviez été prévenue et que vous arriviez. Ma patiente est à peine consciente. Son état demeure critique. Un interrogatoire serait malvenu.

— Il y a vingt-quatre heures, vous m'avez affirmé qu'elle ne se réveillerait jamais. Elle a survécu.

— En toute franchise, c'est un miracle qu'elle ait émergé de son coma, ne serait-ce que brièvement.

— Je n'aime pas gaspiller les miracles. Quelqu'un l'a mise dans cette chambre, et il se peut qu'elle me révèle son identité avant qu'il ne s'attaque à la prochaine, déclara-t-elle d'un ton glacial. Je vous déconseille de me contrarier.

— Vous êtes ici sur mon territoire, riposta le Dr Laurence. Le bien-être de ma patiente passe en priorité.

— Là-dessus, nous sommes parfaitement d'accord. Je tiens à ce qu'elle reste en vie.

— Pour lui soutirer un témoignage.

— Bien entendu. Si vous pensez que cela fait de moi une ennemie, vous êtes stupide. Je l'avais considérée comme morte. Elle nous a montré à quel point elle est combative. Je veux qu'elle sache que l'homme qui lui a fait ça est enfermé. Je veux qu'elle sache que je vais clore cette enquête, en partie grâce à elle. Pour l'heure, elle n'est qu'une victime. Je veux l'aider à devenir une héroïne. Vous avez deux solutions, ajouta-t-elle sans lui laisser le temps de répondre. Soit je demande à cet officier de vous retenir, soit vous m'accompagnez.

— Vos tactiques me déplaisent, lieutenant.

— Vous n'avez qu'à porter plainte.

Elle poussa la porte, jeta un coup d'œil par-dessus son épaule.

— Attends-moi là, lança-t-elle à Connors.

En s'approchant du lit, son cœur se serra. Marlene gisait là, immobile et livide ; sa mère lui tenait la main.

— Elle se repose, dit Sela. Quand vous avez dit que vous veniez, j'ai demandé à mon mari de descendre à la chapelle. Ils ne nous laissent entrer que par deux.

— Madame Cox, je vous le répète, la présence du lieutenant n'est pas souhaitable, intervint le médecin. Votre fille a besoin de tranquillité et de calme.

— Elle est tranquille depuis que ce type l'a attaquée ; quant à retrouver son calme, ce sera impossible tant qu'il ne sera pas derrière les barreaux. Je vous suis très reconnaissante de tout ce que vous avez fait, docteur. Mais Marlene voudra aller jusqu'au bout. Je la connais.

— Attention à vous, lieutenant, avertit le docteur, ou c'est moi qui prendrai les mesures nécessaires.

Les yeux rivés sur Marlene, Eve se rapprocha du lit.

— Vous devriez lui parler, madame Cox. Je ne veux pas l'effrayer.

— Je lui ai expliqué que vous veniez, murmura Sela en se penchant pour effleurer le front de sa fille des lèvres. Marlene ? Marlene, mon bébé, réveille-toi. Le lieutenant Dallas est là.

— Fati... guée, maman...

— Je sais, mon bébé. Ce ne sera pas long. Le lieutenant a besoin de ton aide.

— Vous avez traversé une terrible épreuve, commença Eve, ignorant le médecin qui se rapprochait. Je sais combien c'est difficile pour vous. Il ne s'en sortira pas comme ça. Nous ne le permettrons pas, Marlene. Vous avez réussi à lui échapper. Grâce à vous, je vais l'empêcher définitivement de recommencer.

Au prix d'un effort surhumain, Marlene souleva les paupières.

— C'est confus, tout s'emmêle.

— Je comprends. Dites-moi ce que vous pouvez. Vous reveniez du travail. Vous avez pris le métro.

— Toujours... Ce n'est pas loin. Nuit chaude. Mal aux pieds.

— Vous avez vu une fourgonnette.

— Petite fourgonnette de déménagement.

Marlene s'agita, mais sa mère lui caressa les cheveux.

— Tout va bien, mon bébé. C'est fini. Personne ne va te faire de mal. Tu es en sécurité. Je suis là.

— Un homme. Gros plâtre au bras. Jamais vu un plâtre comme ça. N'arrivait pas à monter le canapé dans le camion. Pitié de lui… Maman.

Délibérément, Eve fit un pas en avant et lui prit l'autre main.

— Il ne peut plus rien contre vous. Il ne vous touchera plus jamais. Il pense vous avoir vaincue, mais il se trompe. C'est vous qui avez gagné.

Elle battit des paupières.

— Je ne me souviens pas trop. Je l'aidais, puis j'ai reçu un coup. J'ai eu très mal. Ensuite, je ne sais plus…

Des larmes roulèrent sur ses joues.

— Je ne me rappelle plus rien, sauf maman qui me parlait, ou papa ou mon frère. Oncle Pete ? Oncle Pete et Tante Dora sont passés ?

— Oui, ma chérie. Tout le monde est venu.

— Je flottais très, très loin pendant qu'ils me parlaient. Et puis, je me suis réveillée ici.

— Avant qu'il ne vous agresse, vous l'avez regardé… Je parie que vous avez hésité un peu. Puis vous vous êtes dit que vous n'aviez rien à craindre, que c'était juste un garçon dans l'embarras. Vous êtes trop intelligente pour adresser la parole à quelqu'un d'apparence dangereuse.

— Il avait ce gros plâtre, il semblait tellement contrarié et ennuyé. Il était mignon. Des cheveux bouclés, noirs. Une casquette de base-ball. Je crois… Je ne me… Il s'est tourné vers moi et il m'a souri.

— Vous le revoyez, dans votre tête, Marlene ?

— Oui… je crois. C'est flou.

— Je vais vous montrer des photos. Je veux que vous les examiniez attentivement. Vous me direz si l'un de ces hommes est celui qui portait le plâtre. Repensez à son visage, et regardez les photos.

— Je vais essayer.

Elle s'humecta les lèvres.
— Soif...
— Tiens, mon trésor, murmura Sela, en lui portant un gobelet d'eau à la bouche. Prends ton temps. N'oublie pas : tu n'as plus rien à craindre.
— Difficile de rester éveillée. De réfléchir.
— Ça suffit, lieutenant ! Elle est à bout de forces, intervint Laurence.
Marlene tourna péniblement la tête vers lui.
— Je vous ai entendu, quand je flottais. Vous m'avez dit de ne pas abandonner. Que... vous vous battriez si je me battais aussi.
— C'est vrai, répondit-il d'une voix emplie de compassion, qui calma l'irritation d'Eve.
— Accordez-moi encore une minute, supplia-t-elle. Juste une minute, Marlene, et nous en aurons terminé.
— Vous êtes de la police ? Je suis désolée. Je mélange tout.
— Je suis de la police, oui. En regardant ces photos, dites-vous bien que vous lui avez échappé, qu'il ne peut plus rien contre vous. Vous vous êtes enfuie, vous avez lutté.
Elle les présenta à Marlene l'une après l'autre, guettant ses moindres réactions. Elle vit son regard changer, la peur l'envahir.
— Lui. Mon Dieu ! C'est lui. Maman.
— Lieutenant Dallas, c'est assez.
Elle repoussa le médecin.
— Marlene, vous en êtes sûre ?
— Oui, oui, oui... C'est son visage. Ses yeux. Il m'a *souri*.
— Tout va bien. Il est parti.
— Je veux que vous sortiez d'ici. Immédiatement.
— J'y vais.
— Attendez !

Marlene chercha la main d'Eve.
— Il allait me tuer, n'est-ce pas ?
— Il n'y est pas parvenu. Vous l'avez arrêté… C'est vous qui l'avez arrêté, Marlene. Ne l'oubliez jamais.

Elle s'écarta tandis que Laurence vérifiait les constantes de sa patiente et les moniteurs. Puis elle tourna les talons et quitta la pièce.

— On l'a, ce salaud ! annonça-t-elle à Connors en se dirigeant vers les ascenseurs. Il faut que je passe au Central. Vérifie quand même les dates de voyages. Je veux un dossier béton. J'aurai mon mandat d'arrestation dans deux heures. S'il le faut, j'étranglerai le juge pour l'obtenir.

— Lieutenant ! Lieutenant ! Attendez !

Sela Cox leur courait après.

— Vous allez le chercher.

— Oui, madame.

— Vous étiez sincère quand vous lui avez dit que c'était elle qui l'avait arrêté ?

— Oui.

Elle pressa les doigts sur ses paupières.

— Ça va l'aider à s'en sortir. Je connais ma petite fille… Ils étaient persuadés qu'elle ne se réveillerait pas. Je savais qu'elle survivrait.

— Ah, ça, oui !

Elle eut un petit rire, puis plaqua la main sur sa bouche pour ravaler un sanglot.

— Le Dr Laurence a été désagréable avec vous, mais il a tout fait pour sauver Marlene.

— J'ai été tout aussi désagréable. C'est normal, nous sommes tous préoccupés.

— Je voulais simplement vous dire qu'à mes yeux le Dr Laurence est son ange gardien, et vous, l'ange de la vengeance. Je ne vous oublierai jamais.

Elle se hissa sur la pointe des pieds, embrassa Eve sur la joue et s'éclipsa.

— L'ange de la vengeance, répéta Eve. Seigneur !

Affreusement embarrassée, elle courba les épaules en pénétrant dans l'ascenseur.

Puis elle se redressa, sourit.

— Une chose est sûre : quand j'en aurai fini avec lui, Niles Renquist me considérera comme le diable sorti de l'enfer.

C'était très délicat, à la fois sur le plan politique et sur le plan personnel. Peabody serait folle de rage, elle lui en voudrait de ne pas avoir été avertie. Tant pis, elle s'en remettrait, songea Eve tout en se préparant à présenter son rapport au commandant Whitney.

Ce dernier n'était guère ravi d'avoir été rappelé au Central. Elle entra dans son bureau, grimaça en constatant qu'il était en smoking.

— Commandant, je suis navrée d'avoir interrompu votre soirée.

— Je suppose que vos raisons seront suffisantes pour calmer mon épouse… J'espère pour vous que Niles Renquist est le coupable, lieutenant, parce que avant d'amadouer ma femme, je vais devoir cajoler l'ambassadeur, les Nations unies et le gouvernement britannique.

— Marlene Cox a identifié Niles Renquist comme étant son agresseur. J'ai une déclaration de Sophia DiCarlo, leur jeune fille au pair, qui contredit l'affirmation de M. et de Mme Renquist selon laquelle ils étaient chez eux au moment de l'un des meurtres. Il possède le papier à lettres utilisé pour rédiger les messages laissés sur les scènes de crime, il correspond au profil. En ce moment même, le capitaine Feeney et l'expert consultant civil Connors effectuent une recherche sur les voyages des suspects. Nous pourrons vraisemblablement confirmer que Renquist était à Londres, Paris, Boston et New L.A. à l'époque des meurtres précédents, perpétrés dans le même esprit. En d'autres circonstances, tous ces faits suffiraient pour obtenir un mandat de perquisition et une inculpation du sujet.

— Mais les circonstances n'ont rien d'ordinaire.

— En effet, monsieur. Le statut de diplomate du sujet ainsi que le contexte politique rendent l'affaire plus sensible et impliquent un niveau élevé de bureaucratie. Je vous demande de bien vouloir solliciter directement le juge afin d'accélérer le processus. Il va tuer de nouveau, commandant, et bientôt.

— Vous voulez que je me jette dans la gueule du loup, lieutenant ?

Il la considéra un instant avant de poursuivre :

— Vous avez la déclaration d'une victime sévèrement traumatisée. Une autre d'une employée de maison qui, selon votre rapport, prétend avoir été abusée sexuellement par le sujet. Ces deux témoignages sont minces. Posséder ou acheter une certaine marque de papier à lettres ne suffit pas, et vous le savez, sans quoi Renquist serait déjà derrière les barreaux. En outre, d'autres que lui correspondent au profil. Tous ces arguments vous seront jetés à la figure par les représentants et avocats de Renquist et du gouvernement britannique. Vous avez intérêt à verrouiller le dossier.

— Si je peux pénétrer chez lui, dans son bureau, j'aurai toutes les preuves nécessaires. C'est lui, commandant. Je sais que c'est lui.

Il demeura silencieux un moment, à pianoter sur son bureau.

— Si vous avez le moindre doute, il vaut mieux repousser l'échéance. Nous pouvons le filer, surveiller ses moindres mouvements, jusqu'à avoir la certitude de sa culpabilité.

S'il se réfugie dans le bâtiment des Nations unies, bonne chance ! pensa Eve. Elle s'efforça cependant de se montrer habile.

— Renquist a peut-être senti le vent tourner. Sans la fouille, il garde le contrôle. Il est le seul à connaître sa prochaine cible. Elle aura peut-être moins de chance que Marlene Cox.

— Une fois que la machine sera lancée, nous risquons tous deux notre peau. Moi, je peux le surmonter. Je porte l'insigne depuis bien avant votre naissance. La retraite ne me fait pas peur. En ce qui vous concerne, si vous commettez une erreur, vous risquez de ruiner votre carrière à jamais. Vous comprenez ?

— Je comprends parfaitement, commandant.

— Vous êtes un bon flic, Dallas, probablement le meilleur que j'aie eu sous mes ordres. Le jeu en vaut-il la chandelle ?

Elle pensa au cauchemar, aux morts, aux victimes à venir. Il y en a toujours une autre, avait dit son père. Et il avait raison.

— Oui, commandant. Si j'attachais plus d'importance à mon statut qu'à mon boulot, je ne serais pas ici. Je ne fais pas fausse route, mais si c'était le cas, j'en assumerais les conséquences.

— Je passe quelques coups de fil. Apportez-moi un café.

Elle cligna des yeux, surprise, scruta vaguement la pièce, puis se dirigea vers l'AutoChef. Au fond, elle attachait une certaine importance à son statut.

— Comment le prenez-vous, commandant ?

— Allongé. Passez-moi le juge Womack… Merci… Entrez ! ajouta-t-il comme on frappait à la porte.

Feeney apparu, l'air préoccupé. Sur ses talons, Connors adressa un sourire impertinent à Dallas.

— J'en boirais volontiers un, pendant que tu y es.

— Je ne sers pas les civils.

— Servir et protéger, lieutenant, lui rappela-t-il.

— Sans blague ? marmonna-t-elle en allant poser la tasse de Whitney devant lui.

— On les a, déclara Feeney.

— Un instant, s'il vous plaît... Quoi ?

— Le civil ici présent et moi-même avons joué sur le Net. Si seulement notre budget nous permettait de l'engager.

Il tapota l'épaule de Connors avec une affection sincère.

— Un esprit retors et des doigts magiques. Enfin !

— Cessez de tourner autour du pot, Feeney. Accouchez.

— Notre suspect a emprunté des navettes publiques et privées – pour se rendre à Paris, Londres, Boston et New L.A. Il était dans ces villes au moment où les homicides non résolus précédant les nôtres ont eu lieu. Il séjourne fréquemment à Londres, comme on pouvait s'y attendre. Moins souvent à Boston. Pour Londres, il utilise les transports diplomatiques. Pour Boston, il se contente du service public, mais en première classe. Pour la côte Ouest, en revanche, il est parti seul, à bord d'un avion privé. Il a ainsi effectué deux voyages, le premier un mois avant le meurtre de Susie Mannery, le second, deux jours avant, et il est rentré le lendemain du crime. Même mode opératoire que pour les autres affaires.

Il se tourna vers Eve.

— En plein dans le mille, petite.

Malgré le piston, il était presque minuit quand Eve obtint enfin les mandats.

— Comment l'as-tu su ? lui demanda Connors, tandis qu'ils roulaient vers le nord de la ville.

— C'était forcément l'un d'entre eux. Le papier à lettres était trop particulier. Il s'en est servi délibérément, pour se mettre en valeur. L'attention, le divertissement, l'excitation. Il a besoin de tout cela.

Elle déboîta derrière un Rapid Taxi et le laissa lui ouvrir la voie.

— Mais il devait savoir que d'autres possédaient le même papier parmi les suspects new-yorkais. Il n'a donc pas été le premier à en acheter. C'était Smith, et Smith était facile à pister. C'est un homme public, il aime se faire remarquer.

— Continue...

— Elliot Hawthorne en avait un stock, lui aussi.

— À propos, il a demandé le divorce. Une sombre histoire de professeur de tennis.

Eve ricana.

— Ça ne m'étonne pas. Je ne l'ai jamais sérieusement soupçonné. Trop âgé, rien à signaler.

— Pourtant, tu as pris la peine de vérifier. Ce qui aurait réjoui Renquist.

— En effet. Et puis, il y a eu Breen. Le fait de lui envoyer le papier était un petit plus pour Renquist. Breen était l'expert, quelqu'un qu'il devait admirer. Je te parie un mois de salaire qu'on découvrira les bouquins de Breen dans le bureau de Renquist. Il a étudié l'œuvre et l'homme.

— Tu n'as jamais pensé que c'était Breen.

— Ça ne collait pas. Il a l'arrogance et la culture, mais il ne craint ni ne déteste les femmes.

Elle se remémora son air atterré quand elle lui avait révélé la liaison de sa femme.

— Il aime son épouse. C'est une poire, mais pas un meurtrier. Il aime être chez lui à s'occuper de son enfant. Pourtant, je l'ai poussé dans ses retranchements.

Connors perçut une pointe de regret dans sa voix.

— Pourquoi ?

— Au cas où j'aurais commis une erreur de jugement, avoua-t-elle. Au cas où je me serais trompée. Il m'a plu dès le départ, autant que Renquist m'a déplu.

— Tu craignais de t'être laissé entraîner par tes sentiments personnels.

— Un peu. Du reste, Breen aurait pu être impliqué, j'étais bien obligée de prendre cet aspect en compte. Il aurait pu fournir au tueur les données, les rassembler pour rédiger son prochain bouquin. Je me suis fiée à ses réactions, à ses réponses et à ses silences pendant l'entretien.

— Il s'en remettra, ou pas, Eve. C'est son épouse qui l'a trahi, pas toi.

— Oui, tout ce que j'ai à me reprocher, c'est d'avoir fracassé ses illusions. Bref… Pour en revenir à Renquist, je parie qu'il est au courant des frasques de la femme de Breen. Et je double la mise en affirmant qu'on trouvera du matériel illégal dans son bureau. Il l'aura utilisé pour se documenter et retrouver la trace des autres suspects. Il me les a présentés sur un plateau, ce salaud.

— Je tiens trop à ma fortune pour prendre un tel pari. Et Carmichael Smith ? Pourquoi l'as-tu éliminé ?

— Parce qu'il est pitoyable. Il a besoin d'une femme qui le vénère et le dorlote. S'il les tuait, qui lui masserait la plante des pieds ou lui caresserait la tête ?

— Personnellement, j'adore les massages de la plante des pieds.

— C'est ça. Prends un numéro et fais la queue comme tout le monde.

— Fortney…

— Le favori de Peabody. Elle penchait surtout pour lui parce qu'il heurtait sa sensibilité. Elle a le cœur tendre, tu sais.

— Oui, je sais.

— C'est bien, il ne faut pas qu'elle s'endurcisse trop.

— Tu t'inquiètes pour elle.

— Pas du tout ! protesta Eve.

Il rit tout bas, et elle serra les dents.

— Bon, d'accord, concéda-t-elle. Peut-être un peu : elle est tellement nerveuse qu'elle risque de rater ce fichu examen. Peut-être que je regrette de ne pas avoir attendu six mois de plus avant de la jeter dans l'arène. Si elle échoue, ce sera un drame. Elle y attache une telle importance.

— Ce n'était pas ton cas, à l'époque ?

— C'était différent. Je t'assure, insista-t-elle comme il haussait un sourcil dubitatif. Je n'allais pas échouer. J'avais davantage confiance en moi. Je n'avais pas le choix. Je n'avais rien d'autre.

Elle se surprit à sourire et à tourner la tête vers lui.

— En ce temps-là.

Il lui effleura la joue avec tendresse.

— Assez pleurniché. J'en reviens à Fortney. Il a troublé l'esprit de Peabody. C'est un minable. Il est trop bête pour avoir commis ces crimes. Il n'a pas de suite dans les idées et il manque de sang-froid. Certes, il a tendance à se montrer violent avec les femmes, mais un œil au beurre noir, ce n'est pas une mutilation. Pour mutiler, il faut être froid. Et courageux, d'une manière complètement tordue. Fortney est un lâche. Le sexe est sa façon d'humilier les femmes. Il est le deuxième à avoir acheté le papier à lettres, et j'imagine que cela a fait sourire Renquist – dans la mesure où il se tenait au courant.

— Ce dont tu es convaincue.

Elle vérifia dans son rétroviseur que son équipe la suivait toujours.

— Absolument. Il a dû se renseigner sur Fortney et s'assurer qu'il serait à New York pendant cette période. Il faut des mois pour préparer le spectacle. Renquist n'a pas planifié ça en une nuit.

— Continue.

Connors la faisait parler pour qu'elle ne perde pas patience dans les embouteillages. La circulation était abominable. Elle envisagea un instant de brancher sa sirène et d'appuyer à fond sur l'accélérateur. Mais ce serait une violation de la procédure. Elle devait respecter les règles.

— Il avait besoin de temps pour sélectionner ses cibles. Plusieurs semaines se sont écoulées entre le jour où il a envoyé le papier à Breen et le premier meurtre. Le premier à New York, précisa-t-elle. Nous allons découvrir d'autres cadavres, ou ce qu'il en reste, éparpillés sur toute la planète, voire ailleurs.

— Il te le dira.

— Oh, oui, marmonna-t-elle, l'air sombre, en se faufilant entre deux pare-chocs. Une fois qu'on l'aura coincé, il avouera tout. Il ne pourra plus se taire. Il veut sa place dans les livres d'histoire.

— Et toi, tu auras la tienne. Que tu le veuilles ou non, lieutenant.

— Concentrons-nous sur Renquist. C'est un perfectionniste, et il a des années d'expérience. Dans son métier, il se doit d'être discret, habile, souvent servile. Ça le ronge, jour après jour. Dans le fond, c'est un exhibitionniste, un homme qui se croit supérieur aux autres – alors que tout au long de son existence, il a vécu sous la domination des femmes. Les femmes sont inférieures, mais elles ont du pouvoir sur lui, il faut donc les punir. Il nous hait, et nous assassiner est son plus grand bonheur.

— Tu aurais été la dernière.

Elle l'observa à la dérobée.

— Oui. Pas tout de suite, parce qu'il voulait faire durer le plaisir. Je l'ai vu dans son regard lors de notre première rencontre. Je l'ai trouvé odieux. Je voulais que ce soit lui.

Elle se gara devant le domicile des Renquist. Ses collègues s'arrêtèrent juste derrière.

— On va bien s'amuser.

Elle attendit Feeney et ses hommes, présenta son insigne et le mandat devant le panneau de surveillance. Deux minutes plus tard, la gouvernante, vêtue d'une longue robe de chambre noire, leur ouvrit.

— Je regrette, ce doit être une erreur…

— Ce mandat nous autorise, mon équipe et moi, à fouiller la maison entièrement. Je suis aussi autorisée à arrêter M. Renquist, qui est soupçonné d'avoir commis plusieurs homicides et une agression avec intention de tuer. M. Renquist est-il là ?

— Non, il est en voyage d'affaires, bredouilla la gouvernante, plus ahurie qu'agacée. Je vais vous prier d'attendre ici pendant que je préviens Mme Renquist.

Eve agita ses mandats.

— Ces papiers signifient que je n'ai pas besoin d'attendre. Mais allez-y, dites-lui que nous sommes là. Après m'avoir indiqué le bureau de M. Renquist.

— Je ne… je ne peux pas prendre cette responsabili…

— C'est *ma* responsabilité, coupa Eve. Divisez-vous en groupes de deux, ajouta-t-elle à l'adresse de ses hommes. Je veux que vous passiez chaque pièce au peigne fin. Enregistrez tout. Le bureau ? demanda-t-elle à la gouvernante.

— Il est à l'étage, mais…

— Montrez-moi le chemin, Stevens.

Eve se dirigea vers l'escalier. Stevens lui courut après.

— Si je pouvais juste réveiller Mme Renquist et l'informer de…

— Dès que vous m'aurez conduite au bureau.

— C'est la dernière porte sur votre droite. Mais il est sécurisé.

— Le code ?

Elle fronça le nez, s'efforçant de conserver sa dignité.

— Seul M. Renquist le connaît. C'est son bureau personnel. En tant qu'officiel du gouvernement britannique…

— Oui, oui, blablabla, l'interrompit Eve, qui s'amusait comme une folle. Mon mandat m'autorise à ouvrir cette porte, avec ou sans le code.

Elle sortit de sa poche une carte à puce passe-partout.

La gouvernante tourna les talons et se rua à l'étage au-dessus. Mme Renquist était sur le point d'être brutalement réveillée.

Eve ne fut pas surprise que l'accès lui soit refusé.

— Il a pris toutes les précautions nécessaires, confia-t-elle à Connors. Nous allons être obligé d'employer une autre méthode. Si les experts en électronique de l'équipe sont dans l'impossibilité de débloquer les verrous, j'utiliserai le bélier.

— Jetons-y un coup d'œil d'abord, suggéra Feeney.

Eve détourna sa vidéocam pour qu'on ne puisse pas voir Connors s'accroupir, un instrument de cambrioleur à la main.

— Feeney, je veux que vous confisquiez tous les disques de sécurité. Je soupçonne le sujet de les avoir programmés de façon à ne pas être repéré lorsqu'il a quitté la maison pour commettre ses crimes.

— Si c'est le cas, on verra les ombres.

Il regarda Connors, retint un sourire. Oui, décidément, ce type avait des mains de magicien.

— Je veux aussi tous les appareils de communication.

Elle tournait le dos à Connors, priant pour qu'il fasse vite.

— Lieutenant, c'est débloqué, annonça-t-il un instant plus tard.

— Parfait. À présent, nous pénétrons dans le bureau du domicile de Niles Renquist.

Elle franchit le seuil, commanda la lumière, aspira une grande bouffée d'air.

— Au boulot !

La pièce était méticuleusement organisée, décorée et meublée avec élégance. Sur le bureau ancien, un ordinateur trônait auprès d'un encrier et d'une plume d'oie, un agenda en cuir et un calendrier électronique. Les fauteuils vert foncé paraissaient confortables.

Il y avait une salle de bains attenante. Les draps de bain étaient parfaitement alignés sur le porte-serviettes.

C'était sans doute là qu'il se lavait après les meurtres. Elle l'imaginait parfaitement, se douchant, se pomponnant, s'admirant dans les miroirs.

Elle pivota sur elle-même, mesura mentalement la pièce, avisa une porte.

— Là ! Je vous parie deux contre un que son matériel illégal est là-dedans.

Elle traversa la pièce. La porte était fermée à clé. Pour éviter de perdre du temps, elle appela Connors. Un bruit de pas résonna dans le couloir.

Un négligé en satin couleur pêche volant autour d'elle, Pamela Renquist fit irruption. Sans maquillage, elle paraissait plus âgée. Ses joues étaient écarlates, son expression, féroce.

— C'est un scandale ! Sortez de chez moi, tous autant que vous êtes. Immédiatement ! J'appelle l'ambassadeur, le consulat *et* vos supérieurs.

— Je vous en prie, rétorqua Eve en brandissant son mandat. J'ai toutes les autorisations et je mènerai cette fouille jusqu'au bout, que vous soyez d'accord ou non.

— Nous verrons bien !

Mme Renquist commença à se diriger vers le bureau, mais Eve lui barra le chemin.

— Vous ne pouvez pas utiliser ce communicateur, ni les autres, avant la fin de la fouille. Si vous souhaitez effectuer une transmission, vous devez vous contenter de vos lignes personnelles, sous la surveillance d'un officier de police. Où est votre mari, madame Renquist ?

— Allez au diable !

— Il y sera avant moi, je vous le promets.

Du coin de l'œil, elle vit Connors lui faire signe. Elle s'approcha, ouvrit la porte.

— Tiens ! Tiens ! Qu'avons-nous là-dedans ? Une petite cachette équipée d'un ordinateur et d'un centre de communication. Feeney, nous allons découvrir qu'ils ne sont pas enregistrés. Et regardez-moi tous ces disques ! Renquist est un fan de Thomas A. Breen... Il a toutes ses œuvres !

— Ce n'est pas interdit, même dans ce pays, d'avoir un espace privé et d'y conserver des livres, quel qu'en soit le sujet.

Mais Pamela avait blêmi.

Eve s'enfonça dans le réduit, ouvrit une sacoche en cuir.

— Ce n'est pas non plus interdit de posséder des instruments chirurgicaux, mais je mets ma main à couper qu'on relèvera des traces du sang de Jacie Wooton sur les lames.

Elle ouvrit un placard, et son pouls s'accéléra quand elle découvrit une collection de perruques, une cape noire, une tenue d'employé de maintenance de la ville, ainsi que d'autres costumes.

— Niles aime se déguiser ?

Elle donna un petit coup de pied dans un seau de plâtre.

— Et en plus, c'est un bricoleur !

Inspectant un tiroir, elle sentit son cœur se serrer.

— La bague de Lois Gregg, murmura-t-elle, les yeux rivés sur l'anneau d'or incrusté de cinq minuscules saphirs. Je pense que sa famille voudra la récupérer.

— Voilà encore un souvenir récolté par ce cinglé

Eve se tourna vers Feeney, qui avait pâli. Il tenait ouvert le couvercle d'une glacière. Elle devina ce que celle-ci contenait.

— On dirait que ce sont les restes de Jacie Wooton, marmonna Feeney. Seigneur, cette ordure les a étiquettés !

Eve s'obligea à s'approcher de la glacière d'où s'échappait un nuage de vapeur. À l'intérieur, un sac transparent, scellé, sur lequel était inscrit : *PUTAIN*.

Elle fit volte-face, saisit l'expression de Pamela.

— Vous saviez. Vous vous en doutiez, et vous l'avez couvert. Pour éviter le scandale, pour ne pas entacher votre parfait petit univers.

— C'est grotesque. Vous dites n'importe quoi.

Elle s'éloigna, le teint verdâtre, mais la tête haute.

— Si, vous le saviez, martela Eve. Rien de ce qui se passe chez vous n'échappe à votre contrôle. Approchez donc, ajouta-t-elle en l'attrapant par le bras. Regardez de plus près à quoi s'amuse votre mari. Imaginez ce que ç'aurait pu être quand votre tour serait venu. Ou celui de votre fille.

— Vous êtes folle. Lâchez-moi. Je suis une citoyenne britannique.

— Peu importe, Pamela. Je vais l'enfermer. C'est ma priorité. Une fois qu'il sera en cage, je m'attacherai à prouver votre complicité.

— Vous n'avez pas le droit de me parler ainsi. Dans ma propre demeure. Quand j'en aurai fini avec vous...

— Nous verrons qui en finira avec qui. Feeney, sortez-la d'ici. Arrestation au domicile, une femme pour la surveiller. Un seul appel.

— Ne me touchez pas ! Je vous défie de poser les mains sur moi. Je ne quitterai pas cette pièce tant qu'on ne vous aura pas confisqué vos insignes.

Eve cala les pouces dans ses poches.

— Soit vous suivez le capitaine Feeney de votre plein gré, soit je vous accuse en plus de résistance à un officier de police, et je vous menotte.

La main de Pamela jaillit brusquement. Le geste était faible, et Eve aurait pu facilement l'esquiver. Elle n'en fit rien.

— Parfait. Résistance et agression envers un officier de police.

D'un mouvement preste, elle sortit ses menottes. Ignorant les invectives de Pamela, elle la fit pivoter, lui mit les bras dans le dos.

— Qu'on la transfère au Central, lança-t-elle à Feeney. Elle restera en cellule jusqu'à ce qu'on en ait terminé ici.

Pamela se débattit, jura avec une telle véhémence qu'Eve en haussa les sourcils.

— Je la préfère comme ça... Connors, il faut s'assurer que ce matériel est illégal, ce qui me permettra de rallonger ma liste de chefs d'accusation. Et j'aurai besoin de toutes les données du disque dur. Qu'est-ce qui te fait rigoler, camarade ?

— Tu l'as provoquée pour qu'elle te gifle.

— Et alors ?

— Je suis étonné que tu ne l'aies pas frappée toi-même.

— Ce n'est que du menu fretin. C'est lui que je veux en premier. Je contacte mon commandant, ajouta-t-elle en sortant son communicateur.

Un quart d'heure plus tard, elle avait les résultats de la recherche de Connors et lisait les données par-dessus son épaule.

— Tout est là, nota-t-elle. Soigneusement consigné. Ses voyages, ses recherches, ses sélections. Chaque victime, avec la méthode choisie. Les outils, le costume.

— Tu remarqueras qu'il avait un dossier sur toi.

— Oui, je sais lire, merci.

— Et qu'il avait l'intention de t'utiliser comme point d'orgue, en imitant les crimes de Peter Brent. Avec un fusil à longue portée.

— Ce qui signifie qu'il en planque un ici. Reste plus qu'à le dénicher.

Elle consulta de nouveau l'écran.

— Katie Mitchell, West Village. CPA. Vingt-huit ans, divorcée, pas d'enfants. Vit seule, travaille dans son loft. Tous les détails sont là : sa taille, son poids, ses habitudes, et même ses achats les plus courants. Il ne néglige rien, ce salopard. Pour elle, il envisage d'incarner Marsonini.

— Il se fait passer pour un client, poursuivit Connors. Clone le système de sécurité. Revient pendant que la victime dort. Il la ligote, la torture, la viole et la mutile. En guise de carte de visite, il laisse une rose sur l'oreiller.

— Marsonini a tué six femmes entre la fin de l'hiver 2023 et le printemps de 2024. Toutes des brunes, comme Mitchell, toutes travaillant chez elles, toutes âgées de vingt-six à vingt-neuf ans. Toutes ressemblant vaguement à sa sœur aînée qui, apparemment, l'avait maltraité dans son enfance.

Eve se redressa.

— Nous allons mettre Katie Mitchell à l'abri. Si nous ne retrouvons pas Renquist d'ici à quarante-huit heures, c'est lui qui nous trouvera.

22

Ils n'avaient pas d'autre choix que de foncer chez Katie Mitchell.

Grâce aux gars de la DDE, Eve avait une liste des résidents et un plan de l'immeuble. Le loft de Mitchell était au troisième étage. Elle confia à Feeney la charge de poursuivre les fouilles au domicile de Renquist et emmena Connors avec elle.

En qualité de lest, lui déclara-t-elle.

— Ma chérie, tu es trop bonne. Tu me gâtes.

— Tu parles ! En plus, tu sais t'y prendre avec les femmes.

— Là, tu me fais rougir.

— Celle-ci pourrait piquer une crise d'hystérie. Tu es plus habile que moi avec les femmes hystériques.

Elle remonta une rampe à vive allure, se gara au deuxième niveau, à une cinquantaine de mètres du bâtiment.

— Si nous entrons ensemble, directement, et qu'il guette l'entrée, il est possible qu'il ne me reconnaisse pas. Je ne crois pas qu'il soit dans les parages ce soir. Je pense plutôt qu'il s'est réfugié dans une cachette pour tout préparer. Nous avons peut-être un peu de temps devant nous, mais je n'en suis pas certaine. Marsonini attaquait toujours entre 2 et 3 heures du matin, nous sommes donc très en avance. Quoi qu'il en soit, je veux que nous montions le plus vite possible. Combien de temps te faut-il pour franchir la sécurité ?

— Tu n'as qu'à me minuter.

— On y va.

— Il me semble que je devrais te tenir la main, murmura Connors. Tu auras moins l'air d'un flic.

— Mets-toi à ma gauche, ordonna-t-elle en changeant de place. Je veux pouvoir dégainer sans souci.

— Bien entendu.

Tout en lui prenant le bras, parfaitement décontracté, il fut frappé par son regard : vif, aiguisé, scrutant l'ombre. Un regard de flic.

— Il faudra que j'aie les mains libres, une fois devant la porte, lui rappela-t-il. Tu pourrais te glisser derrière moi. Me tapoter affectueusement les fesses.

— En quel honneur ?

— Parce que j'aime ça.

Elle ignora cette remarque, mais se décala légèrement, tandis qu'ils gravissaient les marches.

— Le temps s'est considérablement rafraîchi. Je pense que c'en est fini des grosses chaleurs pour cette année.

— Mmm… c'est possible.

— Si tu me faisais un bisou dans le cou ?

— Histoire de se couvrir, ou parce que ça te plaît ?

— En guise de récompense, répliqua-t-il en ouvrant la porte.

Eve ne l'avait même pas vu forcer la serrure.

— C'est ce qui s'appelle être doué, commenta-t-elle en repassant devant lui.

Pour éviter de s'embêter avec le système de sécurité de l'ascenseur, elle l'entraîna vers l'escalier.

— D'après son agenda, il avait rendez-vous avec elle ici même, cet après-midi, enchaîna-t-elle. Ce qui signifie qu'il a déjà tripatouillé le système de sécurité du loft et prévoit d'agir ce soir, demain au plus tard. Il faut que je la sorte de là, mais je ne veux pas de flics dans le secteur. Pas encore. Je mettrai une unité en place tôt demain matin.

Elle frappa, leva son insigne, puis se tourna vers Connors en souriant.

— Je te la confie. Tu l'accompagneras au Central, et elle sera transférée dans une planque jusqu'à ce que cette affaire soit terminée.

— Parce que tu as l'intention de passer la nuit ici toute seule ? J'en doute.

— C'est moi le chef.

Eve perçut le cliquetis d'un interphone.

— Oui ?

— Police, mademoiselle Mitchell. Nous avons à vous parler.

— C'est à quel sujet ?

— J'aimerais entrer.

— Il est près de minuit, protesta Katie en entrouvrant à peine le battant. Il y a un problème ? Quelqu'un a été cambriolé ?

Elle examina la pièce d'identité d'Eve, jeta un coup d'œil à Connors.

— Je vous connais ! s'exclama-t-elle d'un ton admiratif. Ô mon Dieu !

— Mademoiselle Mitchell, reprit Eve en s'efforçant de ne pas laisser voir son irritation quand Katie se recoiffa machinalement, pouvons-nous entrer ?

— Euh… oui. D'accord. J'allais me coucher, ajouta-t-elle, gênée, en resserrant la ceinture de son peignoir rose. Je… je n'attendais personne.

Le séjour, sobre et spacieux, s'ouvrait sur une petite chambre à coucher d'un côté et sur un bureau de l'autre. Dans le fond de la cuisine américaine, la porte fermée devait mener à la salle de bains.

Les fenêtres étaient grandes. Dans la journée, l'espace devait être très clair. Deux issues, en comptant l'ascenseur.

— Mademoiselle Mitchell, vous aviez rendez-vous aujourd'hui avec cet homme.

Eve sortit la photo de Renquist de son sac.

— Non, fit Katie en jetant un bref coup d'œil au cliché avant de revenir sur Connors. Voulez-vous vous asseoir ?

— Voudriez-vous, s'il vous plaît, examiner ce cliché plus attentivement et me dire s'il s'agit bien de l'homme que vous avez rencontré à 15 heures, cet après-midi.

— 15 heures ? Non, il était… Ah, attendez ! C'est bien M. Marsonini. Mais il avait les cheveux roux. De longs cheveux roux, attachés en une tresse. Et il portait des lunettes de soleil bleu foncé. Je l'ai trouvé un peu maniéré, mais après tout, c'est un Italien.

— Vraiment ?

— Oui. Il avait un accent charmant. Il arrive de Rome et veut s'installer ici tout en conservant quelques-unes de ses affaires en Europe. Il est dans l'huile d'olive. Il a besoin d'une comptable. Seigneur ! Il lui est arrivé quelque chose ? C'est la raison de votre visite ?

— Non.

Eve jaugeait Katie comme elle venait de jauger l'appartement. D'après les données dont elle disposait et sa photo d'identité, il lui avait semblé que la jeune femme ressemblait vaguement à Peabody. Elle ne s'était pas trompée.

— Mademoiselle Mitchell, il ne s'appelle pas Marsonini. Il s'appelle Renquist, et il est soupçonné d'avoir assassiné au moins cinq femmes.

— C'est sûrement une erreur ! M. Marsonini était tout à fait charmant. J'ai bavardé près de deux heures avec lui.

— Ce n'est pas une erreur. Il s'est fait passer pour un client potentiel afin de pénétrer chez vous et de cloner votre système de sécurité, de prendre contact avec vous, de s'assurer que vous vivez bien seule. Je présume que c'est le cas ?

— Euh, oui, mais...

— Il vous surveille depuis un certain temps, comme chacune de ses victimes précédentes. Il a rassemblé toute une série d'informations sur vos habitudes, vos déplacements. Il a prévu d'entrer chez vous dans les prochaines quarante-huit heures, quand vous dormirez, de vous violer et de vous torturer, avant de se servir de vos ustensiles de cuisine pour vous mutiler puis vous tuer de la manière la plus douloureuse qui soit.

Katie réprima un cri, ses yeux se révulsèrent.

— À toi de jouer, lança Eve à Connors, qui se précipita pour rattraper la jeune femme avant qu'elle ne s'effondre.

— Tu aurais pu y aller plus en douceur.

— Certes, mais cette méthode était plus efficace. Quand elle reprendra connaissance, elle pourra préparer ses affaires. Ensuite, tu l'emmèneras.

Il souleva Katie dans ses bras, la porta sur le canapé.

— Il n'est pas question que tu l'attendes ici toute seule.

— C'est mon boulot. Mais j'appelle des renforts.

— Tout de suite, et je débarrasse le plancher d'ici à vingt minutes.

— Ça marche.

Elle alluma son communicateur et se prépara à organiser la deuxième phase de l'opération.

Elle patienta dans l'obscurité jusqu'aux petites heures du matin. Un véhicule de surveillance était garé devant l'immeuble, et deux policiers en uni-

forme étaient postés dans la salle de séjour de Mitchell. Mais l'équipe avait reçu des ordres stricts.
Renquist, quand il viendrait, était à elle.

De son côté, Renquist était assis dans la chambre paisible d'un petit appartement à la lisière du Village. Il l'avait décorée avec soin, choisissant des meubles et des objets d'origine européenne, ainsi que des couleurs riches, chaleureuses.
Tout le contraire de la demeure glaciale qu'il partageait avec sa femme quand il était Niles.
Ici, dans cette pièce cossue, il était Victor Clarence. Un clin d'œil amusant à Son Altesse Royale le prince Albert Victor, duc de Clarence, auquel certains avaient attribué les meurtres de l'Éventreur, à Whitechapel.
Un prince parmi les hommes. Un roi parmi les tueurs.
Comme son célèbre inspirateur, il ne serait jamais démasqué. Mais il irait plus loin que ses modèles. Parce qu'il ne s'arrêterait jamais.
Il buvait un cognac et fumait un fin cigare épicé d'une pointe de Zoner. Il adorait ces moments de solitude et de réflexion, une fois qu'il avait tout préparé.
Il était content d'avoir inventé ce voyage d'affaires afin de s'échapper quelques jours. Pamela l'irritait encore plus que de coutume, avec ses regards pensifs et ses questions pleines de sous-entendus.
Qui était-elle pour se permettre tant d'insolence ?
Si seulement elle savait le nombre de fois où il s'était imaginé en train de la tuer. Les méthodes – nombreuses et créatives – qu'il avait envisagées. Elle s'enfuirait en hurlant. Cette pensée le fit rire.
Il ne le ferait jamais, bien sûr. Il n'était pas idiot. Pamela n'avait rien à craindre. Parce qu'il était coincé

avec elle. Et puis, s'il l'éliminait, qui s'occuperait des détails exaspérants de sa vie mondaine ?

Non, il se contentait parfaitement de ces courtes échappées loin d'elle et de la gamine qu'elle lui avait imposée. Ce petit monstre exaspérant et sournois. Les enfants, comme le lui avait toujours répété sa nurse, ne devaient être ni vus ni entendus.

S'ils se rebellaient, s'ils refusaient d'obéir, il fallait les enfermer quelque part, dans le noir. Là où on ne pouvait pas les voir ; là où ils pouvaient crier sans déranger personne.

Oui, il s'en souvenait. Il n'avait jamais oublié. Nanny Gable avait l'art et la manière. Il aurait aimé la tuer en prenant tout son temps, savourer sa souffrance.

Mais ce ne serait pas raisonnable. Comme Pamela, elle n'avait rien à craindre.

Après tout, elle lui avait inculqué des principes, non ? Les enfants devaient être élevés par une professionnelle, payée pour les discipliner et les éduquer. Cette stupide Italienne n'avait rien compris. Elle pourrissait sa fille, elle la couvait. Mais elle présentait certains avantages. Il éprouvait un tel plaisir à la voir trembler devant lui !

Sa vie avait enfin un sens. Il était respecté, admiré. Il jouissait de revenus confortables, il était entouré. Son épouse présentait bien, sa jeune maîtresse le craignait suffisamment pour accepter de faire absolument tout ce qu'il lui demandait.

Et il avait le plus fascinant des hobbies.

Des années de documentation, de planification, de stratégie. D'entraînement. Tout ce travail portait ses fruits. Et il s'amusait comme un fou à endosser le rôle d'un de ses héros, à suivre ses traces ensanglantées !

Des hommes qui prenaient les choses en main,

ôtaient la *vie*. Qui infligeaient ce qu'ils voulaient aux femmes parce qu'ils comprenaient comme personne qu'elles avaient besoin d'être humiliées, mutilées, tuées. Elles réclamaient la mort dès leur premier souffle.

Il aspira une bouffée de fumée afin que le Zoner l'apaise. Ce n'était pas le moment de se laisser aller à l'une de ces crises de fureur qui le submergeaient parfois. Il lui fallait demeurer froid et calculateur.

Il se demanda s'il n'avait pas été trop malin. Était-ce possible ? D'aucuns pourraient considérer que c'était une erreur de se désigner délibérément comme un éventuel suspect. Mais c'était tellement plus satisfaisant, tellement plus excitant.

D'une certaine manière, il avait déjà entubé cette pute de flic. Quel bonheur de la voir tâtonner sans résultats, incapable qu'elle était de le doubler, d'anticiper ses actions. Elle en avait même été réduite à lui présenter des *excuses* ! Quel pied ! songea-t-il en se remémorant la scène.

Il avait eu le nez fin de choisir le lieutenant Dallas. Il était fier de lui. Très, très fier.

Un homme, c'eût été différent. Mais une femme, une femme qui, comme la plupart, se considérait comme supérieure aux hommes sous le seul prétexte qu'elle pouvait le piéger entre ses cuisses. Ça rajoutait un peu de piment à l'ensemble.

Il s'imaginait sans peine en train de l'étrangler, de la frapper, de la violer, de lui arracher les entrailles alors même qu'elle le regardait avec ces yeux froids.

Un adversaire masculin ne lui aurait jamais procuré autant de plaisir.

Elle serait sanctionnée, naturellement, quand elle échouerait dans son enquête. Quand d'autres femmes mourraient, comme cette garce de comptable.

Elle souffrirait de ne pas savoir qui l'avait vaincue. Elle souffrirait jusqu'à ce que le laser du fusil à longue portée l'atteigne en pleine tête.

Si seulement il trouvait le moyen de le lui faire savoir, de se dévoiler avant qu'elle ne rende son dernier soupir. Alors là, ce serait la perfection.

Mais il avait le temps d'y réfléchir.

Satisfait, il se coucha.

De toute évidence, ils s'étaient trompés de vingt-quatre heures, songea Eve en se préparant le lendemain matin pour la réunion qui devait avoir lieu chez elle. Elle avait refusé le Central, ou une opération d'envergure. La moindre fuite risquait d'attirer l'attention de Renquist. L'heure était venue de resserrer l'étau.

Elle se servit de son tableau, des écrans muraux et d'un des tout nouveaux joujoux de Connors, un ordinateur holographique portable.

Elle pointa son laser sur le plan.

— Nous installerons des moniteurs ici, et ici, expliqua-t-elle. Ils seront destinés uniquement à l'observation. Je veux arrêter Renquist à l'intérieur du loft, où nous pourrons le maîtriser sans mettre en péril la vie de civils. Nous avons évacué la voisine de Mitchell à 7 heures, sous prétexte d'une rupture de canalisation. Le gardien de l'immeuble nous a assuré de sa coopération, et nous nous sommes arrangés pour qu'il résiste à toute tentation de se confier à la presse. Le loft vide sera le poste d'observation C.

Elle indiqua le troisième étage.

— Il y a des caméras partout. Le loft sera constamment surveillé. Je doute que Renquist emprunte l'ascenseur, mais nous l'avons aussi équipé de caméras, au cas où. Une fois qu'il sera dans l'appartement, nous neutraliserons l'ascenseur. Il ne lui restera donc plus qu'une seule issue possible. Une équipe la bloquera, tandis qu'une autre sera postée dans la rue, si jamais il décidait de sauter par la fenêtre.

— Fait comme un rat, marmonna Feeney.

— C'est le but. Je serai dans le loft, avec l'officier Peabody, que je mettrai au courant dès qu'elle sortira de la salle d'examen. Le capitaine Feeney gérera l'électronique depuis le bureau de Mitchell, et l'inspecteur McNab sera responsable du poste d'observation C.

Elle se tourna vers l'ordinateur holographique, sur lequel s'afficha une image du bureau de Mitchell.

— L'officier Peabody endossera le rôle de leurre. Elle est à peu près de la même taille que la cible et a la même couleur de cheveux. Elle sera dans le lit... là. Moi, je serai dans l'armoire. L'important, c'est que Renquist aille dans la chambre. Il n'y a pas de fenêtres, aucune échappatoire possible.

— Il sera armé, intervint McNab.

Elle opina, nota la lueur d'inquiétude dans ses yeux. C'était là le problème quand un flic tombait amoureux d'un autre flic.

— Nous aussi. Il se peut qu'il apporte ses outils, ou qu'il fasse un détour par la cuisine pour se munir de couteaux. Il aura peut-être prévu une arme de défense, mais encore faut-il qu'il l'utilise. Nous partirons du principe qu'il sera armé – c'était le cas de Marsonini – et nous réagirons en conséquence.

Elle marqua une pause.

— Nous nous efforçons de le retrouver avant cette nuit. Il est en ville, et comme il va incarner Marsonini, il s'est probablement installé près du domicile de la cible. En général, la veille d'un crime, Marsonini revêtait un costume griffé italien et s'offrait un repas gastronomique arrosé d'un bon vin. Il transportait ses outils dans une luxueuse mallette en cuir. Il travaillait au son d'un opéra – italien, là encore. Il feignait d'avoir un accent : il est né à Saint Louis. Vous trouverez un historique et sa biographie détaillée dans vos dossiers.

Elle patienta, le temps que les membres de l'équipe sortent les documents en question.

— Renquist va devenir Marsonini. Il tentera – sans doute avec succès – de copier ses particularités et ses manies. Je vous ai aussi fourni une projection de ce à quoi il ressemblera avec ses longs cheveux roux et ses lunettes de soleil. À présent, nous allons entrer dans le détail. Si tout se passe comme prévu, Renquist devrait agir cette nuit.

Elle parla encore une heure avant de congédier son équipe. McNab ayant consulté sa montre à trois reprises, elle le retint.

— Elle va plancher encore deux heures au moins. Vous feriez mieux de vous calmer.

— Désolé. Elle était tellement nerveuse, ce matin. Elle va attaquer les simulations. C'est son point faible.

— Si elle échoue, c'est qu'elle n'est pas prête à prendre du galon. Je sais, McNab, ça tombe mal, mais nous avons d'autres préoccupations.

— J'en suis bien conscient. Mais elle a tellement peur de vous décevoir !

— Seigneur ! Il ne s'agit pas de moi.

Il pinça les lèvres, puis haussa les épaules.

— Si, bien sûr que si. En grande partie. Elle m'avait interdit de vous le dire, mais il vaut mieux que vous le sachiez, au cas où elle échouerait. Vous seule saurez comment la consoler.

— Elle se consolera toute seule, riposta Eve. Dès qu'elle quittera la salle, elle nous rejoindra. Elle n'aura pas les résultats. Elle a intérêt à se maîtriser et à faire son boulot correctement.

Il fourra les mains dans ses poches et gratifia Eve d'un sourire impertinent.

— Vous voyez ? Vous savez exactement comment vous y prendre avec elle.

— Fichez le camp !

Elle se percha sur le coin de son bureau, chassant Peabody de son esprit.

— Lieutenant ?

Connors avait surgi sur le seuil.

— Tu peux m'accorder une minute ?

— Oui.

Elle se leva et se promena de nouveau dans la simulation de la chambre de Mitchell, mesurant les distances, les angles, les mouvements possibles.

— On pourrait le coincer dans la rue, murmura-t-elle. Mais Marsonini était toujours armé. S'il dégaine et qu'un imbécile de civil se mette en travers de son chemin... Il pourrait le prendre en otage. Il vaut mieux opérer à l'intérieur. Ce sera plus propre.

Elle tourna la tête, haussa les épaules en s'apercevant qu'elle était entrée et ressortie de l'armoire holographique.

— Désolée.

— Pas grave. Tu t'inquiètes parce que Peabody sera dans le lit, en pleine mire.

— Elle est capable de se débrouiller.

— C'est exact. Mais cela devrait t'aider à comprendre mes propres inquiétudes à ton sujet. C'est pourquoi, je te demande de m'inclure dans cette opération.

Elle haussa un sourcil.

— Tu me le demandes ? À moi ? Pourquoi ne pas t'adresser directement à ton grand copain Jack, ou à Ryan ?

— On apprend de ses erreurs.

— Pas possible !

— Je veux être présent pour plusieurs raisons. Entre autres, parce que c'est devenu une affaire personnelle pour toi, ce qui rend la situation plus délicate.

— Fin du programme holographique. Éteindre les écrans.

Il y avait du café froid sur son bureau. Elle s'empara de la tasse, la reposa. Puis se surprit à saisir la petite statue d'une déesse que lui avait offerte la mère de Peabody.

— Ce ne sont pas les messages, commença-t-elle. Ils m'ont irritée, mais ils m'ont aussi mise sur la voie. Ce n'est pas qu'il me considère comme une future cible. Ça n'a rien de surprenant. Ce n'est même pas le fait que ce soit une ordure de pervers arrogant. Des gens comme ça, on en voit tous les jours. C'est d'avoir vu Marlene Cox lutter pour survivre et, plus encore, sa mère assise à son chevet. Elle y croyait plus que tout, elle refusait d'imaginer le contraire parce que… parce qu'elle l'aime.

Elle remit la statuette à sa place.

— J'ai été bouleversée par le regard de cette mère, la confiance qu'elle avait en moi. Dans mon métier, on s'efforce de rendre justice aux morts. Mais Marlene est vivante. Alors, oui, j'en fais une affaire personnelle, et, oui, c'est toujours plus délicat quand c'est ainsi.

— Je peux t'être utile ?

— Pourquoi pas ? Je t'emmène au Central. Tu iras trouver Feeney à la DDE.

Arrivée au Central, sa première tâche fut d'organiser un entretien avec Pamela Renquist dans une salle d'interrogatoire. Les hommes de loi de Renquist s'affairaient déjà. Eve ne pouvait guère espérer la garder sous la main plus d'une douzaine d'heures.

Pamela se présenta sans son avocat, mais habillée de ses propres vêtements plutôt que de l'uniforme de prison. D'un geste, Eve l'invita à s'asseoir.

— J'ai accepté de vous parler seule à seule parce que je ne vous accorde pas suffisamment d'importance pour déranger l'un de mes avocats, annonça Pamela d'emblée tout en brossant distraitement son pantalon de soie. Je vais être libérée sous peu, et je leur ai déjà demandé de porter plainte contre vous pour harcèlement, arrestation et incarcération arbitraires, et diffamation.

— Mon Dieu ! Je suis dans de sales draps. Dites-moi où il est, Pam, et nous en finirons sans que personne en souffre.

— Primo, je réprouve votre familiarité.

— Aïe ! Vous m'offensez.

— Deuxio, reprit Pamela d'une voix glaciale, mon mari est à Londres pour affaires, et à son retour, il usera de toute son influence pour vous anéantir.

— J'ai un scoop pour vous : votre mari est à New York, il peaufine ses plans pour tuer une jeune comptable en imitant les méthodes d'Enrico Marsonini, célèbre pour avoir violé et torturé ses victimes, avant de les découper en tranches. Il gardait toujours un doigt ou un orteil en guise de trophée.

— Vous êtes ignoble.

— Moi ? s'esclaffa Eve, incrédule. Vous êtes incroyable ! Je continue. Suivant les traces de son illustre mentor, Niles a rendu visite à sa future victime hier après-midi, chez elle.

Pamela examina ses ongles.

— C'est grotesque.

— Vous savez bien que non. Vous savez que votre mari, le père de votre enfant, votre compagnon, est un psychopathe. Vous avez flairé le sang, n'est-ce pas, Pam ? Vous avez vu son regard. Vous avez une petite fille. Ne serait-il pas temps de penser à la protéger ?

Les yeux de Pamela lancèrent des flammes.

— Ma fille ne vous concerne en rien.

— Vous non plus, apparemment. J'ai envoyé un officier de liaison spécialiste de l'enfance à votre domicile, hier soir. Rose, ainsi que Sophia DiCarlo, sont désormais sous notre protection. Si cette nouvelle vous surprend, c'est parce que vous n'avez même pas pris la peine d'appeler chez vous depuis qu'on vous a amenée ici.

— Vous n'avez pas le droit d'emmener ma fille !

— Si. Mais c'est l'officier de liaison qui a pris cette décision après avoir parlé avec elle, la jeune fille au pair et d'autres domestiques. Si vous voulez récupérer votre enfant, éloignez-vous de ce cinglé et battez-vous contre lui.

— Lieutenant Dallas, mon mari est un homme important. D'ici à un an, il sera nommé ambassadeur de Grande-Bretagne en Espagne. On nous l'a promis. Je vous interdis de souiller sa réputation et la mienne avec vos fanstasmes sordides.

— Dans ce cas, vous tomberez avec lui. Ce sera un bonus pour moi. Vous savez, il aurait fini par vous tuer, ainsi que la petite. Il n'aurait pas pu s'en empêcher. Vous n'irez pas en Espagne, Pam, mais où que vous vous retrouviez, vous aurez tout le temps de réfléchir au fait que je vous ai sauvé la vie.

Eve regagnait son bureau quand elle entendit quelqu'un l'interpeller. Elle continua de marcher, laissant à Peabody le soin de la rattraper.

— Dallas ! Lieutenant !

— Vous avez de la paperasse qui vous attend dans votre box. Rendez-vous dans mon bureau dans dix minutes.

— Lieutenant, je suis déjà au courant de l'opération. McNab est venu m'attendre à la sortie de mon examen.

« Bravo, pensa Eve. Un bon point pour lui. » Mais elle conserva son expression revêche.

— Ce n'est pas parce que l'inspecteur Bon-à-rien a contourné la procédure que vous pouvez vous passer de briefing.

— Si vous m'en aviez parlé, il n'aurait pas eu à le faire, répliqua Peabody d'un ton boudeur.

C'en était trop. Eve pivota sur elle-même.

— Dans mon bureau, immédiatement.

— Vous auriez dû m'appeler, hier. C'est *vous* qui avez contourné la procédure.

Eve ferma sa porte.

— Vous mettez en cause mes méthodes ou mon autorité, officier Peabody ?

— Vos méthodes, lieutenant. Enfin, plus ou moins. Si Renquist avait été chez lui hier soir, vous l'auriez coincé, et je n'aurais pas été là. En tant qu'assistante de la…

— En tant qu'assistante, vous devez vous contenter d'obéir à mes ordres. Si cela ne vous convient pas, vous pouvez déposer une plainte à mon encontre.

— Vous avez travaillé sur cette enquête hier soir, sans moi. Vous avez tenu une réunion ce matin, sans moi. L'examen n'aurait pas dû passer avant mon implication dans ce dossier.

— C'est moi qui décide des priorités. Point final. Si vous voulez continuer à râler, faites-le par écrit et passez par les voies réglementaires.

Peabody leva le menton.

— Je n'en ai aucune intention, lieutenant.

— Comme vous voudrez. Remplissez les formulaires et rejoignez-moi dans le parking dans vingt-cinq minutes. Je vous brieferai en route.

La journée s'annonçait longue, songea Eve en traversant le loft de Katie Mitchell. La nuit aussi.

Renquist était habile.

Elle avait passé tous les hôtels du secteur au peigne fin. Sans succès. Les recherches se poursuivaient, sur un périmètre plus large.

Elle s'immobilisa sur le seuil du bureau où Connors et Feeney travaillaient.

— Rien, déclara Connors, sentant sa présence derrière eux. Il utilise probablement une résidence privée. Une location à court terme. On continue.

Elle consulta sa montre une fois de plus. Elle en avait encore pour des heures, mais ne pouvait prendre le risque d'entrer et de sortir du bâtiment. Elle retourna à la cuisine, tripota les commandes de l'AutoChef.

— Tu t'impatientes ? s'enquit Connors dans son dos.

— J'ai horreur de poireauter. Je rumine, et ça me rend folle.

Il se pencha pour lui embrasser la nuque.

— Pas autant qu'une prise de bec avec Peabody.

Il lui massa les épaules. Ses muscles étaient durs comme de la pierre. Il se promit de lui prévoir une cure de relaxation. Que cela lui plaise ou non.

— Pourquoi ne pas lui demander comment s'est passé son examen ?

— Si elle veut que je le sache, elle m'en parlera.

— Elle est convaincue d'avoir échoué, chuchota-t-il.

— Merde ! s'exclama Eve en crispant les poings. Merde, merde, bordel de merde !

Elle ouvrit le congélateur, farfouilla, confisqua un pot de dessert glacé aux fraises des bois.

Elle ouvrit un tiroir, se saisit d'une cuiller, la planta dans la glace et se rua vers la chambre.

— Je savais bien que je pouvais compter sur toi, murmura Connors.

Assise au bord du lit, Peabody parcourait le compte rendu de la réunion de la matinée sur son mini-ordinateur. Quand Eve apparut, elle jeta un coup d'œil dans sa direction. Elle s'efforçait d'afficher un air malheureux lorsqu'elle aperçut le pot de glace.

— Tenez, grommela Eve en le lui fourrant entre les mains. Mangez ça et cessez de bouder. J'ai besoin de vous à cent pour cent.

— C'est juste que... j'ai l'impression que j'ai foiré. Et sérieusement même.

— Peu importe ce que vous pensez. Oubliez tout pour l'instant et concentrez-vous. Vous ne pouvez pas vous permettre la moindre erreur. Dans quelques heures, vous serez couchée dans ce lit. Il fera noir. Quand il entrera, son seul but sera de vous tuer. Il portera des lunettes à infrarouge. Il aime œuvrer dans l'obscurité. Il vous verra ; vous ne le verrez pas. Si vous commettez le moindre faux pas, ce pourrait être dramatique. Si vous êtes blessée, je serai vraiment en pétard.

— Je suis désolée, pour cet après-midi, fit Peabody en engloutissant une cuillerée de glace. J'étais à cran. Je m'étais remonté les bretelles en sortant de la salle d'examen. J'avais besoin de me défouler sur quelqu'un, et je me disais que si vous m'aviez appelée hier soir, je n'aurais pas eu à passer ce fichu examen.

— C'est fini. Demain, vous aurez les résultats. À présent, ne pensez plus qu'à votre boulot.

— Promis.

Elle proposa à Eve de goûter la glace.

— Beurk ! C'est immangeable ! s'écria celle-ci.

— Moi, je la trouve plutôt bonne, riposta Peabody, de bien meilleure humeur. Évidemment, vous, vous avez l'habitude de manger de vraies fraises. Je suis contente que vous ne soyez plus fâchée contre moi.

— Qui dit que je ne le suis plus ? Si je vous aimais, j'aurais envoyé quelqu'un chercher une glace maison au lieu de piquer les surgelés d'une civile.

Peabody se contenta de sourire et lécha sa cuiller.

23

Il était sûrement en train de s'habiller, à présent, songea Eve, plantée devant la fenêtre du loft de Mitchell. La nuit tombait. Il allait s'offrir un bon repas dans un restaurant haut de gamme. Il pouvait y passer deux ou trois heures. C'était un homme raffiné.

Renquist avait dû apprécier ce trait de caractère.

Eve l'imaginait aisément. Boutonnant devant la glace sa chemise d'une blancheur immaculée. Il avait dû choisir une belle chambre, bien équipée. Il voulait ce qu'il y avait de mieux – quel que soit son personnage.

Une cravate en soie. Probablement. Il s'émerveillerait de la sentir si douce sous ses mains tandis qu'il la nouerait à la perfection.

Il l'enlèverait, une fois sa victime neutralisée. Il accrocherait soigneusement tous ses vêtements, pour éviter de les froisser ou de les tacher.

Pour l'heure, il prenait plaisir à enfiler son costume tout en pensant à son dîner et à ce qui suivrait.

Elle le visualisait, Renquist se transformant en Marsonini. Coiffant ses longs cheveux roux. Voyait-il maintenant le visage de Marsonini dans le miroir ? Sans doute. Le teint plus mat, les traits moins réguliers, la bouche plus pulpeuse, les yeux bleu pâle qu'il dissimulerait derrière des lunettes teintées. Il avait besoin de voir tout cela, sans quoi, la nuit n'aurait pas tout à fait la même saveur.

À présent, la veste. Une veste gris clair, peut-être, à fines rayures. Une tenue d'été pour un homme difficile. Ensuite, une pointe d'eau de parfum.

Il vérifierait sa mallette. Humerait avec bonheur l'odeur du cuir. En sortirait-il tous ses instruments ? Vraisemblablement. Il laisserait glisser sa main le long des cordes. Des cordes minces, solides, qui laceraient la chair de sa proie.

Il se délectait d'avance de la douleur qu'il lui infligerait. Le bâillon. Les préservatifs, pour se protéger. Les cigares et le briquet en or. Il prenait autant de plaisir à fumer qu'à brûler la peau de ses victimes en les regardant dans les yeux. Le petit flacon ancien qu'il avait rempli d'alcool, à verser sur les plaies.

Une batte rétractable, en acier. Suffisamment dure pour briser des os, fracasser des cartilages. Suffisamment phallique pour servir à d'autres fins si l'envie lui en prenait.

Les lames, bien sûr. Affûtées, lisses ou à scie, au cas où celles qu'il trouverait dans la cuisine de la jeune femme ne conviendraient pas.

Ses disques, ses lunettes à infrarouge, une arme, des gants de chirurgien. Il détestait la texture et l'odeur du Seal-It.

Une serviette de bain. Blanche, en coton. Un savon.

Enfin, les codes de sécurité, clonés la veille, lors de sa visite au loft. Le logiciel chargé de bloquer les caméras afin qu'il puisse pénétrer dans l'immeuble sans laisser de traces.

Tout était maintenant rangé dans sa mallette.

Un ultime coup d'œil dans la glace en pied. Un petit coup d'ongle sur le revers de sa veste, pour éliminer une poussière invisible. Il était prêt.

— Où étais-tu ? s'enquit Connors en s'approchant d'elle.

— Avec lui.

Il lui tendit une tasse de café.

— Merci, murmura-t-elle.

— Où est-il ?

— Il part pour le restaurant. Il paiera en espèces. Il paie toujours en espèces. Il traînera jusqu'à minuit passé. Ensuite, il s'offrira une longue promenade à pied. Marsonini ne conduisait pas, il avait horreur des taxis. Il se rendait à destination à pied.

— Comment l'ont-ils coincé ?

Connors le savait, mais il voulait qu'Eve parle, évacue cette histoire.

— Sa cible vivait dans un loft à peu près semblable à celui-ci. Logique. Une de ses amies s'était disputée avec son fiancé. Elle était venue pleurer sur l'épaule de Lisel – c'était son prénom. Une fois calmée, l'amie s'est endormie dans le canapé. C'est la musique qui l'a réveillée. Elle ne l'avait pas entendu entrer. Apparemment, elles avaient descendu une bouteille de mauvais vin. Bref, Marsonini ne l'avait pas remarquée. Donc, l'amie se lève et se dirige vers la chambre, d'où provient la musique. Lisel était déjà ligotée et bâillonnée, une rotule en miettes. Marsonini était nu, le dos tourné. Il était déjà sur le lit, s'apprêtant à violer Lisel.

Elle savait ce qui s'était passé dans la tête de la victime, entre deux élans de douleur. Elle savait que la terreur était pire que la souffrance physique.

— L'amie a conservé son sang-froid, reprit Eve. Elle est revenue dans le salon et a alerté la police. Puis elle s'est ruée dans la chambre, s'est emparée de la batte et l'a frappé. Elle lui a brisé le crâne, la mâchoire, le nez et le coude. Le temps que les flics arrivent, Marsonini était inconscient, et en piteux état. Elle avait libéré et recouvert Lisel d'un drap, et tenait un couteau sur la gorge de Marsonini en priant – c'est en tout cas ce qu'elle a déclaré – pour qu'il se réveille et qu'elle puisse le lui plonger dans les entrailles.

— Le fait que ce soit une femme a dû le rendre fou.

Eve retint un sourire.

— Je compte là-dessus. Il est mort en prison deux ans plus tard. Un gardien ou un codétenu non identifié l'a castré dans sa cellule et l'a laissé se vider de son sang.

Elle respira à fond, soulagée d'avoir pu parler.

— Je vais faire ma ronde, annonça-t-elle. Tu as deux heures pour te dégourdir les jambes. Ensuite, on se replie et on attend.

À minuit, elle plaça un tabouret dans l'armoire. Elle laissa la porte entrouverte, de manière à voir Peabody dans le lit.

L'appartement était sombre et silenciceux.

— Peabody, vérifiez votre communicateur tous les quarts d'heure, jusqu'à ce que j'ordonne le silence radio. Ce n'est pas le moment de vous assoupir.

— Lieutenant, quand bien même j'en aurais envie, j'en serais incapable.

— Restez lucide.

Et si elle se trompait ? se demanda soudain Eve. S'il avait changé de cible, de méthode ? S'il avait flairé qu'elle était sur ses talons ? S'il ne venait pas ce soir, tuerait-il au hasard, ou prendrait-il ses jambes à son cou ? Est-ce qu'il avait prévu un plan B ? Des fonds, une fausse identité pour fuir le pays ?

« Il viendra, se rassura-t-elle. Sinon, je le traquerai. »

Elle procéda à toutes les vérifications, intima le silence aux équipes. Au bout d'une heure, elle quitta son tabouret pour s'étirer.

Deux heures plus tard, elle sentit les battements de son cœur s'accélérer. Il arrivait. Elle sut qu'il était là quelques secondes avant que son communicateur ne lui siffle dans l'oreille.

— Un homme seul se dirige vers le bâtiment. Un mètre quatre-vingt-cinq, quatre-vingts kilos. Costume clair, cravate sombre. Il porte une mallette.

— Contentez-vous d'observer. Surtout ne l'approchez pas. Feeney ? C'est clair ?

— Bien reçu.

— McNab ?

— C'est bon.

— Fausse alerte. Il vient de dépasser l'immeuble. Il continue vers le sud. Attendez... Il scrute la rue. Il revient. Il a quelque chose à la main. Un disque pour bloquer le système de sécurité, peut-être. Il entre, lieutenant.

— Restez dans le véhicule. Attendez mes ordres. Peabody ?

— Prête.

Eve la vit bouger dans le lit. Peabody avait empoigné son arme.

— Feeney, le civil et vous resterez derrière la porte jusqu'à ce que je vous donne le feu vert. Je veux qu'il soit dans la chambre. McNab, dès qu'il aura franchi la porte, arrêtez l'ascenseur et positionnez vos hommes dans l'escalier. Compris ?

— Compris. Comment se porte ma reine du sexe ?

— Je vous demande pardon, inspecteur ?

— Euh... la question s'adressait à l'officier Peabody, lieutenant.

— Fermez-la, pour l'amour du ciel. Où est le suspect ?

— Il emprunte l'escalier, lieutenant. Il est entre le deuxième et le troisième. Je vois clairement son visage, Dallas. C'est bel et bien Niles Renquist. Il est là. Il compose le code d'accès.

— En place ! ordonna Eve.

Elle ne l'entendait pas. Pas encore. Elle ne pouvait que l'imaginer. Marsonini ôtait toujours ses chaussures et ses chaussettes. Il les laisserait dans le vestibule, puis remplacerait ses lunettes de soleil par les lunettes à infrarouge. Celles-ci lui permettraient de se déplacer dans le noir comme un chat. Il s'approcherait du lit et contemplerait un moment sa proie avant de bondir.

Eve dégaina son arme.

Le plancher craqua faiblement. Viens, viens, espèce de salaud !

Sa vision s'était adaptée à l'obscurité, elle distingua une ombre, le vit effleurer de la main le dos de Peabody.

D'un coup de pied, elle poussa la porte de l'armoire.

— Lumière ! hurla-t-elle.

Il pivota sur lui-même, ses lunettes à infrarouge l'aveuglant, à présent. Tout en les arrachant, il fit tournoyer la batte qu'il tenait à la main.

— Police ! Lâchez votre arme.

Il clignait des yeux comme un fou. Mais elle sut à quel instant il la reconnut et comprit ce qui se passait.

— Salope.

— Allez !

Elle abaissa son arme, puis pointa un doigt menaçant en direction du bureau d'où Connors et Feeney avaient jailli.

— Vous, restez où vous êtes !

Renquist poussa un hurlement, lança la batte sur elle et bondit.

Elle esquiva, et la batte rebondit sur son épaule. Incapable de résister à la tentation, elle se servit de son corps. Un coup dans le ventre, un genou dans les parties. Comme il se pliait en deux, elle le gratifia d'un direct à la mâchoire.

— Ça, c'était pour Marlene Cox, marmonna-t-elle.

Elle planta le pied dans le creux de ses reins tout en sortant ses menottes.

— Les mains dans le dos, ordure !

— Je vous tuerai ! Je vous tuerai tous !

Un filet de sang dégoulinait de sa bouche. Il se débattait. Quand elle lui arracha sa perruque, il arrondit les yeux.

— Ne me touchez pas, espèce de chienne répugnante ! Savez-vous qui je suis ?

— Oh, oui, je sais qui vous êtes !

Elle le retourna, parce qu'elle voulait qu'il la regarde. La haine était là, cette haine profonde, qu'elle avait reconnue dans le regard de sa mère.

— Savez-vous qui je suis, Niles ? Je suis la femme, la chienne répugnante, la salope qui vous a coincé. Et c'est moi qui vais vous mettre en cage.

— Jamais ! s'écria-t-il, les yeux brillants de larmes. Vous ne m'enfermerez plus jamais dans le noir !

— Trop tard. Quand Breen écrira cette histoire, il précisera bien que c'est une femme qui vous a vaincu.

Il se mit à gémir et à sangloter. Comme une femme, aurait-elle pu dire, mais c'eût été une insulte à son sexe.

— Lisez-lui ses droits, ordonna-t-elle à Peabody, qui avait émergé du lit en uniforme. Emmenez-le au Central. Vous connaissez la routine.

— Oui, lieutenant. Souhaitez-vous accompagner le prisonnier ?

— Je vais en terminer ici. Je vous rejoindrai tout à l'heure. Je pense que vous devriez pouvoir vous débrouiller seule, inspecteur.

— Vu son état, ce sera un jeu d'enfant, répliqua Peabody en secouant la tête.

Puis elle se figea.

— Hein ? Qu'est-ce que vous avez dit ?

— Dois-je vous répéter mon ordre ?

— Non, non, lieutenant. Avez-vous... vous avez bien dit « inspecteur » ?

— Qu'est-ce qu'il y a ? Vous êtes sourde ? Ah ! À propos, toutes mes félicitations. Le suspect est maîtrisé, annonça-t-elle dans son communicateur en quittant la pièce.

Elle s'arrêta, le temps d'adresser un clin d'œil à Connors.

— À toutes les unités. Opération achevée. Beau travail !

Feeney se tourna vers Peabody, qui était restée clouée sur place, en état de choc.

— Allez-y... Je le surveille.

Poussant un cri, Peabody enjamba Renquist.

— Dallas ! Vous en êtes sûre ? Vraiment, vraiment sûre ? Les résultats ne seront pas affichés avant demain.

— Qu'est-ce que vous attendez pour évacuer ce prisonnier ?

— *S'il vous plaît !*

— Doux Jésus, quel bébé !

Mais Eve avait du mal à réprimer son sourire.

— J'ai des relations. J'ai tiré des ficelles. Les résultats seront affichés à 8 heures. Vous êtes classée vingt-sixième, ce qui n'est pas mal. Ils en prennent cent. Vous auriez pu mieux faire dans les simulations.

— J'en étais sûre !

— Mais dans l'ensemble, vous avez bien réussi. La cérémonie officielle aura lieu à midi, après-demain. Je vous interdis de pleurer ! ajouta-t-elle en voyant les yeux de Peabody se voiler de larmes.

— Non, non. Promis.

Peabody écarta les bras, se propulsa en avant. Eve eut un mouvement de recul.

— Pas d'embrassades ! Seigneur ! Vous avez droit à une poignée de main. C'est tout.

Elle lui tendit la sienne.

— Oui, lieutenant. Oui, lieutenant… Oh, et puis zut !

Peabody étreignit Eve avec une force suffisante pour lui briser les côtes.

— Ça suffit ! ordonna Eve, qui avait de plus en plus de mal à ravaler son fou rire. Allez sauter sur McNab. Je me charge de ce fichu prisonnier.

— Merci. Waouh ! Merci ! Merci !

Elle se ruait vers la porte quand celle-ci s'ouvrit. McNab la rattrapa juste à temps. Levant les yeux au ciel, Eve regagna la chambre.

— Je l'embarque. Laisse-la savourer sa victoire, murmura Feeney.

— Je te rejoins très vite.

— Vous allez le regretter, grogna Renquist, les yeux brillants de rage. Amèrement !

Elle se planta devant lui, sans un mot, vit la peur remplacer la colère.

— J'ai su que c'était vous la première fois que je vous ai vu. J'ai compris qui vous étiez. Savez-vous ce que vous êtes, Niles ? Un minable, un faible, un lâche, qui s'est caché derrière d'autres personnages parce qu'il n'avait même pas le courage d'être lui-même quand il tuait des jeunes femmes innocentes. Savez-vous pourquoi j'ai demandé à mon inspecteur de vous emmener ? Parce que je n'ai pas de temps à perdre avec vous. Vous êtes cuit.

Elle tourna les talons, et il se remit à sangloter.

— Connors, tu peux m'emmener ?

— Avec plaisir.

Il lui prit la main lorsqu'ils atteignirent la porte et resserra son étreinte alors qu'elle lui marmonnait de la lâcher.

— Il est trop tard pour t'inquiéter de ce genre de chose, répliqua-t-il. Tu m'as adressé un clin d'œil au cours de l'opération.

— Jamais de la vie ! protesta-t-elle, les lèvres pincées. J'avais sans doute une poussière…

— Voyons cela.

Il la plaqua contre le mur du couloir, s'esclaffa quand elle l'injuria.

— Non, je ne vois rien, sauf tes magnifiques yeux de flic.

Il l'embrassa chastement sur le front.

— Peabody n'est pas la seule à avoir réussi aujourd'hui.

— J'ai fait mon boulot.

Deux jours plus tard, elle lut le rapport préliminaire du Dr Mira sur Niles Renquist. Se balançant sur son fauteuil, elle fixa le plafond. La stratégie était intéressante, songea-t-elle. Si ses avocats étaient habiles, il s'en tirerait peut-être.

Elle contempla le vase de fleurs sur son bureau – envoyées le matin même par Marlene Cox, via sa mère. Au lieu de la mettre mal à l'aise, comme souvent, ce geste lui avait fait plaisir.

Quoi qu'il arrive, justice serait faite. Niles Renquist ne connaîtrait plus jamais la liberté. Quant à sa femme, elle serait accusée de complicité.

Eve avait quelques scrupules sur ce point. Si Pamela Renquist était inculpée, Rose se retrouverait orpheline. Elle se leva, alla jusqu'à la fenêtre. Mais après tout, cela ne valait-il pas mieux ?

Elle n'en savait rien. Elle se passa la main dans les cheveux, se frotta le visage. Elle ne pouvait que faire son métier et prier pour que, une fois la poussière retombée, tout s'arrange pour le mieux.

Elle entendit la poignée de la porte tourner, puis un coup discret. Elle s'était enfermée à clé volontairement. Elle consulta sa montre, s'empara de sa casquette, la posa sur sa tête.

Quand elle lui ouvrit, Connors sursauta sous le choc. Une lueur dansa dans ses prunelles, et elle se sentit rougir.

— Qu'est-ce que tu regardes ?

— Je n'en sais trop rien.

Il entra, ferma la porte derrière lui.

— Nous devons y aller. La cérémonie commence dans un quart d'heure, lui rappela-t-elle.

— Et c'est à cinq minutes d'ici. Tourne-toi.

— Tu te fiches de moi ? riposta-t-elle. Ce n'est tout de même pas la première fois que tu vois un flic en uniforme.

— C'est la première fois que je vois le mien en uniforme. Je ne savais même pas que tu en possédais un.

— Évidemment que j'en ai un. Nous en avons tous. Simplement, je ne le porte pas. Mais là, c'est... c'est important.

— Tu es... superbe. Terriblement sexy.

— Va te faire cuire un œuf !

— Je suis sérieux !

Il s'écarta pour la contempler. La tenue mettait en valeur sa silhouette élancée. Ses médailles scintillaient sur la veste en tissu raide. Elle avait ciré ses chaussures...

— Lieutenant, il faut absolument que tu mettes ça à la maison.

— Pourquoi ?

— Devine, murmura-t-il avec un sourire enjôleur.

— Tu es cinglé.
— On jouera au gendarme et au voleur.
— Pousse-toi, espèce de pervers !
— Un petit détail.
Il était vif. D'un geste preste, il plongea la main dans le col de sa chemise, en sortit la chaîne avec le pendentif en diamant qu'il lui avait offert.
— Là… c'est parfait, dit-il en le remettant en place.
— Interdiction de me prendre la main.
— À vrai dire, j'avais l'intention de marcher à deux pas derrière toi. Pour mieux profiter de ton déhanchement.
Elle rit et l'entraîna à sa suite.
— J'ai du nouveau sur Renquist, si ça t'intéresse.
— Je t'écoute.
— Il va plaider la folie. Je m'y attendais plus ou moins. Il a des chances de s'en sortir. Il prétend souffrir d'un désordre de la personnalité. Une minute, il est Jack l'Éventreur, celle d'après, il est le Fils de Sam, ou John Wayne Gacy.
— Tu crois que c'est vrai ?
— Pas une seconde. Mira non plus. Mais ça pourrait marcher. Ses avocats présenteront à la barre une multitude de psys, et il est bon à ce petit jeu. Du coup, au lieu de se retrouver dans une cellule avec des barreaux, il atterrira dans une cellule capitonnée.
— Ça t'ennuierait ?
— Oui, mais on n'obtient pas toujours ce que l'on veut. Je vais passer à l'hôpital, tout à l'heure, expliquer tout ça à Marlene Cox et à sa famille.
— Ils n'y verront que du feu. Tout ce qui compte, pour eux, c'est qu'il soit enfermé.
Ils pénétrèrent dans la salle, et elle s'écarta.
— Assieds-toi où tu veux. Moi, je suis condamnée à monter sur ce stupide podium.
Il lui baisa la main.

— Félicitations, lieutenant, pour une mission admirablement accomplie.

Tous deux jetèrent un coup d'œil là où Peabody et McNab se tenaient, à l'avant de la salle.

— Elle s'est débrouillée seule.

À son grand plaisir, le commandant Whitney avait accepté de présider la cérémonie. Elle monta sur la scène avec lui, accepta sa poignée de main.

— Félicitations, lieutenant, pour la promotion de votre assistante.

— Merci, commandant.

— Nous allons commencer tout de suite. Nous avons vingt-sept nominations issues du Central, ajouta-t-il avec un sourire. Je crois bien ne pas vous avoir vue en uniforme depuis que vous avez obtenu votre grade de lieutenant.

— En effet, commandant.

Elle recula, trouva une place parmi les autres formateurs, près de Feeney.

— Un de mes gars est dans le lot, lui chuchota-t-il. On pensait fêter ça autour d'un pot, en face. Qu'en penses-tu ?

— Pourquoi pas ? Mais le civil va vouloir être de la partie. Il a un faible pour Peabody.

— Pas de problème. Jack va nous servir son discours habituel. Dieu merci, on a échappé à ce crétin de Leroy. Ses discours sont interminables.

Assise sur la chaise qu'on lui avait désignée, droite comme un « i », Peabody avait des nœuds dans l'estomac. Elle craignait plus que tout de fondre en larmes, comme lorsqu'elle avait appelé ses parents. Ses oreilles bourdonnaient si fort qu'elle avait peur de ne pas entendre son nom. Elle se concentra sur Eve, calme et posée, impeccable dans son uniforme.

Quand elle l'avait vue arriver, elle avait failli en pleurer d'émotion.

Enfin, le commandant annonça : Inspecteur Troisième Grade Delia Peabody. Elle se leva. Ses jambes se dérobaient sous elle, mais elle parvint à monter sur la scène.

— Félicitations, inspecteur, lui dit Whitney.

Puis ce fut au tour de Dallas de s'avancer.

— Félicitations, inspecteur. Bravo !

Elle lui tendit son insigne, ébaucha un sourire.

— Merci, lieutenant.

Eve reprit sa place. C'était fini.

En regagnant son siège, Peabody ne pensait qu'à une seule chose : elle n'avait pas craqué. Elle n'avait pas craqué, et elle avait son insigne d'inspecteur dans la main.

À la fin de la cérémonie, elle flottait encore dans une sorte de brouillard quand McNab se précipita vers elle pour la soulever dans ses bras. Puis Connors se pencha sur elle et – ô mon Dieu ! – la gratifia d'un baiser *sur la bouche* !

Quant à Eve, elle était introuvable.

Peabody finit par la dénicher dans son bureau. Elle avait remis sa tenue de ville et était absorbée dans ses papiers.

— Lieutenant… vous êtes partie si vite.

— J'avais des trucs à faire.

— Vous portiez votre uniforme.

— C'est bizarre, tout le monde m'en a fait la remarque ! Il n'y a pourtant pas de quoi s'émerveiller. Écoutez, Peabody, une fois encore, je vous félicite. Sincèrement. Je suis fière de vous, très heureuse pour vous. Mais la récréation est terminée, et j'ai du pain sur la planche.

— Eh bien, moi, je vais prendre le temps de vous remercier, que cela vous plaise ou non. Si j'ai réussi, c'est grâce à vous. Parce que vous avez cru en moi. Vous m'avez poussée, formée, encouragée.

— Ce n'est pas complètement faux, concéda Eve en reculant sa chaise pour poser un pied sur son bureau. Mais si vous, vous n'aviez pas cru en vous, si vous n'aviez pas travaillé d'arrache-pied, ça n'aurait servi à rien. Si j'ai pu vous aider, tant mieux. Vous êtes un bon flic, Peabody, et vous serez encore meilleure au fil du temps. Et maintenant, au boulot !

Peabody sentit ses yeux s'embuer, battit des paupières.

— Je m'y mets tout de suite, lieutenant.

— Ce n'est pas votre tâche.

— En tant qu'assistante…

— Vous n'êtes plus mon assistante. Vous êtes inspecteur, et ce sur quoi je travaille en ce moment, c'est votre nouvelle affectation.

— Je ne comprends pas…

— Vous allez avoir un nouveau poste. Je suppose que vous voulez rester à la brigade des Homicides ?

— Mais… mais… Mon Dieu, Dallas ! Je n'ai jamais envisagé de ne pas pouvoir rester… qu'on ne travaillerait plus ensemble. Si ça m'était venu à l'esprit, je n'aurais jamais passé ce fichu concours !

— C'est absurde. Tenez, voici déjà une liste de propositions.

— Je ne m'attendais pas… j'ai du mal à… je ne pourrais pas avoir au moins quelques jours pour m'adapter ? Continuer à vous assister jusqu'à ce que vous ayez trouvé quelqu'un pour me remplacer ? Je pourrais traiter les affaires cour…

— Peabody, je n'ai pas besoin d'une assistante. Je n'en ai jamais eu besoin, et je me débrouillais très bien avant votre arrivée. L'heure est venue pour vous d'avancer.

Eve se pencha de nouveau sur son bureau, mettant ainsi un terme à leur conversation. Lèvres pincées, Peabody opina.

— Bien, lieutenant.

— Je n'ai pas besoin d'une assistante à la noix, marmonna Eve. En revanche, une partenaire…

Peabody se figea.

— Lieutenant ? croassa-t-elle.

— Si ça vous intéresse, bien sûr. Et comme j'ai un rang supérieur au vôtre, c'est vous qui récolterez les corvées.

— Votre par… partenaire ?

— Oh, pour l'amour du ciel, fermez la porte si vous comptez pleurnicher ! Je n'ai pas envie qu'on pense que c'est moi.

Elle se leva d'un bond, claqua elle-même la porte, se retrouva de nouveau dans les bras de Peabody.

— J'en déduis que c'est oui.

— C'est le plus beau jour de ma vie ! Le top du top. Je serai une équipière hors pair.

— Je n'en doute pas.

— Et je vous promets de ne pas pleurnicher, sauf dans des circonstances extrêmes.

— Tant mieux. Sortez d'ici, que je puisse finir mon travail. Je vous offre un verre à la sortie.

— Non, lieutenant. C'est moi qui vous invite. Il est magnifique, n'est-ce pas ? ajouta Peabody en admirant son insigne.

— Oui. Oui, il est magnifique.

Restée seule, Eve se rassit, sortit son propre insigne, le contempla. Puis elle le remit dans sa poche et sourit.

Tout allait pour le mieux.

8024

Composition Chesteroc Ltd
Achevé d'imprimer en France (Manchecourt)
par Maury-Eurolivres
le 21 avril 2006.
Dépôt légal avril 2006. ISBN 2-290-34264-5

Éditions J'ai lu
87, quai Panhard-et-Levassor, 75013 Paris
Diffusion France et étranger : Flammarion